DIANA

D1127413

Das Buch

August 1885: Die sommerliche Ruhe über Frankfurt wird durch den Mord an dem Schneidermeister Karl Lübbe zerstört. Es dauert nicht lange, bis Kommissar Rauch den Schuldigen überführt: Der Schneidergeselle Rader wird als dringend Tatverdächtiger verhaftet. Am Tag vor dem Mord war er von Lübbe entlassen worden. Rader hatte sich erdreistet, die Zehn-Stunden-Woche zu fordern. Im Streit hatten die beiden sich getrennt, wenige Stunden später war Lübbe tot.

Für Karoline Stern, Tochter eines jüdischen Rechtsanwaltes, liegt der Fall anders. In der Armenküche, in der sie, das Mädchen aus gutem Hause, Mildtätigkeit übt, lernt sie die Frau des Mordverdächtigen kennen. Bald ist sie überzeugt, dass Rader nicht der Täter ist. Gemeinsam mit dem jungen Kommissar Staben, einem erst kürzlich aus Berlin nach Frankfurt versetzten Polizisten, beginnt Karoline Nachforschungen anzustellen. Warum blieb der Schneidermeister so lange in seiner Werkstatt? Was hat es mit dem Modehaus auf sich, das Geschäftsleute in der Frankfurter Innenstadt planen? Hat Lübbe sich mit seinen politischen Ideen Feinde gemacht? Je länger die Ermittlungen dauern, desto offenkundiger wird zumindest eines: So fein, wie man immer dachte, ist die Frankfurter Gesellschaft gewiss nicht…

Die Autorin

Hilal Sezgin, geboren 1970 in Frankfurt, hat die deutsche und die türkische Staatsangehörigkeit. Sie studierte Philosophie, Soziologie und Germanistik und arbeitet heute als Redakteurin bei der »Frankfurter Rundschau«. *Der Tod des Maßschneiders* ist ihr erster Roman.

Hilal Sezgin

Der Tod des Maßschneiders

Roman

DIANA VERLAG
München Zürich

Diana Taschenbuch Nr. 62/0155

2. Auflage

Taschenbuchausgabe 12/2000

Der Diana Verlag ist ein Unternehmen
der Heyne Verlagsgruppe München
Printed in Germany 2001

Umschlaggestaltung: Hauptmann und Kampa
Werbeagentur, CH-Zug, unter Verwendung des Gemäldes
»En écoutant du Schumann« von Fernand Khnopff, 1883
Mit freundlicher Genehmigung der Musées royaux des Beaux-Arts
de Belgique, Bruxelles
Satz: Schaber Satz- und Datentechnik, Wels
Druck und Bindung: Elsnerdruck, Berlin
Gedruckt auf chlor- und säurefreiem Papier

ISBN: 3-453-17717-7

http://www.heyne. de

Im Grunde war es eine reizende Idee gewesen für einen sonnigen Sonntagnachmittag. Der Juli war ungewöhnlich heiß in diesem Jahr und wer es sich leisten konnte, hatte Frankfurt ohnehin längst geflohen und erging sich in der Sommerfrische. Da sie nun aber aufgrund dieses sich jüngst ereigneten makabren Vorfalls in Frankfurt hatten bleiben müssen, hatte Herr Stern gefunden, solle die Familie doch wenigstens mit einem dieser Pferdewagen zur Alten Post hinaus. Bekannte mit einladen zu Tee und Kuchen. Da gebe es einen herrlich weiten Blick, da gebe es Schatten.

Einige Meilen nördlich von Frankfurt klapperten sie nun über einen holprigen Feldweg gen Vordertaunus. Die Federung war nicht die beste.

»Verzeihung, was sagen Sie? Ach so, ja, das finde ich auch, dass die junge Schlehmann sich wirklich gemacht hat – einen Moment.« Karoline Stern konnte dem Kitzeln nicht länger widerstehen und griff sich an den Hinterkopf, um eine Rose zu entfernen, die ihr ständig in den Nacken stach. Die Insassen kämpften schon seit geraumer Zeit mit den Blumengirlanden, die man zwecks Vervollständigung des folkloristischen Gesamteindrucks um den Wagen herum drapiert hatte. Die Blumengirlanden selbst kämpften mit der Schwerkraft.

»Huch, jetzt wäre sie fast heruntergerutscht!«, rief Karolines Sitznachbarin und legte ihr die Rose wieder an den Hals. Karoline seufzte und beschloss zum wiederholten Male, sämtliche Widrigkeiten dieses Ausflugs mit Gelassenheit zu ertragen. Sie selbst fühlte sich dieser Sonntagsstimmung nicht ganz gewachsen, und die anderen? Gegen das Knarzen der Achsen bemühten sich Frau Wertheimer und Tochter Sophie, die Toilette aller kürzlich gesichteten Jung-Frankfurterinnen und sämtliche derer Heiratsmöglichkeiten diskret, aber ausführlich zu erörtern. Unter Auslassung ihres eigenen Wertheimer-Sprösslings, der meistens auf seinem Pferd um den Wagen herumtänzelte, sich gerade aber außer Sichtweite befand. Er war davongestürmt, um die Sprungkraft des Tieres an irgendwelchen Zäunen zu erproben.

Karolines Vater hatte Herrn Wertheimer in ein zähes Gespräch unter Juristen verwickelt. Die Aufmerksamkeit ihrer Mutter hingegen galt dem Skizzenbuch auf ihrem Schoß und immer wieder tastete sie nach, ob es nicht zerknickt war. Zwischen ein paar Birken tauchte der Altkönig auf und wurde gebührend bewundert, rechts dahinter, das musste der Feldberg sein – und Karolines Gedanken wanderten von den Taunusgebirgen prompt zurück nach Frankfurt, das irgendwo in entgegengesetzter Richtung lag. Wenn nur die Woche wieder anfinge, dachte sie, dann könnte sie in die Suppenanstalt gehen, um die Armen zu bekochen. Oder sie besuchte die städtische Bibliothek oder sie würde – ach, irgendetwas würde sie doch wohl zu tun haben! So genau wusste sie es nun auch wieder nicht. Aber dringend brauchte sie, so befand Karoline jeden Tag aufs Neue, eine wirkliche Aufgabe.

Jetzt hatte Herr Wertheimer anscheinend doch genug von der Fachsimpelei mit dem Kollegen und wandte sich dem Rest der Familie Stern zu. Ja, sie zeichne und male noch immer, antwortete Frau Stern mit sichtlicher Überwindung, denn sie war in Gesellschaft stets etwas einsilbig. Nein, den Taunus eigentlich seltener, lieber zeichne sie Menschen.

»Porträts!«, schlug Wertheimer begeistert vor. Auch er hatte sich als kleiner Junge einmal an einem Porträt versucht, und gerade wollte er davon erzählen.

»Keine Porträts«, korrigierte Frau Stern nüchtern, »meistens Hände.«

»Hände! Eine sehr schöne Beschäftigung für eine Dame.« Auf diesem Gebiet war Wertheimer leider wenig bewandert. »Und Sie, Fräulein Stern, was machen Ihre Studien?« Vage hatte er sich der leisen Klagen des Vaters erinnert, die Bestrebungen seiner Tochter gingen etwas zu sehr ins Intellektuelle.

»Studien? Ich habe keine.« Karoline zuckte mit den Schultern. Im Übrigen war ihr Vater selbst schuld an den Neigungen seiner Tochter. Denn *er* hatte ihr seine Bibliothek geöffnet und dafür gesorgt, dass ihre Lektüre nicht nur aus dem ›Literarischen Brevier für die Jungfrau‹ bestand, und *er* hatte gemeint, man müsse den Geist der Töchter schulen. Gerade den der Töchter! Sonst würden sie sich nicht zurechtfinden in einer Welt so voller Neuerungen.

»Ach, sein Sie nicht so bescheiden«, lockte Frau Wertheimer. »Sie müssen doch etwas lesen, Sie als gebildete junge Frau!«

»Über die alten Ägypter, nicht wahr?«, kam der Vater ihr zu Hilfe. »Über die Ausgrabungen bei Theben hast du etwas gelesen.«

Karoline bejahte und dann stellte sich heraus, dass auch Herr Wertheimer kürzlich etwas über die alten Ägypter gelesen hatte, und er geriet ins Schwärmen. Merkwürdig, dieser Totenkult, aber doch auch beeindruckend, und überhaupt, wenn die alten Ägypter nicht an das Weiterleben der Verstorbenen geglaubt hätten, was wüsste man dann heute über sie? Nur ihre Pyramiden und Grabkammern hätten überdauert, zum Glück hätte man da endlose Zeugnisse über das Leben dieser Menschen, die man sonst nur aus der Bibel kenne. Er selbst hoffe ja immer, irgendein Frankfurter könne den Engländern ein paar Mumien abkaufen und ein Museum damit einrichten. »Stellen Sie sich vor, Aug in Aug mit einem Pharao! Was meinen Sie, Karoline?«

»Ein wenig unästhetisch, finde ich.«

»Was denn?«

»Die Mumifizierung. Dass sie die inneren Organe in Krügen eingelegt haben.«

Frau Wertheimers Hand griff unwillkürlich nach einem Taschentuch. »Simon, stimmt denn das? – Fräulein Stern, Sie wollen uns sicher nur auf den Arm nehmen!« Aber Herr Wertheimer musste zugeben, auch davon gehört zu haben, und dadurch ermutigt, fuhr Karoline fort: »Sogar das Gehirn haben sie den Toten mit Haken durch die Nase gezogen!«

Frau Wertheimers Taschentuch blieb auf halber Höhe zum Gesicht in Bereitschaft. Aber sie war eine tapfere Person und ließ sich nicht so leicht in ihren Idealen erschüttern. »Ich finde es jedenfalls sehr wertvoll, dass die jungen Frauen heute sich eine umfassende Bildung aneignen können. Gleich, was die Leute wegen der Gesundheit alles befürchten: Von ein bisschen Geschichte wird man noch nicht hysterisch.« Sie holte Karolines Zustimmung ein und fuhr fort: »Da haben die Frauen doch schon so einiges erreicht, mit all diesen Plänen und Reformen.« Konkrete Vorstellungen hatte sie davon nicht, aber sie war dafür.

»Wenn manche auch ein wenig zu weit gehen in ihren Forderungen«, erinnerte sie ihr Gatte. »Chemie oder was weiß ich, was sie noch alles lernen wollen. Latein am Ende!«

»Natürlich.« Brav nickte Frau Wertheimer mit dem Kopf. »Manche gehen natürlich zu weit.«

»Tun sie das?«, fragte Karoline mehr aus Routine denn aus Diskussionsfreude. Ganz entschieden meldete sich dagegen Sophie zu Wort: »Trotzdem, Papa, ich will immer noch Lehrerin werden!«

Karoline fischte erneut eine Strähne aus der Girlande und hörte staunend genauer hin. Sophie erklärte, dass sie bereits an eine dieser Anstalten geschrieben hätte, wo junge Frauen eine richtige Ausbildung erhielten und Prüfungen ablegten und ihnen bescheinigt wurde, dass sie zur Lehrerin befähigt seien. Denn irgendetwas müsse sie ja wohl tun, wenn die Schule zu Ende sei, das sehe ihr Vater doch ein? Der Angesprochene verzog unwillig das Gesicht und Karoline musste sich eingestehen: Das hätte sie diesem Lockenköpfchen gar nicht zugetraut. Sophie Wertheimer, eine Vorreiterin der weiblichen Berufstätigkeit.

Ob sie selbst nach der Schule hätte Lehrerin werden sollen? überlegte Karoline. Eigentlich sah sie kein großes Glück darin, mit Backfischen französische Konversation zu treiben, das Entwerfen von Stickmustern zu üben und Auszüge aus dem Jungfrauenbrevier zu lesen. Andererseits schien das große Glück ohnehin auf sich warten zu lassen. Zwischen Kindheit und Ehe, von beiden gleich weit entfernt.

»Ich seh's schon, da vorn ist sie ja, die Alte Post!«, rief Frau Wertheimer schließlich mit unverkennbarer Erleichterung, dass Lehrerinnendisput und qualvolles Sitzen jetzt gleichermaßen ein Ende nehmen würden. »Simon, sag doch dem Kutscher, er soll die Pferde nicht so stark bremsen. Das Geschaukel verdirbt einem ja den ganzen Appetit!« Der Kutscher hatte es auch so gehört und brachte die Pferde auf der Stelle zum Stillstand.

Leise schimpfend, aber froh über das Ende der Fahrt, kletterten sie alle nacheinander aus dem Wagen. Sie platzierten die schweren, doch anmutig geschwungenen Gartenstühle derart um einen Tisch, dass sie weder in der Sonne saßen noch im tiefen Schatten. Nicht direkt unter einem Baum, damit keine Sperlinge in Frau Wertheimers Tee klecksen konnten, aber auch nicht ganz ungeschützt, wo Herr Stern einen gefährlichen Windzug im Nacken verspürte.

Es dauerte seine Zeit. Und kaum hatte Karoline sich in Ruhe niedergelassen, da sah sie vom Stall neues Unheil auf sich zukommen: Reiter Ludwig Wertheimer hatte gerade sein Pferd abgestellt. Er hatte eine Strohscheibe auf dem Kopf, die sommerliche Frische und jugendliche Kühnheit in einem unterstreichen sollte. »Das ist ein Gaul! Zuerst wollte er nicht, aber er kann, wenn er muss. Das Springen verlernt ein Pferd nie! Sämtliche Gatter haben wir genommen und nur ein einziges Mal hat der Huf eine Latte gestreift.« Flugs holte er sich einen Stuhl vom Nachbartisch und zwängte ihn mühsam zwischen Karolines und ihres Vaters Stühle. »Aber, Karoline«, maulte der junge Wertheimer im Scherz, »wenn Sie nicht ein bisschen zur Seite rücken, dann passe ich ja kaum mehr dazwischen!«

»Das hatte ich auch geglaubt«, stimmte Karoline zu. Die Tassen bebten, als die staksigen Beine des jungen Mannes sich mit einem der Tischbeine verhakten. Er nestelte an seiner Jacke und zog triumphierend ein Exemplar der ›Frankfurter Zeitung‹ hervor. »Seht mal, was ich da mitgebracht habe! Frisch gedruckt und gleich hier vorn …«

Karoline nahm ihm, der erst wieder seine Jacke zuknöpfen wollte, die Zeitung aus der Hand. »Neuigkeiten zur Friedhofsschlacht«, verkündete sie und überflog die erste Seite.

Der 22. Juli des Jahres 1885 war ein Datum, das die Frankfurter noch am selben Tag für denkwürdig, historisch, gar unauslöschlich erklärt hatten und entsprechend beherrschte der Vorfall seitdem die Gespräche auf der Straße wie die der Honoratioren. Dabei hatte die Frankfurter Bürgerschaft bloß einen aus ihrer Mitte in Frieden zu Grabe tragen wollen: Hugo Hiller, Ziseliermeister und Sozialdemokrat.

Aber mit großem, allzu großem Eifer hatte die Polizei die gesamte Beerdigung überwacht. Immerhin waren unter den Trauergästen zahlreiche Sozialdemokraten anwesend und dann hatten einige von ihnen rote Schleifen um die Kränze gewunden – die Bismarckschen Sozialistengesetze verboten sowohl rote Schleifen als auch sozialdemokratische Vereine samt deren Parolen. Und als dann einer der Genossen ans offene Grab getreten war und seine Rede mit den Worten »Zum Zeichen der Freiheit, Gleichheit und Brüderlichkeit« begonnen hatte, da war für die Polizei der Moment gekommen, einzuschreiten. Sie hatten die Säbel gezückt, eine Reiterschaft war hinter den Bäumen hervorgetrabt und das Ganze endete mit fünfzig Verletzten auf der Seite der Trauernden.

Zwei Reichstagsabgeordnete waren schnurstracks zum Polizeipräsidium geeilt, dessen Präsident hatte erste Worte des Bedauerns geäußert, der einsatzleitende Kommissar war gerügt worden. Aber was genau nun geschehen sollte – »Gib diese Zeitung mal her!«, kommandierte Karolines Vater. Immerhin war er ein Abgeordneter der Demokratischen Partei, aufgrund der Friedhofsschlacht hatten sich Sterns Pläne für die Sommerfrische zerschlagen, das hier ging ihn also ganz unmittelbar an. Er und Wertheimer steckten die Köpfe zusammen und studierten den Leitartikel. Der Polizeipräsident hatte unter dem Druck der öffentlichen Meinung zugegeben: Möglicherweise habe man die Lage bei Hillers Beerdigung falsch eingeschätzt, sich in der Wahl der Mittel ein wenig vergriffen. Der zuständige Kommissar war einstweilen vom Dienst suspendiert.

»Jetzt machen sie endlich ernst«, stellte Wertheimer mit Befriedigung fest. Sterns Brust hingegen entrang sich ein sehnsüchtiger Seufzer. Sicher hatten sie einen Boten mit dieser Nachricht zu ihm nach Hause geschickt. Wäre er heute in der Stadt geblieben, hätte er sich mit den anderen Stadtverordneten treffen, debattieren, sämtliche Möglichkeiten nach allen Seiten hin abwägen können. Nun erfuhr er es bloß aus der Zeitung. Aber weil sie wegen dieser Sache nun schon einmal an Frankfurt gefesselt waren, sah Stern sich verpflichtet, Frau und Tochter wenigstens eine kleine Entschädigung zu bieten. Sie liebten diese Ausflüge in die freie Natur. Stern tat noch einen schweren Seufzer.

»Haben Sie den Hiller eigentlich persönlich gekannt?«, fragte Frau Wertheimer.

»Wie? Ach so, den Hiller.« Stern sortierte seine Gedanken. »Nein, natürlich nicht. Aber immerhin, der Hiller hat auch nichts anderes gemacht, als seine Meinung als freier Bürger auszusprechen.«

Wertheimer, ein Parteigenosse, nickte. In dieser Frage waren sich ohnehin die Mitglieder sämtlicher Parteien – von den Nationalliberalen bis zu den Fortschrittlern und Demokraten – ausnahmsweise einmal einig. Schließlich hatte Hiller zu den ganz alteingesessenen Frankfurter Bürgern gehört und dass man einem solchen Frankfurter Bürger nun auch noch posthum die freie Gesinnung verwehrt hatte, indem man seine Angehörigen und Freunde mit Säbeln verdrosch, das ging eindeutig zu weit.

»Überhaupt ist dieses Sozialistengesetz ja untragbar!« 1866 hatte Frankfurt mit Österreich gegen die Preußen gekämpft und seine Loyalität damit bezahlt, dass es kurzerhand von den Letzteren annektiert wurde. Bis dahin war Frankfurt Freie Reichsstadt gewesen, und jetzt – nur noch preußische Provinz. Mit den Jahren hatten sie das langsam verschmerzen können, aber hier zeigte es sich wieder: »Wir können doch nicht tatenlos zusehen, wie die Preußen uns die freie Meinung wegnehmen wollen.«

»Ein Sozi war er aber doch!«, warf sein Sohn ein.

»Hier geht es gar nicht um den Hiller persönlich«, beschwichtigte Stern. »Nicht einmal um die Sozialdemokraten. Das können Sie mir glauben, ich halte nichts von dem Zeug. Wie Ihr Vater gesagt hat: Es geht um die freie Meinung und die Bürgerrechte.« Er nickte seinem Tischnachbarn Wertheimer zu. »Meine Güte, die Engländer und Franzosen haben seit Jahrzehnten eine freie Presse. Aber da kommen die Preußen mit ihrem Bismarck …«

»… und ihrem Wilhelm!«, erinnerte Karoline rasch.

»Na, der Kaiser. Der weiß gar nicht genau, worum es geht. Der ist auch nur eine Marionette von seinem Kanzler. Ja, natürlich, der Kaiser hat ihn eingesetzt. Aber der hat das Herz auf dem rechten Fleck.« Stern hegte diese Überzeugung, seitdem er den Kaiser bei der Einweihung der Oper vor fünf Jahren aus der Ferne erblickt hatte. So alt und schwach, dieser ehrenvolle Mann konnte nichts Böses im Sinn haben. »Glaub mir, Karoline, dein Vater weiß, wovon er redet. Der Bismarck, der ist das Problem. Das einzige, was dieser Mensch je zustande gebracht hat, ist die Krankenversicherung. Da hat er mal ein glückliches Händchen gehabt.«

»Die Sozialdemokraten haben aber doch dagegen gestimmt, oder?«, begehrte Karoline auf. »Sie sagen, dass die Krankenversicherung gar nicht ausreicht, dass sie nur ein Vorwand ist, um die Armen ruhig zu halten.«

»Vorwand? Was heißt da Vorwand?«, empörte sich Wertheimer. »Jeder kleine Schritt ist besser als gar keiner.« Waren die Frankfurter nicht seit eh und je großzügig gewesen, was die Versorgung der Notleidenden anging? In einer Stadt, in der die mildtätigen Stiftungen so zahlreich, der Almosenkasten so gut ausgerüstet, das Armenwesen erst vor wenigen Jahren reformiert und auf neuesten Stand gebracht worden war, hatten Umstürzler ohnehin keine Chance. Kein Grund also, mit Repressalien gute Bürger und Revoluzzer gleichermaßen in der Ausübung ihrer politischen Rechte zu beschneiden.

»Die Sozialdemokratie ist ja in Frankfurt ganz fehl am Platz«, erklärte auch Stern im Brustton der Überzeugung. »In Berlin vielleicht, da hören die Leute auf so etwas. Da gibt es die Fabriken, ganze Viertel mit armen Leuten. Da kommt manch einer auf merkwürdige Ideen. Aber nicht in Frankfurt. Frankfurt kann mit den paar Sozis ganz gut selber fertig werden. Ohne Zensur und Bespitzelung. Darum geht's, Karoline, um die Freiheit der Meinung. Nicht um Revolution.« Er runzelte die Stirn. »Überhaupt gefällt mir das nicht, wie du das gesagt hast, Karoline. Das klingt ja so, als wolltest du diesen Leuten Recht geben.«

»Natürlich nicht, ich kenne nicht einmal welche«, verteidigte sich Karoline, die auch tatsächlich noch nie bewusst einen lebenden Sozialdemokraten zu Gesicht bekommen hatte. »Ich hab ja nur gedacht – Arme und Kranke gibt's immer noch.«

Stern schaute seine Tochter liebevoll an. »Na, das versteh ich ja«, fuhr er besänftigt wieder fort. »Meinst du, deinem Vater tut das nicht weh, wenn er diese Leute sieht? Die gebückten Männer, die Kinder, wenn sie Kohlen tragen? Und die Frauen, wie sie sich abarbeiten und kaum ihre eigene Familie kennen? – Die einen sind reich, die anderen sind arm. Das ist leider so, glaub mir, auch ich finde das nicht richtig. Aber man wird die Reichen nie zwingen können, ihren Reichtum abzugeben. Nicht mit guten Worten und nicht mit Gewalt. Abgesehen davon, dass Gewalt wohl kaum ein gebührendes Mittel ist.«

»Ja, es sind die kleinen Dinge, mit denen man etwas ändert«, stimmte Frau Wertheimer philosophisch zu. »Zum Beispiel mit der Suppenanstalt, Karoline. Sie machen doch jetzt auch mit, da am Röderbergweg. Ich finde es wundervoll, was die Frauen unserer Gemeinde für die Wohltätigkeit alles leisten.«

Tatsächlich schienen die wohltätigen Einrichtungen der Israelitischen Gemeinde fast allen Sorgen abzuhelfen, die ein Mensch nur haben konnte. Almosenkasten und Versorgungsanstalten, Kinderhospitale, Waisenhäuser, Stiftungen für die Aussteuer der Töchter aus verarmten Familien. Ein Teil dieses Lobes färbte allerdings auch auf die Rednerin selbst ab: Erst im Frühjahr hatte Frau Wertheimer einen Wohltätigkeitsbasar organisiert und noch für den Spätsommer plante sie schon den nächsten.

Ihr Sohn erntete stillen Dank von Karoline, als er

einer Schilderung dieser Basarvorbereitungen zuvorkam. »Aber, Herr Stern, wenn die Sozialdemokraten alles mit Gewalt machen wollen, dann ist es doch nur richtig, wenn man ihnen die Vereine und die Zeitungen verbietet!«, brachte der junge Wertheimer seine staatsbürgerlichen Überzeugungen zum Ausdruck.

Da musste sogar sein eigener Vater widersprechen. »Mein Sohn, da verwechselst du aber Ursache und Wirkung. Deswegen ist die freie Meinung ja so wichtig! Sollen die Sozialisten ruhig ihre Ideen frei äußern, dann werden die Leute schon sehen, wo das hinführt. Solang man sie zwingt, alles heimlich zu machen, um so anziehender ist das doch.«

Das sah der Sohn natürlich ein.

»Das Sozialistengesetz wird uns nicht helfen«, fasste Stern die gemeinsame Überzeugung nochmals zusammen. »Nur Reformen bringen uns alle weiter, die Armen und die Reichen und uns Juden auch. Und da sind wir ja schon auf dem richtigen Weg.«

Mehrere Köpfe wippten zufrieden, diese glücklichen Aussichten ihrer Heimatstadt deutlich vor Augen. Karoline war zwar nicht zufrieden, war aus Prinzip nicht leicht zufrieden zu stellen. Aber doch immerhin zu beschwipst, um weitere Einwände vorzubringen. Denn dem Tee war längst der Wein gefolgt und die Scheu, was das Nachfüllen der Gläser anging, hatten sie über der hitzigen Diskussion vergessen. Ein frischer Sommerwind blies Herrn Stern direkt in den Nacken, die Kühlung war ihm nur willkommen, ein Spatz kleckste knapp neben Frau Wertheimers Hut vorbei – es wurde nicht bemerkt. Schließlich machte der Kutscher höflichst, wie er behauptete, darauf aufmerksam, dass er nicht gedenke, später als in einer Stunde wieder in der Stadt zu sein.

Bereitwillig schwangen sich die Ausflügler in den ächzenden Wagen. Die Blumengirlande hatte sich inzwischen aufgelöst und unbehelligt durch Dornen und Blüten ließen sich die beiden Familien nach Frankfurt zurückschaukeln. Die Verabschiedung war herzlich: Das müsse man bald wieder einmal machen!

In der heimatlichen Wohnung fand Herr Stern wie vermutet einen Brief vor – der enthielt sogar noch weitere Neuigkeiten. Nicht nur hatte der Polizeipräsident seinen Kommissar vom Dienst suspendiert, er hatte versprochen, sämtliche Beteiligten zur Verantwortung zu ziehen und die ganze Angelegenheit zu diesem Zweck einem Gericht zu übergeben. Einen neuen Kommissar wollte man baldmöglichst von Berlin nach Frankfurt versetzen lassen. Stern nickte teils zufrieden, teils misstrauisch. »Mal sehen, wen sie uns da wieder schicken.«

Von der üblichen Praxis, verantwortungsvolle Stellen auch in den Mediatstädten ihrer Provinzen mit preußischen Kommissaren zu besetzen, wollte die Polizeispitze nun nicht gleich abrücken. Aber angesichts der erkennbaren Unruhe der Frankfurter Bürgerschaft hielt sie es doch für angemessen, besondere Sorgfalt bei der Auswahl walten zu lassen. Die Aufgabe schien fast unlösbar: Der Mann musste regierungstreu sein und trotzdem unparteilich genug, um die Frankfurter nicht zu erzürnen. Korrekt, aber mit dem nötigen Fingerspitzengefühl für die angespannte Lage im Süden. Streng, aber gemäßigt. Kaum zu glauben, aber schon nach kurzer Frist konnten die Berliner glücklich bekannt geben: Sie hätten einen solchen Mann gefunden, auf den könnten sie sich verlassen und zudem sei er äußerst bereitwillig, sich von der Hauptstadt in die Provinz versetzen zu lassen!

Der derart angekündigte preußische Import trug den Namen Philipp Staben. Er löste Anfang August seine Berliner Wohnung auf, ließ sein Hab und Gut in zahlreiche Kisten und Koffer einpacken und verstaute das Nötigste in einem kleinen Handkoffer, mit dem er sich auf seine Reise ins Unbekannte begab. Er war noch nie in Frankfurt gewesen, ja überhaupt noch nie südlicher als Leipzig gekommen. Nun, da würde es auch nicht viel anders sein als daheim. Hoffte er. Jetzt saß er im Zug nach Frankfurt, schaute starr aus dem Fenster und sah Wiesen und Felder an sich vorüberziehen. Bald mussten sie ankommen, von einer Großstadt noch keine Spur. Vor einer Stunde waren einige Reisende aus der Wetterau zugestiegen, einfache Leute, ländliche Leute, mit groben Kleidern und rissigen Händen, und sie brachten einen gewissen landwirtschaftlichen Geruch mit ins Abteil, wie Stabens feine Nase empört vermeldete.

Ohne viel Aufhebens und Bekümmerung, ob Staben nicht vielleicht lieber seinen eigenen sorgenvollen Gedanken nachhängen wollte, hatte der Mann gegenüber sich vorgestellt. Er hatte den unscheinbaren Namen Schmitt, ein ebenso unscheinbares, wenn auch freundliches Gesicht, breitete ein Brot mit glasigem Handkäse auf seinem Schoß aus und begann aus seinem Leben zu erzählen. Ich hätte doch erste oder zweite Klasse nehmen sollen, dachte Staben bei sich. Manchmal sparte er an der falschen Stelle.

»Und natürlich mach ihr mir selbst auch Vorwürfe. Da fallen einem böse Worte ein und wo ich ihn hart rangenommen habe. Aber dass er dann denkt, er fällt uns nur zur Last, also das wollt ich ja nicht, nie im Leben! Und Hals über Kopf davon!« Der Mann beklagte das Verschwinden seines Sohnes. Wenn Staben die bisherige Geschichte richtig behalten hatte, hatte dieser knapp fünfzehnjährige Sohn vor einigen Tagen den väterlichen Hof verlassen.

Staben suchte sich zu besinnen, dass auch die kleinen Leute Sorgen hatten und ernst genommen werden wollten und dass ein Gespräch in dieser beengten Situation ohnehin ganz unvermeidlich war. »Das tut mir wirklich leid«, sagte er. »Wo hoffen Sie Ihren Sohn denn wiederzufinden?«

»Nach Arbeit wird er wohl suchen, was sonst? Deswegen gehen sie ja in die Stadt! Ich geh halt zum Arbeitsmarkt und hol ihn mir wieder.«

Staben hatte seine Zweifel, ob der Sohn so ohne weiteres Arbeit und der Vater so ohne weiteres den Sohn finden würde. Aber es war nicht seine Aufgabe, den Mann zu entmutigen. »Und wenn Sie ihn gefunden haben?«

»Dann nehm ich ihn wieder mit«, erklärte der Vater zuversichtlich. »Ach, das sieht ein junger Mensch manchmal nicht richtig. Als denk ich, er hat nicht gemerkt, wie er gebraucht wird. Da klagt mer mal, dass es harte Zeiten sind und viele Münder. Und schon denkt er, man braucht'n nicht und will'n nicht, und macht sich davon. Er ist nämlich der Zweitälteste, wissen Sie? Nur der Zweite. Aber genug zu tun ist ja.« Der Mann begann eine Aufzählung des Viehs, das sie auf dem Hof zu versorgen hatten. Zahlreiche Ziegen (und bald würden's noch mehr, denn zwei seien trächtig), Schweine (ein halbes Dutzend), noch mal so viel Hühner, eineinhalb Pferde …

»Eineinhalb?«, fragte Staben nach.

Na, das eine lahme ein wenig. Schmitt verspeiste den letzten Bissen Käse und erkundigte sich dann höflich: »Und Sie? Sie kommen wohl aus der Stadt?«

»Ja, aus Berlin.«

»Berlin?! Das ist aber sehr weit weg!«

Staben stimmte zu und entschied sich dann, auf weitere Nachfragen seinen Beruf preiszugeben. Unter den anderen Reisenden gab es ein bedenkliches Ruckeln und Tuscheln, aber Schmitt war entzückt: »Ja, dann können Sie mir vielleicht helfen mit meinem Sohn?«

Staben zeigte sich bestürzt. »Sie sollten nicht gleich mit dem Schlimmsten rechnen. Ich hoffe jedenfalls nicht, dass Ihr Sohn mit dem Gesetz in Konflikt gerät.«

Nein, so wär's nicht gemeint gewesen, das glaube Schmitt natürlich auch nicht. »Ein braver Junge ist er, schon immer gewesen. Aber wenn er sich meldet oder wenn er irgendwie, also wenn er arbeitet oder bei einer Wohnung ...« Der Mann war jetzt selbst unsicher. »Vielleicht hören Sie ja doch mal von ihm.« Ob er dem Kommissar Namen und Anschrift mitgeben dürfe? Ja? Oh, das sei aber sehr freundlich. Er borgte sich von einem Sitznachbarn einen Bleistiftstummel, schrieb seinen Namen auf eine Ecke der Zeitung, in die sein Brot eingewickelt gewesen war, und überreichte ihn Staben, der sich gezwungen sah, den Fetzen einzustecken. »Nicht in die Seitentasche da«, warnte der Mann, »das verliert man so leicht. Besser in die Brieftasche!«

Nachdem Staben also die Anschrift sorgsam verstaut hatte, erkundigte sich Herr Schmitt nach den näheren Umständen seines Ortswechsels und gab kund: »Ja, Frankfurt, das ist aber nicht wie Berlin.«

»Ich weiß.« Aber nicht einmal die Mahnungen seines

früheren Vorgesetzten, die Frankfurter schienen wie ein Haufen ungezogener Kinder an liberalem Gedankengut Gefallen zu finden, hatten Staben beunruhigen können. »Wenn man nur unvoreingenommen herangeht …«, hatte er entschieden geantwortet.

Unvoreingenommenheit und Sorgfalt, das waren nämlich seine beiden eisernen Prinzipien, wie er sie bei sich immer nannte. In eine Ermittlung durften keine Vorurteile, keine früheren Erfahrungen mit einfließen, keine Gefühle für die eine oder die andere Seite in Anschlag gebracht werden. Stabens Unvoreingenommenheit ging so weit, dass er sich weigerte, sich einer Partei zugehörig zu fühlen, und vor jeder Reichstagswahl prüfte er aufs Neue, welche der Kandidaten diesmal die besten waren. (Dann führte ihn diese unvoreingenommene Prüfung immer wieder zur Wahl der Konservativen.) Stabens Sorgfalt ließ ihn bei seinen Untersuchungen kein Ende finden, trieb seinen Vorgesetzten fast in den Wahnsinn und veranlasste diesen zu dem gequälten Scherz, er wolle den Verdächtigen noch vor das hiesige Gericht stellen, denn das Jüngste Gericht habe seine eigenen Inspektoren.

Mit diesen beiden Prinzipien, dachte Staben, konnte ihm auch in der Fremde kein Leid geschehen. »Wird sich schon alles finden.«

Schmitt, keineswegs so einfältig, wie von Staben vermutet, sah seinem Reisegefährten Furcht und Heimweh schon an den Augenbrauen an und gab sein Bestes. Er lobte Frankfurts prächtige Bauten, seine kultivierten Bewohner und das angenehme Klima. Er hatte gehört, im Norden wäre es im Winter so bitterkalt wie in Russland, also da drauf könne sich Staben jetzt schon freuen. Auch die Sommer seien regelrecht milde.

Staben, dem der Schweiß auf der Stirn perlte, sodass

er ab und zu nach seinem Taschentuch greifen musste, erklärte, er freue sich darauf, wenn es in Frankfurt milder wäre. »Aber die kalten Winter haben mir eigentlich nichts ausgemacht.«

Schmitt entschuldigte sich und versicherte, er habe Stabens Heimat nicht schlechtmachen wollen. Dann überlegte er. »Ja, wieso wolln Sie dann her?«

»Aus persönlichen Gründen«, gab Staben knapp zur Auskunft und schaute so konzentriert aus dem Fenster, dass sich jede Nachfrage verbot. Eine neue Stadt, ein neues Leben. So sah der Plan aus und der Abschied von Berlin war von dementsprechend großer Hoffnung getragen.

Merkwürdigerweise hatte sich diese Hoffnung irgendwann verflüchtigt, kurz nachdem sie aus Brandenburg hinausgekommen waren. Und als jetzt die Bahn ihr Tempo drosselte und Bahnsteige links und rechts auftauchten, da wurde ihm doch sehr beklommen zumute. Nur mit halbem Ohr hörte er Schmitts Abschiedsworte. Ja, er würde die Adresse aufheben, viel Glück, danke, er finde sich schon zurecht.

Der Zug hielt an. Staben blieb sitzen. Es muss ja nicht für lange Zeit meine Heimat werden, sagte er sich, nur ein Wirkungsfeld für die Übergangszeit. Wenn er wollte, könnte er nach einiger Zeit nach Berlin zurückkehren – oder jedenfalls ins Brandenburgische. Man würde ihn sicher gerne zurücknehmen.

Für die letzten Nachzügler schrie der Schaffner, das wäre die Endstation. Mindestens sechs Monate, überlegte Staben, so lange müsste er schon hier durchhalten. Zumindest der Form halber. Also nahm er seinen kleinen Koffer und seine zwei eisernen Prinzipien und machte sich ans Aussteigen.

Vor dem Bahnhofsgebäude hielt Staben inne und holte Luft. Das musste er sagen, die Luft war gut. Vom Taunus her wehte sie sommers wie winters in die Stadt hinein und verdünnte die Ausdünstungen der Industrie, die sich zaghaft in Frankfurts Umgebung ansiedelte. Hinter ihm die drei Bahnhofsgebäude. Vor ihm eine kleine Chaussee, gesäumt von Rasen und dichtem Baumbestand. ›Gallusanlage‹ stand auf dem Schild. Er hatte keine Ahnung, wo er sich befand. Jemand würde ihn am Bahnhof abholen, hatte man ihm geschrieben. Würde ihn zu dem Zimmer führen, das ihm für die erste Zeit als Quartier dienen sollte. Wo war nun dieser Jemand?

Im Schatten einer Kastanie lehnte eine kleine, etwas untersetzte Gestalt, schaute seelenruhig der Pferdetrambahn zu, wie sie Menschen mit Koffern entließ und neue wieder aufnahm, blickte nach oben zu den Schwalben im sonnigen Himmel und studierte die Käfer zu seinen Füßen. Er trug eine blaue Jacke und eine graue Hose: unverkennbar ein Wachtmeister im Dienste Preußens.

Staben eilte auf den Mann zu und riss ihn aus seinem Studium der ihn umgebenden Menschen und anderen Geschöpfe. »Kommissar Staben.« – »Wachtmeister Geringer.« Sie schüttelten einander die Hände. »Ich arbeite in Ihrer Abteilung, bin extra Ihnen unterstellt«, erklärte der Mann freudestrahlend, als hätte er nicht nur den halben Nachmittag, sondern sein halbes Leben schon auf ihn gewartet. »Ich hab auch die Adresse von Ihrem Zimmer, das heißt, ich hab sie doch eingesteckt?«

Er klemmte das Kinn an die Brust, um in seiner Jacke nach der Adresse zu suchen. Er selbst habe mit der Frau Elbert gesprochen, erklärte er, sie freue sich ja schon so auf ihren Gast. Der Sohn sei kürzlich nach woanders versetzt worden – Moment, grad hatte er es noch gewusst, ja, wohin denn nun? Na, vielleicht falle es ihm später wieder ein. Jedenfalls sei der Sohn weg und der Mann immer bei der Arbeit und das große Haus leer, ein wenig einsam sei es vermutlich.

»Ist gar nicht weit von hier, in der Außenstadt. Das schaffen wir zu Fuß«, entschied Geringer unbekümmert, machte keinerlei Anstalten, Staben den Koffer abzunehmen, und führte ihn zum Grüngürtel auf der gegenüberliegenden Straßenseite. Dort pflanzte er sich breitbeinig vor einem alten Ahorn auf und räusperte sich. »Hier waren früher die Wälle von der alten Stadt Frankfurt.« Die hätte man schon vor ein paar Jahrzehnten geschliffen, dann wär man darauf spazieren gegangen und dann hätten sich die Stadtväter entschlossen, eine richtige Grünanlage daraus zu machen. »Da laufen immer die feinen Leute auf und ab und *flanieren*«, sagte Geringer mit überkandidelter Aussprache aus spitzem Mund, durch die sich feine Leute seiner Meinung nach wohl auszeichneten.

»Die feinen Leute … und was machen die anderen?«

»Die auch«, räumte Geringer ein und deutete in Richtung Osten. »Wenn wir da lang gehen würden, was wir jetzt aber nicht tun, dann kämen wir direkt zum Polizeipräsidium. Grad direkt durch, in die Altstadt.«

»Aha«, sagte Staben.

»Wenn wir da lang gehen würden«, fuhr Geringer fort und wies diesmal in Richtung Süden, wo man den Main erahnen konnte, »dann kämen wir zum Nizza. Da haben sie den Main aufgeschüttet und eine Orangerie gebaut, mit südlichen Bäumen. Das sollten Sie sich mal anschauen – geradezu paradiesisch, wie in Italien!

Ich selbst war ja noch nie da, aber …« Es folgte ein umständlicher Bericht, wie sein Bruder dort einst eine Dame getroffen, die verzweifelt ihren Hut gesucht habe … Mit vielen ausladenden Handbewegungen und reichlichen Verrenkungen gab der Wachtmeister sämtliche Stationen der Suche nach der Kopfbedeckung wieder. Der Schluss der Geschichte: Heute waren sie verheiratet.

Staben gratulierte. »Und wohin gehen wir?«

Geringer nickte in Richtung Norden. »Ach, ist der Koffer eigentlich schwer? Vielleicht sollte ich …« Sein Blick schweifte von dem Koffer in die Ferne, wo er neue Sehenswürdigkeiten erblickte, die er dem Neuankömmling vorstellen durfte.

»Ja, gerne«, sagte Staben rasch, bevor Geringer seine Hände wieder zu den nächsten Erläuterungen heben konnte.

Geringer war ein Mensch, der es am besten fand, immer nur eins auf einmal zu tun. Den Koffer tragen *und* dabei erklären, was um sie herum zu sehen war, das wäre zu viel verlangt gewesen. Schweigend schlenkerte er mit dem Gepäckstück voran, schweigend folgte Staben nach. Die Promenaden waren hervorragend gepflegt, musste Staben zugeben, da gaben sich die Frankfurter alle Mühe. Jetzt, wo es langsam Abend wurde, zockelte ein Pferd mit einem Gießwagen den gewundenen Weg entlang, der Fahrer zog den Schlauch nach links und rechts zu den durstigen Pflanzen. Kastanien, Platanen, hier und da eine Magnolie, eine Blumenrabatte. An der rechten Seite stießen die Promenaden an hohe Mauern, teils von Kletterpflanzen überwuchert. Sie trennten private Gärten von der Öffentlichkeit, verbargen die dazugehörigen stattlichen Bürgerhäuser vor allzu neugierigen Blicken.

Geringer stellte kurzfristig den Koffer ab. »Das da ist alles alt«, klärte er Staben auf, damit der nicht auf falsche Gedanken kam. »Aber da drüben, das ist alles neu.« Er wies auf die protzige Reihe mehrgeschossiger Häuser auf der anderen Seite der Wallanlagen, auf der Mainzer Landstraße, wo Frankfurt über das alte Stadtgebiet hinausgewachsen war und wo die vornehme westliche Außenstadt begann. »Und Sie, Sie wohnen noch wo viel Besseres«, versprach Geringer stolz, nahm den Koffer wieder auf und stapfte weiter. »Der Goethe«, presste er hervor, als sie an einem Denkmal vorbeikamen. »Guiolett«, las Staben auf dem dazugehörigen Schild, sah aber keine Notwendigkeit, seinen Stadtführer vor den Kopf zu stoßen.

Die Grünanlage mündete in einen riesigen, gepflasterten Platz mit dem Operngebäude: langgestreckt, der Vorbau zu den Seiten hin abgerundet, große Fenster und viele glatte Flächen. Bei der Fassade hatten sich die Planer entweder vornehm zurückgehalten – oder ihnen war das Geld ausgegangen. Auf dem Vestibül drohte sich ein griechischer Jüngling in graziler Pose das Kreuz zu verrenken. Auf dem Dachgiebel ein Pegasus, der einen äußerst lebensechten Eindruck machte. »Ganz neu«, sagte Geringer wieder, klang aber nicht sehr begeistert. Am Opernplatz änderte er die Richtung, bog in eine Chaussee ein, die nach Westen von Frankfurt wegführte. Geringer fand, es sei an der Zeit für weitere Erläuterungen, und gönnte sich ein Päuschen.

»Da geht's Richtung Bockenheim.« Das gehöre noch nicht zu Frankfurt, aber man munkele, lang werde es nicht mehr dauern. Bornheim wäre schließlich auch früher eine eigene Stadt gewesen, und dann? Ruckzuck sei's gegangen, vor acht Jahren hätten sie es eingemeindet. Ein riesiges Stück Heide habe noch vor wenigen Jahren zwischen Frankfurt und Bornheim gelegen – und jetzt? »Alles voller Straßen und Häuser«, sagte Geringer mit leicht bedauerndem Unterton. Die Straßen hätten sie alle nach Philosophen benannt, die kein Mensch kenne. Gerade Bornheim! Wo doch da nie ein Philosoph gelebt hätte, ja, die größte Weisheit Bornheims immer schon im Ebbelwei gelegen hätte. Hätte der Stoltze gesagt.

Wer der Stoltze sei? Ach, ein Frankfurter Dichter. Und Ebbelwei? Geringer übersetzte ›Äpfelwein‹ für den Berliner, und dann blieben seine Gedanken anscheinend bei dem erwähnten Getränk hängen, er befühlte von außen seine trockene Kehle und seine Rolle als Stadtführer schien vergessen. Unbehelligt durch weitere Bonmots über die jüngste Frankfurter Geschichte, folgte Staben ihm die Landstraße hinauf.

Pferde trabten in beide Richtungen und zogen brav ihre Wagen auf den Schienen. Ihren Namen hatte die Bockenheimer Landstraße aus längst vergangenen bescheideneren Zeiten, als sie noch quer durch Äcker und Wiesen von Frankfurt weg zum Nachbardorf führte. Aber dem alteingesessenen Geldadel war es innerhalb Frankfurts zu eng geworden. Unbekümmert um Bodenknappheit und Grundstückspreise hatten sie in der Frankfurter Gemarkung riesige Stücke Land gekauft, herrschaftliche Häuser errichtet, drumherum Parks anlegen lassen und sich vor der Nähe ihrer weniger honorigen Mitbürger sicher gefühlt. Jetzt mussten sie besorgt zusehen, wie das Land um sie herum parzelliert wurde, wie immer mehr Neureiche in den Seitenstraßen der vornehmen Landstraße langsam aber sicher einen neuen Stadtteil aufbauten. Villa stand neben Villa, eine übertrumpfte die andere in ihren Bemühungen, die Baukunst möglichst vieler längst vergangener Zeiten in einem detailreichen Gesamtkunstwerk zu vereinen.

Geringer runzelte die Stirn, allzu oft war er hier wohl noch nicht gewesen. Er zauderte, bog dann kurz entschlossen von der Landstraße nach links ab. Wie ein streunendes Kätzchen auf der Suche nach einer Schale Milch trabte er von Haus zu Haus, streckte sein Gesicht forschend zur Seite und suchte nach Hausnummern. Irgendwann blieb er schließlich stehen. »Hier ist es!«, sagte er und ließ auf der Stelle den Koffer vor dem Gartentor niedersinken. »Glaube ich jedenfalls.«

Elberts Villa konnte im Wettbewerb der Villen einen vorderen Platz behaupten. Da reckten sich Vorsprünge und Erker in alle Richtungen und Türmchen zierten das Dach und dort drüben war noch ein verschnörkelter Schornstein und überbordende Steinmetzkünste zierten die Fensteröffnungen, die von gefärbten Butzenscheiben ausgefüllt wurden. Geringer warf seinem Kommissar einen unsicheren Blick zu. »Ich glaub schon, dass es hier ist.«

Die Uhr schlug sechs, es wurde Abend. Karl Lübbes Kontor lag im Erdgeschoss, ging nach hinten hinaus auf den kleinen Hinterhof und hatte kaum mehr Licht. Er zündete die Lampe an. Um acht war Ladenschluss, aber heute würde er ausnahmsweise noch länger bleiben, hatte nämlich noch etwas vor, was er nicht aufschieben durfte. Auf seinem Schreibtisch lagen Abrechnungen, Lieferbescheinigungen, höfliche Anfragen an seine Kunden, für die kürzlich gelieferten Kleider doch bitte in nächster Zeit zahlen zu wollen. Ein Konfektionär aus Aschaffenburg erkundigte sich, ob Lübbe ihm nicht Kontakt zu einem guten Tuchhändler in London vermitteln könne. Das klang ja fast so, als sollte Lübbe ihm behilflich sein, ungesetzlich die Einfuhrzölle zu umgehen! Lübbe war verärgert, aber der nächste Brief war kaum besser: Ein Spitzenfabrikant aus dem Ruhrgebiet bot einen zwanzigprozentigen Rabatt bei Abnahme einer Lieferung entsprechenden Umfangs an – vermutlich waren die Spitzen längst aus der Mode.

Lübbe warf die Briefe der Textilhändler in den Papierkorb, unterschrieb diejenigen an seine Kunden und schob die Rechnungen zusammen, um sie seinem Buchhalter zu überlassen. Dann ging er nach vorne in den Verkaufsraum, begrüßte die anwesenden Kunden höchstpersönlich. Die Schwestern Arndt ließen sich von einem seiner Schneider die Modefarben vorführen für den kommenden Herbst. Vier, fünf Proben lagen da auf dem Auslagentisch und die Töne reichten von Tiefbraun über Moosgrün bis hin ins dunkelste Grau.

Die Damen erschraken. Das sei ihnen aber doch ein wenig zu düster.

»Leider ist das die Mode«, erklärte der Schneider bedauernd. »Wenn ich einen Vorschlag machen darf?« Er schaffte einen Ballen mit schimmerndem rotem Atlas heran und die Gesichter der Damen leuchteten auf. Ja, das war wirklich sehr exklusiv! Und als der Schneider noch ein Bündel Samt darüberlegte, mit eingewebtem Blütenmuster, da wurden die Schwestern zuversichtlicher, begeisterten sich geradezu. »Ja, dieses Bordeauxrot, genau so etwas hat uns vorgeschwebt!«

Lübbe nickte zufrieden. Das Rot stand den Damen

entschieden besser als die dunklen Herbstfarben und sein Geschäft ließ es nicht zu, dass die Damen sich auf unvorteilhafte Weise kleideten, nur weil es die Mode so diktierte. Fiel auch alles nur aufs Geschäft zurück, denn was immer die Kundinnen auch denken mochten: Die Umgebung merkte ja doch, ob das Kleid die Trägerin schmückte oder nicht, und wenn die dann erklärte, es sei von Lübbe – das machte einen ganz schlechten Eindruck. Lübbe warf seinem Angestellten einen anerkennenden Blick zu: gut gemacht!

Sein anderer Schneider zupfte derweil an einem dicklichen Kunden herum, der seit dem letzten Sommer sichtlich an Leibesumfang zugelegt hatte. Zuerst vergewisserte der sich, dass er nicht beobachtet würde – Lübbe schaute geflissentlich weg –, dann öffnete er sein Sakko und wies tuschelnd darauf hin, dass es vorn um die Knöpfe herum doch etwas spanne.

Höflich stimmte der Schneider zu, er habe gleich befürchtet, die Maße vom letzten Sommer könnten für dieses Jahr etwas zu knapp bemessen sein. Diese Anspielung brachte das Gemüt des Kunden in Wallung, er vergaß die Diskretion und rief: »Das kann ja gar nicht sein, das ist unmöglich. Alle meine Sachen passen mir noch, das ist ganz ausgeschlossen, dass meine Maße sich verändert haben. Das muss an Ihrer Buchführung liegen, also an mir liegt es nicht. Da kann ich mir ja gleich einen Anzug von der Stange kaufen, wenn das so ist. Wieso komme ich denn hierher?«

»Ich hatte aber bereits empfohlen, erneut Maß nehmen zu lassen.« Auch die Stimme des Schneiders wurde lauter.

Lübbe sah die Notwendigkeit einzugreifen. »Herr Kantor, bitte verzeihen Sie die Unannehmlichkeiten. Noch bis übermorgen werden wir das Sakko überarbeiten lassen – ja, natürlich auf Kosten des Hauses! Sie haben ein Recht darauf, dass Sie hier nur erstklassige Ware erhalten.«

»Das will ich meinen«, brummte der Kunde und trabte nach nebenan.

»Ich hatte ihm aber bereits vorher gesagt …«, zischte der Schneider leise und Lübbe nickte begütigend. »Ich weiß, ich weiß. Hier, vergessen Sie das nicht.« Er drückte dem Mann zum Maßnehmen einen Papierstreifen in die Hand und seufzte. Das ging natürlich nicht, dass sich seine Schneider mit einem Kunden herumstritten. Der Kunde hatte immer Recht.

Aber manch einer konnte einen schier zur Weißglut bringen. Auf der anderen Seite des Raumes kreisten die Arndt-Schwestern immer noch unschlüssig um den roten Atlas herum. »Oder ist er nicht doch etwas auffällig? Man könnte ja meinen, ich wollte mich unbedingt herausputzen!« Der Schneider versicherte, genau solche Kleider trügen die Damen in Paris und in London, wenn sie ausgingen, aber jetzt schwenkte auch die zweite Schwester um. Nein, da wären sie sich jetzt doch nicht so sicher. Paris, London. Aber in Frankfurt? Also, das müssten sie sich doch erst noch einmal überlegen.

Der Schneider war's gewohnt. Gelassen rollte er die Stoffe wieder zusammen, trug sie zurück. Lübbe selbst hingegen raufte sich die Haare. Wie sollte man ein Geschäft aber auch anständig führen, wenn die Kunden sich derart benahmen?

»Ich weiß überhaupt nicht, wo das noch hinführen soll!«, rief er seinem Sohn zu, der aus einem angrenzenden Raum auf ihn zukam. »Frauenzeitungen hier und Modejournale da – da wollen sie elegant sein und traun sich's dann doch nicht!«

Sein Sohn hatte andere Sorgen. »Hier, das habe ich gerade bei unsern Herrenschneidern gefunden!« Er wedelte mit einem Packen Papiere.

»Langsam, langsam«, sagte der Vater ärgerlich, denn alles Hektische war ihm zuwider. »Wenn du mir etwas zeigen willst, bitte, dann gehen wir nach hinten.«

Also gingen sie ins Kontor und nachdem Lübbe sich wieder bequem hingesetzt hatte, begann sein Sohn von seiner jüngsten Entdeckung zu berichten: »Dieser Rader, der aus dem Odenwald, der bringt noch das ganze Geschäft durcheinander. In einem fort verbreitet der sozialistische Ideen und sorgt für Aufruhr!«

»Der Rader? Das kann ja wohl nicht sein«, entgegnete der Vater unwillig. Der Rader wusste, wie man eine Nadel führte, und flink war er noch dazu. Leider war er nur zu empfänglich für allerlei abwegige Gedanken, die er auf der Straße aufschnappte, weswegen Lübbe ihm schon mehrmals väterlich hatte ins Gewissen reden müssen. »Erst letzte Woche hab ich ihn mir wieder vorgenommen, also ich glaub schon, der hat mich verstanden.«

»Aber unter seinen Sachen ist das versteckt gewesen.« Triumphierend breitete sein Sohn über den Lieferbescheinigungen seine Zettel aus. ›Zehn-Stunden-Tag‹ stand da in großen Lettern und dann wurde noch die Sonntagsruhe gefordert. In kleineren Buchstaben wurde erklärt, warum die Ausbeutung kein Ende finden konnte, solange die Produktionsmittel nicht im Besitz der Allgemeinheit waren, und dass das Proletariat sich geschlossen zeigen musste, wenn es sich gegen die Besitzenden behaupten wolle.

»Proletariat«, murmelte Lübbe, »was soll das denn heißen?« Hatte er noch nie verstanden. Proletariat, das waren die Arbeiter von Rödelheim und von Bockenheim und von Höchst, da, wo sie in die Fabriken gingen und in dürftigen Hütten hausten. Aber seine Leute, das waren alles Schneider, Handwerker sozusagen. In diesen schwierigen Zeiten ging es nicht um irgendeinen Klassenkampf, da mussten die Handwerker zusammenhalten, sonst würden sie alle miteinander untergehen. Von wegen Zehn-Stunden-Tag, wo hatte man denn so was gehört?

»Wenn es schon sein muss«, seufzte Lübbe, »dann schick ihn gleich her. Hab ich etwa einen Zehn-Stunden-Tag? Hab ich etwa Sonntagsruhe?« Das würde er auch dem Rader sagen und das würde der ja wohl einsehen. Lübbes Sohn verließ den Raum, der Vater schaute auf seine Uhr: halb sieben.

Noch eineinhalb Stunden. Er zog die unterste Schublade seines Schreibtischs heraus, entnahm dem dahinterliegenden Fach eine Fotografie und betrachtete sie. Heute Abend wurden alte Streitigkeiten beigelegt, neue Wege beschritten. Da durfte er sich von ein paar Flugblättern nicht aus der Ruhe bringen lassen: Flugblätter tauchten auf und verschwanden wieder, schienen sich wie von allein zu vermehren und dann ebenso wieder auszusterben. Er legte die Fotografie zurück in der Gewissheit, an diesem Abend noch würde alles wieder ins Lot kommen.

Vor dem rötlichen Abendhimmel gaben die Zinnen und Erker der Elbertschen Villa eine beeindruckende Silhouette ab. Das Hausmädchen erklärte sich bereit nachzusehen, ob die Herrschaften zu Hause seien, da eilte schon Frau Elbert an ihr vorbei den Besuchern entgegen.

Anscheinend kannte sie sich mit Uniformen nicht

aus. »Nein, *er* ist doch der Herr Kommissar«, erklärte Geringer.

»Also bitte, kommen Sie herein«, erklärte Frau Elbert dieses Mal speziell in Stabens Richtung und lotste ihren Gast durch einen riesigen Hausflur in das Esszimmer. Hier würde er also sein Frühstück einnehmen und das Abendessen – sie hätten halbe Kost ausgemacht, ob das so in Ordnung sei?

Bestens, erklärte Staben. Der Raum war ganz im ländlichen Stil gehalten, mit Bauernschränken und Bauernbänken und zahlreichem anderen bäurischen Zierat, den vermutlich keine Bauernfamilie sich in dieser Fülle und Perfektion je hatte leisten können. Umso mehr fiel der moderne Kasten auf an der Wand, aus Nussbaumholz und mit einer schwarzen Kordel, die leblos in einer Schlaufe herunterhing – ein Telefon. Nicht nur Staben starrte darauf, sondern auch der Wachtmeister und sogar Frau Elbert, die die Stirn in Falten legte, als wüsste sie nicht mehr, wie dieses monströse Zeugnis des Industriezeitalters hier in ihr altdeutsches Esszimmer gekommen war.

Vor vier Jahren hatten Postbeamte in Frankfurt die ersten Maste errichtet und Drähte gespannt. »Am Anfang dachten wir, das ist eine Mode, es geht vorüber. Aber man sagt doch allgemein, es sei sehr praktisch, es werde sich halten. Es hat schon vielen meiner Bekannten gute Dienste erwiesen – jetzt haben wir uns auch eins legen lassen.«

Unter all diesen nachdenklichen Blicken begann das Telefon zu schellen und es kam wieder Bewegung in Frau Elbert. »Entschuldigen Sie«, erklärte sie stolz und nahm den Hörer aus der Gabel. »Wer da? – Ach, Sie sind's! Welche Überraschung. Ich wusste gar nicht, dass Sie auch einen Fernsprecher besitzen. – Ja, ich bin zu Hause. – Guten Abend!« Sie hängte wieder auf und drehte sich zu Staben um, immer noch mit einem Zweifeln im Gesicht: »Wie gesagt, es ist wirklich sehr praktisch.«

Darin waren sich alle einig und Staben beeilte sich zu versichern: »Vor allem in dringlichen Fällen. Wenn Sie einmal schnell den Arzt benötigen oder die Polizei, dann werden Sie froh sein, ihn zu haben. Dann zahlt er sich hundertfach aus.«

Frau Elberts Gesicht leuchtete auf und Wachtmeister Geringer schlug eifrig vor: »Vielleicht könnte ich die Nummer notieren für den Fall, dass wir ihn dringend auf dem Revier brauchen. Wenn es Ihnen recht ist, natürlich.« Geringer ließ sich die Nummer diktieren, verabschiedete sich, war sich unsicher, ob er vor, nach oder neben dem Mädchen durch die Tür zu gehen hatte, und stieß bei dem Versuch, das herauszufinden, mit ihm zusammen.

»Paula, haben Sie sich verletzt?«, erkundigte sich Frau Elbert und bot, sobald sie Paula in unversehrtem Zustand wusste, ihrem neuen Untermieter eine Führung durch das Haus an. »So, und jetzt werfen Sie noch einen Blick in den Salon …« Vorsichtig öffnete sie die Tür, blieb ehrfürchtig auf der Schwelle stehen. Die Einrichtung hielt sich streng an die entsprechenden Fachzeitschriften und deren obersten Grundsatz: Keine Fläche darf frei bleiben. Die Möbel waren mit aufwendigen Intarsien versehen und mündeten an sämtlichen Kanten in gewaltige Schnitzereien. Die Tapete wollte nicht nachstehen und versuchte sich in riesigen Blumenmustern, ein kunstvoll gedrechseltes Holzpaneel war mit Ziertellern dekoriert. An der Straßenseite ergossen sich tiefbraune Vorhänge üppig auf den Boden, wurden von dicken Troddeln zurückgehalten und gaben unwillig einen kleinen Ausschnitt der bunten Butzenfenster frei.

Staben wurde schwindlig und äußerte seiner Vermieterin gegenüber den Wunsch, seinen Koffer auszupacken. Sein Zimmer lag im ersten Stock, er bewunderte auf dem Hinweg noch gebührend den Balkon, der sich über den gepflegten Garten erhob, und bekam sein Zimmer zugewiesen. Sie hätten zwei Gästezimmer, aber dies sei das größere, hoffentlich gefalle es ihm. Ja, er fühle sich ganz wie zu Hause, nein, er wolle lieber selber auspacken. Frau Elbert und das Mädchen zogen die Tür hinter sich zu.

Was es alles für Möbel gab, von deren Existenz er vorher nichts gewusst hatte – verglichen damit, kam Staben seine Berliner Junggesellenwohnung geradezu kärglich vor. Er hängte seine zwei Hosen, die Wäsche und die Uniformjacke in den Schrank. Auf dem Nachttisch stand bereits eine Uhr, ein Buch legte er daneben. Da er die Intarsien der Kommode nicht zerkratzen wollte, deponierte er den Rest seiner Kleinigkeiten auf dem Waschtisch. Keine fünf Minuten hatte dieses Auspacken gedauert, dann hatte der riesige Raum Stabens persönliche Besitztümer vollständig verschluckt.

Ihm zu Ehren hatte Frau Elbert das Abendessen vorverlegt, ihr Mann komme später nach Hause, den könne er erst morgen kennen lernen. Er arbeite oft etwas länger, sicher, er sei Bankier, bloß dürfe man nicht glauben, dass Bankiers nicht richtig arbeiteten. Ihr Mann habe ihr erklärt, es gehe zwar vor allem um Papiere, aber eine Menge Arbeit sei es trotzdem und außerdem sei ihr Mann noch Stadtverordneter, von den Nationalliberalen, und jetzt sei er noch bei einem Treffen von den Grundbesitzern und wenn Staben etwas über Frankfurt wissen wolle, dann könne er immer ihren Gatten fragen.

Staben zeigte sich dankbar und ansonsten schweigsam, genoss das reichhaltige Essen und erklärte, früh ins Bett gehen zu wollen. Er war so müde, dass die bunten Teller auf der altdeutschen Anrichte vor seinen Augen verschwammen.

Aber kaum hatte er die Nachtjacke angezogen, den Wecker auf halb sechs gestellt und das Licht gelöscht, da war er wieder hellwach. Vielleicht war sein Abschied aus Berlin doch etwas übereilt gewesen. Noch vor wenigen Wochen war er so zufrieden gewesen: Kriminalkommissar in Berlin, Bezirk Charlottenburg. Zehn Dienstjahre, die eiserne Schnalle hatte man ihm verliehen. Er hätte einfach so weitermachen können und wäre sicher bald Inspektor geworden. Nicht im Traum hätte er daran gedacht, Berlin zugunsten der Provinz aufzugeben.

Wegen Adele war er nach Frankfurt gegangen. Jetzt war August, damals war es September: Also vor knapp zwei Jahren hatte er sie kennen gelernt. Die Tochter eines alten Kameraden seines Vaters. Wie durch ein Wunder hatten sie sich seit ihrer Kindheit nicht mehr zu Gesicht bekommen. Als sie sich nun erwachsen wiedergetroffen hatten, war es sofort die Hoffnung aller Beteiligten gewesen, dass die zwei befreundeten Familien endlich vereint werden würden.

Zunächst war es Staben gar nicht so leicht gefallen. Adele schien die lebenslustigste Person, die er je kennen gelernt hatte, und wirkte seiner Gewohnheit, nach dem Feierabend mit Akten oder Zeitungen auf den Anbruch der Nachtruhe zu warten, aufs Energischste entgegen. Sie nahm ihn mit in die Oper, schleppte ihn ins Theater, besorgte ihm eine Einladung für die Abendgesellschaft bei den Soundsos. Mit seinem neuen Leben war Staben noch zufriedener als zuvor: tagsüber Kriminalkommissar in Berlin, Bezirk Charlottenburg, und abends Begleiter seiner Adele.

Dann hatte die Verlobung ein bestürzendes Ende gefunden. Ungewollt und ohne dass er sich etwas zuschulden hatte kommen lassen. (Staben ließ sich nie etwas zuschulden kommen. Genaugenommen hatte sich dabei *niemand* etwas zuschulden kommen lassen.) Noch zwei-, dreimal ging er in die Oper, ins Theater oder zu einer Abendgesellschaft, wo es allen Beteiligten peinlich war, eine passende Sitznachbarin für ihn zu finden. Berlin war voller Erinnerungen und er wollte nicht stets erinnert werden. Deswegen war er nach Frankfurt gegangen.

Eine neue Stadt, ein neues Leben, murmelte er sich beruhigend vor, wurde wieder müde. Noch im Halbschlaf hörte er, wie das Telefon schellte und Frau Elbert schimpfte, sie habe es bereits satt, ständig angerufen zu werden. Danach gab das Gerät Ruhe und der neue Kommissar Staben, Frankfurt Innenstadt, Abteilung Kriminal- und politische Polizei, sank in den Schlaf.

Noch bevor der Wecker seinen Einsatz hatte, wachte Staben auf. Schlecht geträumt hatte er, war durch enge Flure gelaufen, von Unbekannten verfolgt, hatte seine Verlobte wiedergefunden und wieder verloren. Mehrmals war er hochgeschreckt, wegen des Telefons, wie er meinte, schließlich wieder eingenickt. Jetzt könnte er noch eine Runde weiterschlafen. Oder er könnte aufstehen, ganz früh, ganz tüchtig. Sofort ins Polizeipräsidium eilen, es war ja so wichtig, einen guten Eindruck zu machen am ersten Arbeitstag. Er schaute auf das Ziffernblatt.

Halb neun! Entweder er hatte nicht verstanden, wie der Wecker funktionierte – oder der Wecker funkionierte überhaupt nicht. Geweckt hatte er jedenfalls nicht. Mit einem Satz war er auf den Beinen, so schnell, dass ihm schwarz vor den Augen wurde. Er versuchte, Hosen und Jacke gleichzeitig anzuziehen, die passenden Strümpfe zu finden. Halb neun schon! Mit nur halb zugeknöpfter Hose hüpfte er zum Waschtisch, goss sich Wasser aus dem Krug in die Hände, spritzte sich etwas ins Gesicht. Kaum war die Hose anständig zu, rannte er die Treppe hinunter und suchte nach seiner Zimmerwirtin.

»Guten Morgen«, sagte Frau Elbert. »Das war ein Schlaf!«

Für ihren freundlichen Gruß erntete sie Zorn und Undank. Nein, er wolle sein Frühstück nicht im Esszimmer einnehmen, dazu habe er überhaupt keine Zeit, ob sie nicht sehe, dass er schon viel zu spät sei?

»Ich dachte, Sie wollten sich mal richtig ausschlafen.« Schmollend schob Frau Elbert die Unterlippe nach vorn, erklärte, sie könne ihm das Frühstück ja mitgeben. Staben schlüpfte in die Stiefel, nahm von Frau Elbert einen Packen eingewickelter Brote entgegen sowie die Empfehlung, an der Bockenheimer Landstraße die Pferdetram zu nehmen. »Bis zur Hauptwache, dann einfach rein in die Altstadt.«

Die erste Bahn war voll, der Schaffner ließ nicht zu, dass Staben noch aufsprang. Die zweite Bahn war noch voller, aber der Schaffner reichte ihm die Hand und hievte ihn auf die Plattform. »Keine Sorge, ich sag Ihnen, wenn wir an der Hauptwache sind. – Das Billet?«

Staben nickte. »Ja, ich hätte gern eins.« Fahrgäste und Schaffner wieherten.

»Was für eins, hab ich gemeint. Raucher? Unten, oder oben auf dem Imperiall? Stehplätze haben wir auch.« Staben war jetzt nicht in der Verfassung, große Entscheidungen zu treffen. »Stehplatz.«

Der Schaffner zählte kurz durch und erklärte, es seien schon alle belegt.

»Dann setz ich mich einfach hierher.« Auf der Vorderkante nahm er Platz, um schnell wieder aufstehen zu können. Aber mit all den Passagieren kamen die beiden Pferde kaum vorwärts. Im Schneckentempo zogen sie an den Villen vorbei, an der Oper, Droschken überholten sie fröhlich. Eine Droschke hätte er sich nehmen sollen. Plötzlich hielt die Bahn an. »Sind wir da?«, fragte Staben. Der Schaffner schüttelte den Kopf und rief trotzdem: »Alles aussteigen bitte!«

Ein technisches Problem. Zwei Fuhrwerke hatten sich mitten auf den Schienen ineinander verkeilt und dabei ihre halbe Ladung auf der Straße verteilt. Ihre Fahrer bildeten einen eigenartigen Punkt der Ruhe mitten in dem von ihnen verursachten Verkehrschaos und berieten gründlich, ob und wie sie ihre Achsen und Güter und Pferdezügel wieder auseinanderklauben sollten.

Der Trambahnschaffner baute sich gewichtig vor seinem Wagen auf. »Die Damen!«, rief er im Befehlston. Unnötigerweise, denn die Damen hatten sich bereits in gebührender Entfernung neben der Bahn versammelt und blickten erwartungsvoll auf den Rest der Mannschaft. »Die Herren! Ich bitte um Ihre Mithife.« Mit geübten Griffen langten die Fahrgäste unter die Kanten ihres Gefährts, zählten bis drei und hoben es in einem gemeinschaftlichen Schwung aus den Schienen. Auf dem Pflaster quietschten die Räder holprig an den Fuhrwerken vorbei und wurden zurück in die Schienen gesetzt.

Staben hatte sich nach Kräften beteiligt und musste feststellen: Für ihn hatte es sich nicht gelohnt. Kaum hatte die Bahn sich wieder in Bewegung gesetzt, da klopfte ihm der Schaffner kameradschaftlich auf die Schulter. »Hier ist es!« Er wies auf ein Gebäude, zu dem die Pferdebahn gemächlich hinzuckelte. Als Staben aus dem fahrenden Wagen sprang und sich dabei den Knöchel anschlug, kam ihm das Tempo doch nicht mehr so langsam vor. Während er seinen Knöchel abtastete, hielt die Bahn von alleine und entließ ihre Gäste an Frankfurts Hauptverkehrsknotenpunkt: der Hauptwache.

An der Hauptwache waren Tafeln aufgebaut, die dem Fremden die Sehenswürdigkeiten nahebringen sollten. Wenn Staben den dazugehörigen Straßenplan richtig gelesen hatte, war es ganz einfach: geradeaus runter in Richtung Main und dann, an der Römergasse, nach links. Aber geradeaus, so musste er feststellen, war in einer Altstadt eine unzuverlässige Größe. Staben hastete durch die engen Gassen, stolperte über loses Pflaster, herumlaufende Kinder und Katzen und Karren mit Fisch und Gemüse. Die winzigen Häuser zu beiden Seiten waren vor jeder modernen Gebäuderichtlinie erbaut worden und kamen einander nach oben hin immer näher. Das wenige Licht, das sie durchließen, verhängten die Bewohner verbotenerweise noch mit Wäsche.

Bis zuletzt hatte Staben noch gehofft, die Straßen der Altstadt würden sich zu einem weiten Platz öffnen und die Sicht freigeben auf ein breites, helles, neu erbautes Präsidium. Aber als er den Clesernhof endlich fand, gab der sich so mittelalterlich und bescheiden wie seine Umgebung. Jeder Flügel schien aus einem anderen Jahrhundert zu stammen, jedes Stockwerk von einem anderen Architekten geplant, jede Fensteröffnung von einem anderen Maurer angelegt. Unter der Fassade lag vermutlich noch das alte Fachwerk und moderte unbemerkt vor sich hin. An der einen Ecke ragte ein malerischer Turm in den Himmel, am Portal begrüßte ein Löwenpaar den Eintretenden.

So hatte er sich ihn nicht vorgestellt, seinen neuen Arbeitsplatz. Ein Schutzmann geleitete ihn über die Wendeltreppe des Turms in den zweiten Stock, durch einen langen, engen Flur, über eine Schwelle aus zerbröckelndem Stein in den nächsten Gebäudeteil, an unverputztem Gebälk vorbei. Die Flure erinnerten Staben an seinen nächtlichen Alptraum, dann stieß der Schutzmann rettend eine Tür zur Seite auf. »Hier ist es.«

Staben schnappte nach Luft. Das Zimmer war stickig, direkt unter dem Dach, ein winziges, schräges Fenster fungierte als Brennglas. Staben riss das Fensterlein aus seiner Fassung und wartete vergeblich auf einen frischen Luftzug.

»Hier war auch Ihr Vorgänger drin, der Kommissar Rauch«, beteuerte der Schutzmann, »alles noch so, wie er es verlassen hat. Wir haben nichts verändert.«

Das konnte man sehen. Anscheinend hatte sein Vorgänger alles mitgenommen, was einem solchen Zimmer zumindest äußerlich den Anschein eines Polizeibüros geben konnte. Nein, das war ungerecht: Einen massiven Schreibtisch hatte er stehen gelassen, ebenso den Stuhl und an der einzigen geraden Wand hing eine Scheußlichkeit in Öl. Auf der Schreibplatte stand ein hirschförmiger Becher (wahrscheinlich zu schwer zum Davontragen), dessen Aufgabe es war, eventuell vorhandene Schreibutensilien aufzubewahren.

Es waren keine vorhanden. Kein Federhalter, kein Bleistift – Staben zog eine Schublade auf –, kein Papier, kein Notizheft. Kein Schrank, kein Regal, keine Uhr.

»Vielleicht könnten Sie mir ...«, begann Staben behutsam, da brachte Geringers kräftige Stimme die Wände zum Beben. »Da sind Sie ja endlich! Was haben wir Sie gesucht!« Es gehörte sich nicht für einen Untergebenen, in diesem Tonfall mit ihm zu sprechen. Das wollte Staben seinen Wachtmeister gerade wissen lassen, aber dann kamen noch mehr Männer herein. Ein Kommissar mit zwei weiteren Schutzleuten im Schlepptau. »Und der Polizeipräsident hat schon nach Ihnen fragen lassen und ich hab gesagt, ich weiß auch nicht, wo er ist, und – ach so: Das ist Kommissar Rauch, der hat jetzt das Zimmer schräg gegenüber ...«

Kommissar Rauch ließ Geringer mit Blicken wissen, dass er sich ganz gut selber vorstellen konnte. »Willkommen in Frankfurt«, erklärte er unverbindlich und die beiden streckten einander über den sperrigen Schreibtisch hinweg steif die Hände entgegen. Kriminal- und politische Polizei heiße ihre gemeinsame Abteilung. Und Staben sei von jetzt an für die Kriminaldelikte zuständig, während er selbst, so erklärte Rauch, die politischen Fälle übernähme, die bisher der aufgrund bedauerlicher Umstände suspendierte Meyer betreut hätte. Staben war etwas überrascht, denn er hatte geglaubt, selbst die Nachfolge Meyers anzutreten, doch sein Kollege sprach unverdrossen weiter:

»Aber solange Sie nicht da waren, habe ich mich um Ihre Angelegenheiten gekümmert.«

Jetzt hatte er sogar bereits ›Angelegenheiten‹! »Sehr freundlich von Ihnen. Leider hatte ich ein Problem mit der Pferdebahn …«

»Sie brauchen sich überhaupt nicht zu entschuldigen.« Rauch schenkte ihm das sparsamste Lächeln, das noch als solches zu erkennen war. »Geringer, Sie setzen ihn ins Bild.« Schmissig drehte er sich um hundertachtzig Grad und verließ den Raum, die Schutzmänner im Gefolge.

»Also, Geringer, wenn es etwas so Dringendes gibt«, Staben schaute der Prozession müde nach und ließ sich auf den Schreibtischstuhl sinken, »bitte setzen Sie mich ins Bild.« Und das tat Geringer dann auch pflichtgemäß.

»Wir haben einen Toten gefunden.« Vielmehr, ein Dienstmädchen hätte ihn gefunden, draußen auf der Wallanlage, wo sie gestern noch so nichtsahnend herumspaziert wären und die schönen Häuser bewundert hätten. Ein harmloses Persönchen, war völlig durcheinander, war sofort zur nächsten Wache gestürzt und als die Schutzleute in der Anlage ankamen, hatte sich schon eine richtige Menge darum gebildet. Die Männer vom städtischen Fuhrwerk, Jung und Alt auf dem Weg zur Arbeit, alle möglichen Leute hätten nichts Besseres zu tun gehabt, als den armen Mann zu bestaunen. Kommissar Rauch hätte erst einmal die Menge zerstreuen müssen, um überhaupt mit der Arbeit beginnen zu können.

»Woher hat Kommissar Rauch das gewusst?«, unterbrach Staben.

»Die von der Wache haben doch hier angerufen! Und der Nachtdienst hat dann den Kommissar angerufen.«

Weit und breit war kein Telefon zu sehen – aber wenn irgendwo eines versteckt war? »Und wieso haben Sie *mich* nicht angerufen?«, wollte Staben wissen, der aufgrund der von Rauch erläuterten Arbeitsteilung vermutete, dass Tote auf den Wällen zunächst einmal in sein Ressort fielen. Nicht in das von dem Kommissar für Politisches im Zimmer schräg gegenüber.

Geringer schaute ihn gekränkt an. »Ich habe es ja später mit dem Telefon versucht, mehrmals sogar. Es hat sich aber niemand gemeldet!«

»Wieso haben Sie mich dann nicht holen lassen?«

»Nun«, Geringer überlegte, »ich dachte, dann ist auch niemand da, wenn niemand sich meldet.«

»Wo hätte ich denn sein können?«, fragte Staben gereizt, dann winkte er ab. »Weiter.«

Also, Kommissar Rauch hätte erst mal die Leute auseinander treiben müssen und irgendjemand hätte ein Betttuch herbeigeschafft und dann hätten sie den Toten erst mal zudecken können. Grauslich! Nein, es war natürlich nicht *exakt* die gleiche Stelle, wo sie gestern gewesen waren. In den Anlagen, ja, aber nicht dort, nein. Vielmehr oben, also in Richtung (Geringer grübelte) Norden. Jedenfalls, dann hätte man die Leiche abtransportiert, damit sie untersucht werden könne, und man hätte sogar schon herausgefunden, wer es war. Der Mann hätte zwar keine Brieftasche dabeigehabt, aber zum Glück hätte der Kommissar Rauch ihn auch so erkannt, die Familie sei schon benachrichtigt. Kommissar Rauch hätte schon mit dem Nötigsten begonnen, hätte auch schon mit dem Polizeiarzt gesprochen …

Für Stabens Geschmack war zu viel von Kommissar Rauch und zu wenig von den Fakten die Rede. »Wer ist denn nun der Tote?«

Geringer schaute verwirrt hoch. »Ach so, ja. Lübbe hat er geheißen, Karl Lübbe. Er hat ein großes Geschäft auf der Zeil, Maßschneiderei. Kennen Sie das nicht? Ach so, können Sie ja nicht, Sie sind ja neu hier. Entschuldigung, ich bin ganz verwirrt.« Er schaute Staben treuherzig an. »Ich war nämlich noch nie dabei bei so was, ist mein erster Toter. Jedenfalls der Erste, den man ermordet hat.«

»Schon gut«, sagte Staben etwas milder und stutzte. »Wieso meinen Sie denn, dass er ermordet wurde?«

»Ja, das war doch ganz offensichtlich.« Geringers Oberkörper nahm eine ungewöhnliche und ungesunde Haltung an. Ganz schrecklich steif hätte der Tote dagelegen, mit abgestreckten Armen und dem Oberkörper leicht zur Seite verdreht, auf den ersten Blick hätte man gesehen, dass der nicht einfach nur eingeschlafen war. (Er, Geringer, war nämlich dann auch mit dem Kommissar Rauch zu den Anlagen gelaufen, hatte Protokoll geführt und solche Sachen.) Erschossen war er, mit einer Pistole. Direkt in den Kopf! Der Polizeiarzt hätte gesagt, ganz nah wär der Mörder drangegangen, wahrscheinlich sei der arme Kerl gleich tot gewesen. »Schrecklich, dass da einer neben jemand steht und schießt direkt drauf!« Geringer schauderte vor Entsetzen und um Staben ein möglichst anschauliches Bild dieser Grausamkeit zu geben, formte er die Finger seiner rechten Hand zu einer Pistole und schoss auf ein imaginäres Opfer zu seiner Seite.

»Der Polizeiarzt hat ihn auch schon gesehen?«, hakte Staben nach. Man war hier doch schneller, als er angenommen hatte. »Geringer, bitte warten Sie doch einmal kurz. Bitte, Sie können sich setzen.«

Schräg gegenüber. In Kommissar Rauchs Zimmer hätte das von Staben etwa dreimal hineingepasst. Es verfügte in zwei Richtungen über anständige Fenster und wurde von einem frischen Luftzug durchweht. Die Dachschrägen waren mit Regalen voll ausgenutzt, an der einzigen freien Stelle hing ein Telefon. Staben musste sich sehr zusammennehmen, um sich höflich nach dem Stand der Ermittlungen zu erkundigen. »Habe ich das richtig verstanden, der Tote wurde bereits identifiziert?«

Ja, so sei es. Zum Glück habe er, Rauch, sofort erkannt, um wen es sich handle. Das sei eben der Vorteil, wenn man schon lange vor Ort arbeite, man wisse sofort, mit wem man es zu tun habe. Man habe bereits nach dem Sohn geschickt, der habe zweifelsfrei bestätigt, dass es sich bei dem Toten um Karl Lübbe handele.

»Ein Schneider, hat Geringer gesagt?«

»Ja, ein Maßschneider. Eine der ersten Adressen hier in Frankfurt.« Der Sohn arbeite mit im Geschäft, die beiden Töchter hätten nach auswärts geheiratet.

»Und wann wurde der Tote genau gefunden?«

Rauch klappte den Aktendeckel auf und schaute nach, um sich ja nicht um eine Minute zu vertun. Um Viertel nach fünf war die Frau, die den Toten gefunden hatte, bei der Wache erschienen und da diese nicht weit von den Anlagen entfernt war: »Kurz nach fünf Uhr, würde ich sagen, kurz nach fünf hat sie ihn wohl als Erste gesehen.«

»*Wenn* sie die Erste war«, flocht Staben ein, um auch etwas beizutragen, »die Erste nach dem Mörder zumindest. Da fällt mir ein, wieso hat der Nachtwächter den Mann nicht gefunden? Gibt es niemanden, der regelmäßig die Anlagen abschreitet?«

Vorübergehend war an Rauch so etwas wie Verlegenheit zu beobachten. »Nun, sicher, eigentlich doch.« Kurzum, der Nachtwächter war eingeschlafen, auf einer Bank nicht weit von dem Toten. Es habe sich herausgestellt, dass er tagsüber noch andere Arbeiten verrichte, gelegentlich zumindest und so auch gestern, deswegen sei er so müde gewesen. Das sei natürlich keine Entschuldigung, im Gegenteil. Er, Rauch, habe bereits mit dem Mann gesprochen und ihn gerügt, alles Weitere müsse man sehen.

»Wenn wir wüssten, wann der Mann das letzte Mal seine Runde gemacht hat, könnten wir die Tatzeit immerhin ein wenig eingrenzen.«

»Ach so, natürlich. Vermutlich war es so gegen acht. Um acht ist Lübbe nämlich immer nach Hause gegangen. Das steht zwar alles in dem Protokoll, aber Sie hatten natürlich noch keine Zeit, es zu lesen.«

Staben streckte die Hand nach den Protokollen aus, die aber auf Rauchs Seite des Schreibtisches für ihn unerreichbar waren. Ob der Tatort bereits abgesucht werde? Ja, er wurde. Und ob er den Toten sehen könne?

»Sicher«, sagte der Kommissar Rauch und tat erstaunt. »Aber wollen Sie sich nicht zunächst einmal um den Täter bemühen?«

»Das gehört meines Erachtens zusammen«, erklärte Staben steif und Rauch nickte nachsichtig mit dem Kopf. Ach so, das könne er ja alles nicht wissen, wegen der unseligen Verspätung – nein, nein, vor ihm brauche Staben sich nicht zu entschuldigen. Also, wie gesagt, er habe bereits den Sohn des Toten gesprochen und der habe auch gleich gesagt, das sei bestimmt der Schneidergeselle Rader gewesen. Ein Zugezogener aus dem Odenwald, ein unbeständiger, stürmischer Kerl, ein Sozialist vermutlich gar. Gestern habe Lübbe senior den Mann entlassen, einen großen Krach habe es gegeben, von Drohungen war auch die Rede. Es komme jetzt nur noch darauf an, sich vor Ort einmal umzuhören, um diese Aussage bestätigen zu lassen. Die Adresse des Verdächtigen habe Rauch sich schon geben lassen, sie liege in der Akte mit den Protokollen vom Fund der Leiche, dem vorläufigen Bericht des Polizeiarztes und der Aussage des Sohnes. Kurzum, es sei schon alles bestens vorbereitet. Die Protokolle gebe er Staben gern mit. »Ist ja ohnehin Ihr Fall.«

Staben presste ein paar Dankesworte heraus, nahm den Aktendeckel entgegen und schlich in sein Büro. Wo Geringer selbstverständlich nicht mehr auf ihn wartete.

Staben hegte zwar den Verdacht, sein Kollege von ›schräg gegenüber‹ werde es altmodisch finden; aber er selbst fand doch, es sei am besten, bei der Leiche anzufangen. »Geringer? Geringer!« Der Mann musste doch noch in Hörweite sein! »Geringer, wir werden uns jetzt den Toten einmal ansehen. Ich weiß, das ist nie ein erfreulicher Anblick, aber …« Staben hielt inne.

Der sonst eher rosige Wachtmeister war für seine Verhältnisse recht blass geworden und zeigte leichte Anzeichen von Verzweiflung. »Aber, Herr Kommissar, ich *habe* ihn doch schon gesehen. Heute Morgen, wissen Sie nicht mehr? Es ist auch ein Protokoll da, also wenn Sie das nachlesen wollen.«

»Ja, die Protokolle sind da. Ich mach nur aber immer ganz gern ein eigenes Bild, bevor ich die Berichte der anderen lese.«

»Ich habe ihn schon gesehen«, wiederholte Geringer bleich und eindringlich.

»Na, vielleicht ist es wirklich besser, Sie bleiben hier

und halten die Stellung. Lange kann es ja ohnehin nicht dauern. Den Weg müssen Sie mir aber trotzdem noch sagen.«

Oh, meinte Geringer entzückt, er werde sich derweil hier mal nützlich machen, zu tun gebe es ja immer etwas und nach Sachsenhausen käme Staben ganz einfach mit der Lokalbahn. »So Fundleichen und von der Polizei und so gehen nämlich leider immer auf den Sachsenhäusener Friedhof.« Also natürlich nicht auf den Friedhof selbst, sondern in die Leichenhalle. Zuerst müsse Staben zur Kapelle, aber nicht zur Kapelle, die stehe noch gar nicht, sondern links durch die Arkaden. Eigentlich nicht direkt durch die Arkaden, denn die stünden auch noch nicht, aber den dazugehörigen Gang entlang zum linken Nebengebäude. Für den Arzt gebe es ein eigenes Arztzimmer, aber nicht im Arztzimmer, das wär der Sektionssaal, sondern im Sektionssaal, da wär der Arzt zu finden.

Staben beschloss, sich die Interpretation dieser Erläuterungen für später aufzuheben, klemmte sich die Protokolle unter den Arm und machte sich auf den Weg, um den toten Maßschneider aufzusuchen.

Geringers rätselhafte Hinweise ließen sich schnell entschlüsseln und waren ohnehin unnötig gewesen. In dem Raum, an den sich künftig die Kapelle anschließen sollte, fing ein Friedhofswärter Staben ab und geleitete ihn durch den Brettergang, der die später noch zu erbauenden Arkaden vertrat. Im Leichenhaus kam ihnen schon der Arzt entgegen. »Doktor Dühring.

Ah, wegen dem Lübbe sind Sie hier – ich nämlich auch, das trifft sich gut. Ich muss noch etwas nachschauen – am besten gehen wir mal nach drüben und nehmen ihn uns gemeinsam vor.«

»Was müssen Sie nachschauen?«, redete Staben tapfer gegen den süßlichen Geruch an, der ihm immer stärker entgegen schlug. Oder war es nur Einbildung? So lange hob man die Leichen doch gar nicht auf, andererseits, es war Sommer …

»Immer der Nase nach«, sagte Dühring fröhlich und bugsierte Staben in eine der Zellen. »Ich zeig's Ihnen gleich. Da liegt er ja schon.«

Gott sei Dank, die Leiche war vollkommen in Ordnung. Keine gebrochenen Knochen, kein zerschlagenes Gesicht, nicht einmal Blut – geniert musste Staben nachfragen, wo er denn überhaupt getroffen habe, dieser Pistolenschuss.

Bereitwillig drehte der Arzt Lübbes Kopf zur Seite. »Die Haare haben wir schon gewaschen, die waren ein wenig verklebt. Vermutlich hat er die Pistole direkt drangesetzt. Wenn er näher am Ohr geschossen hätte, da wäre eine Ader gewesen und weiter hinten auch. Aber hier« – er ließ es sich nicht nehmen, Stabens Hand über den Hinterkopf dorthin zu führen, wo ein Knochen zu fühlen war und eine kleine, verkrustete Stelle unter den Haaren –, »da hat es kaum geblutet.«

»Zufall?«, überlegte Staben.

»Oder Geschicklichkeit. Vielleicht war's ein zartfühlender Kerl, konnte kein Blut sehen«, schlug der Arzt vor. Was Staben für abwegig hielt. Vorsichtig bewegte er den Kopf wieder in seine ursprüngliche Lage.

Des Toten Gesicht war friedlich. Kleine Bäckchen, der Bauch zeugte von guter Ernährung. In bekleidetem

Zustand hatte der Tote sicher eine stattliche Erscheinung abgegeben. Insgesamt etwa ein Meter achtzig, gerade Schultern, die Knöchel vielleicht ein wenig zu schmal, aber die Füße groß genug für einen festen Halt auf der Erde. Staben nahm erst die rechte, dann die linke Hand des Toten und studierte die Innenflächen und die Fingerkuppen. Nein, eine Nadel hatte dieser Schneider sicher lange nicht mehr in der Hand gehabt. Der hatte nähen lassen.

»Lassen Sie ihn einfach fallen. Nein? – Na, dann geben Sie halt her. Ich komm nämlich jede Stunde mal vorbei, um zu sehen, wie die Leichenstarre so abklingt«, lüftete der Arzt das Geheimnis seiner Anwesenheit. Pietätlos hob er den Arm des Toten auf und ließ ihn aus einiger Höhe wieder auf den Tisch knallen.

Der Arm fiel wie ein Ast. »Achtung, Sie brechen ihm noch die Knochen!«, meinte Staben besorgt.

»Nein«, lachte der Arzt, »so schnell geht das nicht, sind ja nicht aus Glas. Außerdem wüssten wir ja, dass ich es war. Als der Tote hier ankam, war er völlig intakt.«

»Wenn Sie es so sehen …«, meinte Staben, immer noch besorgt. »Das mit der Leichenstarre – was vermuten Sie denn, wann er gestorben ist?«

»Das ist noch das Rätsel. Um fünf Uhr ist er gefunden worden, na ja.« Er klopfte gegen Lübbes gekrümmte Finger. »Als er hier ankam, wurde er schon ein bisschen weich. Deswegen muss er schon viel früher tot gewesen sein. Wenn er so gegen acht Uhr erschossen wurde …« (Er stupste den wehrlosen Maßschneider gegen die Wade.) »Aber das mit der Leichenstarre, das ist sowieso nur so über den Daumen. Das Problem ist nämlich der Sommer. Wenn es heiß ist, kann sie schneller kommen und wenn sie schneller kommt, dann geht sie auch schneller. Das ist wie mit der Grippe.«

»Das heißt, Sie können es nicht genau sagen?«

»So ist es«, bekannte der Arzt fröhlich. »Viel später als acht kann's nicht gewesen sein. Vielleicht zehn, höchstens Mitternacht. – Wenn Sie möchten, schneid ich ihn auf!« Er schaute Staben hoffnungsvoll von der Seite her an.

»Und wofür wäre das gut?«

»Na, mal nach dem Essen schauen, ob er sein Abendbrot schon verdaut hatte und so.«

Staben schüttelte den Kopf. »Ich glaube, damit warten wir noch ein wenig.« Eine Obduktion war eine heikle Angelegenheit. Im Allgemeinen waren die Angehörigen nicht davon angetan, wenn man ihre Toten aufschneiden ließ – und Staben selbst fand es auch nicht ganz statthaft. Nur, wenn es wirklich unumgänglich war.

Der Geruch wurde unerträglich. »Kann man hier nicht ein wenig«, fragte Staben vorsichtig, »lüften?«

»Ha«, lachte der Arzt, »schön wär's.« Er wies zur Decke. »Sehen Sie das kleine Loch da? Ja? Das ist die Lüftung. Hat sich irgendein schlauer Architekt ausgedacht, geht in einen Schacht und dann nach draußen. Alles sehr raffiniert, bloß funktioniert's nicht. Ich musste schon mein Arztzimmer aufgeben, damit wir die Leichen dort sezieren können.« Er warf dem Kommissar einen lauernden Blick zu.

»Nein, keine Sektion«, wiegelte Staben ab. »Und welchen Vorteil hat es, dass Sie jetzt im Arztzimmer sezieren?«

»Dann riechen's die Trauergäste nicht so, wenn sie ihre Leute bei der Aufbahrung besuchen. Nein, es ist nicht so wie auf dem Hauptfriedhof. Der hat eine Lüftung! Ganz frische Luft, im Sommer wie im Winter. Und die schönen Glockenzüge für die Scheintoten, haben Sie die gesehen?«

Hatte Staben nicht und wusste auch sonst wenig über Scheintod. »Haben Sie die Glocken jemals in Benutzung erlebt?«

»Nein«, gab der Arzt zu.

»Na also.«

»Das heißt, einmal«, erinnerte sich der Arzt. »Einmal hat ein Toter geklingelt ...«

Staben anstarrte vor Entsetzen.

»... aber dann waren es nur die Gase, die Leiche hat sich aufgebläht, da haben sich die Finger bewegt und an den Schnüren gezogen. Ganz von allein. Ach, das war eine Aufregung!« Staben versuchte, sich die aufgeblähte Leiche nicht genauer vorzustellen, die Botschaften seiner Riechnerven zu ignorieren und sich auf seine Aufgabe zu besinnen. »Wenn Sie nicht genau sagen können, wann er erschossen wurde, wie kommen Sie dann darauf, dass es gegen acht war?«

»Na, das würde zumindest passen. Der Kommissar hat ja gesagt, um acht hat er immer sein Geschäft geschlossen und ist dann durch die Anlagen nach Hause. Vermutlich hat der Mörder im Gebüsch gelauert und ist dann plötzlich rausgesprungen, als der Lübbe vorbeikam.« Der Arzt erklärte, er sehe alles genau vor sich.

Staben hingegen standen die Haare zu Berge. Er warf einen Blick in den Aktendeckel und überflog das Gutachten. Als Zeitpunkt des Todes hatte Dühring angegeben: acht Uhr abends.

»Verstehe ich das richtig, dass Sie zuerst vermutet haben, wie sich der Mord zugetragen hat, und dann die Tatzeit festgelegt haben?«

»Nein, das würde ich mir nicht anmaßen.« Anscheinend hatte der Arzt aus Stabens Worten leise Kritik herausgehört. »Das mit dem Heimweg hat mir doch der Kommissar erzählt. Aber wie gesagt, die Zeit ist ohnehin nur über den Daumen. Und wenn man dann gesagt bekommt, wann der Mord genau war, dann kann man's ja reinschreiben. Finden Sie nicht?«

»Also, ich an Ihrer Stelle würde mich nicht darauf verlassen. Hier!« Staben wedelte mit dem Gutachten. »Schreiben Sie noch eins. – Nein, das hier behalte einstweilen ich. – Entweder Sie schreiben ›zwischen soundso viel und soundoso viel Uhr‹ oder ›genauer Zeitpunkt des Todes unbekannt‹. Je nachdem, was Sie eben wissen.«

»Aber ...«

»Wo sind die Sachen des Toten?« Und ohne weitere Diskussionen zum Thema Tatzeit ging Staben zu den Kleidern über, die nebst Schuhen und Zylinder auf einem ordentlichen Häufchen lagen. Irgendein Mensch hatte das Wort Sorgfalt falsch verstanden, alle Kleidungsstücke ausgeklopft und schön zusammengefaltet. Keine Haare, kein Körnchen Erde von den Wallanlagen, kein Fussel, den die Kleider des Mörders hinterlassen haben konnten.

Das Sakko war tadellos in Schuss, anscheinend am gleichen Tag erst gebügelt. Ein Maßschneider musste schließlich auch entsprechend aussehen. Firmenetikett: Lübbe & Sohn. Staben kannte sich nicht so recht aus, aber für sein Gefühl war der Schnitt ein wenig antiquiert. Höflicher gesagt: sehr solide. Ein Mittelding zwischen Straßenanzug und Frack. Die Hose: von Lübbe & Sohn, frisch gebügelt. Die Weste: das gleiche. Keinerlei Abnutzungsspuren von der Kette einer Taschenuhr. »Hatte der Tote eine Uhr?« Ja, hatte drangehangen. Vermutlich war der Anzug neu.

Der Zylinder: hoch, schwarz und glänzend. Das Hemd: frisch gebügelt, frisch gestärkt. Kragen und Manschetten waren angenäht, sehr exquisit. Die Unterwäsche …

»Was machen Sie denn da?« Diesmal war es der Arzt, dem die Haare zu Berge standen.

»Ich untersuche die Strümpfe auf Löcher. Hier, schauen Sie mal. Sind doch ganz neu, oder?«

»Schon«, der Arzt ging auf Abstand. »Warum auch nicht?«

Ja, warum auch nicht. Perfekt angezogen war er gewesen, der Verstorbene, von Kopf bis Fuß. Ein Hauch zu altmodisch, aber eindrucksvoll: Wie man es von einem Mann erwartet, der einem teure Mode auf Bestellung anfertigen will. Erst als Staben das Sakko wieder auf den Stapel legen wollte, sah er: Da fehlte ein Knopf. Nicht der oberste, nicht der unterste, nein, einer in der Mitte. Die Fäden hingen noch dran, und daraus schloss Staben: »Dieser Knopf, der muss kürzlich erst abgefallen sein. Etwa, als Sie ihn ausgezogen haben?«

»Nein«, entgegnete der Arzt.

»Vielleicht ist er unbemerkt auf den Boden gefallen?« Schon war Staben auf die Knie gegangen, dann stand er wieder auf, durchsuchte die Taschen in allen Winkeln und Ecken. »Oder ist hier schon durchgekehrt worden?«

»Da müssen Sie den Friedhofswärter fragen.« Der Polizeiarzt verlor langsam die Geduld und wandte sich lustlos wieder den Armen des Toten zu. Dieser Kommissar war richtig unappetitlich, wie er da die Wäsche des Dahingegangenen durchstöberte. Jetzt drehte er die Strümpfe wieder von links nach rechts!

Da wollte er selber lieber mal wissen, warum diese Leichenstarre …

»Seine Börse hat man nicht bei ihm gefunden?«

»Wenn keine da ist«, murmelte der Polizeiarzt.

»Anscheinend nicht. Aber die Taschenuhr ist da und die Schlüssel. Und dieser Knopf? Das ist doch nicht zu fassen. Nein, er ist einfach nicht zu finden.«

Auch der Friedhofswärter wusste nichts von einem Knopf und er hatte auch nicht gekehrt. Aber er wandte – nicht ganz zu Unrecht – ein, dass auf dem Weg von den Wallanlagen bis hierher leicht ein Knopf heruntergefallen sein könnte, ohne dass jemand es bemerkt hätte.

»Aber wenn Sie ihn finden«, bat Staben, »dann geben Sie mir Bescheid, ja?« Er klappte seine Brieftasche auf, kritzelte seinen Namen auf eine Ecke desjenigen Zeitungsfetzens, in den schon Schmitts Handkäse eingewickelt gewesen war, und drängte sie dem Friedhofswärter auf.

»Ich sag sofort Bescheid, natürlich!«, meinte dieser begütigend und blickte dem davoneilenden Kommissar mitleidig hinterher. So viel Aufregung wegen eines Knopfes! Das war sicher ein Neuer. Die Neuen waren immer ein wenig übereifrig.

Als Staben nach vielen Irrwegen durch den verschachtelten Clesernhof in sein Büro zurückgefunden hatte, lehnten Rauch und Geringer plaudernd an seinem noch kahlen Schreibtisch. Ob ihnen bereits aufgefallen sei, fragte Staben, dass an dem Sakko des Toten ein Knopf gefehlt habe? Im Protokoll habe es jedenfalls nicht gestanden.

Nein, das sei ihm nicht aufgefallen, antwortete Rauch unbeteiligt, aber höflich.

»Mir auch nicht«, erklärte Geringer, »aber ich hab mir den armen Kerl auch nicht so genau angeschaut.«

»Das könnte aber ein wichtiges Indiz sein«, beharrte Staben. »Würde nämlich ein Maßschneider, dem ein Knopf an seiner ansonsten vorbildlich gepflegten Kleidung fehlt, diesen nicht sofort wieder annähen lassen?«

Vielleicht sei der Knopf bei Lübbes Kampf mit dem Mörder erst abgegangen, schlug Rauch vor.

»Aber die von mir schon erwähnte Kleidung machte nicht den Eindruck, als wäre es vor dem Schuss zu Handgreiflichkeiten gekommen.«

»Und wofür soll es dann ein Indiz sein?«, wollte Geringer wissen.

Ja, das könne er natürlich auch noch nicht wissen, versetzte Staben, jetzt etwas gereizt, und steuerte auf seinen Schreibtisch zu. Bedächtig erhob sich Rauch von der Tischplatte und setzte mit einer Darstellung seiner eigenen neuen Entdeckungen an. »Zunächst haben meine Leute« – wer immer das war, denn Kommissar Staben unterstand nur ein einziger Wachtmeister und selbst der hing bewundernd an Rauchs Lippen – »die Inhaber der benachbarten Geschäfte befragt – mit sehr gutem Erfolg. Um halb zehn wurde Lübbe vom gegenüberliegenden Tabakwarenladen noch lebend gesehen, als er seinen üblichen Heimweg antrat.«

»Hatten Sie nicht gesagt, er sei um acht Uhr nach Hause gegangen?«

»Nein, allem Anschein nach ist Lübbe am gestrigen Abend von seiner Gewohnheit abgewichen. Es wurde halb zehn.« Rauch gab unter leichtem Räuspern zu, dass er sich in diesem Punkt zunächst vertan hatte.

Das gönne ich ihm, dachte Staben und meinte den Polizeiarzt dabei gleich mit. »Wie weit hat der Tabakmann ihm denn hinterhergesehen, dass er sich so sicher ist, dass Lübbe nach Hause gehen wollte?«

»Nun, das hat der Tabakmann, wie Sie ihn nennen – genauer gesagt, waren es seine Arbeiter –, selbstverständlich *nicht ge*sehen. Lübbe hat sein Geschäft abgeschlossen, zum Tabakgeschäft hinübergewunken, wie er das jeden Abend tat, und ist dann in Richtung Hauptwache die Zeil entlanggegangen. Das war sein üblicher Weg nach Hause.«

Geringer schaltete sich ein, weil er fand, dass das in sein Metier falle. »In der Hochstraße hat er nämlich gewohnt!« Das sei eine der Straßen innerhalb der Wallanlagen, nördlich der Zeil. Es folgte eine der gewohnt präzisen Geringerschen Wegbeschreibungen, die sich mit Hilfe eines Straßenplans zu einem einzigen Satz hätte kürzen lassen: von der Zeil durch die nächste größere Querstraße zu den Anlagen. »Eigentlich war's ja ein kleiner Umweg. Aber das letzte Stück vom Eschenheimer Turm ist der Lübbe immer durch die Anlage gegangen, seit Jahrzehnten schon.« Das Haus sei ebenfalls schon seit Jahrzehnten im Besitz der Lübbeschen Familie. »Und dann ausgerechnet kurz vor der eigenen Gartentür …«

Staben überging das Pathos in Geringers Rede. »Sehr gut, jetzt können wir die Tatzeit schon erheblich eingrenzen. Und dieser Verdächtige …«

»Auch über den wissen wir bereits erheblich mehr«, fuhr Rauch fort, denn er war noch lange nicht zu Ende. »Wir konnten nämlich den Weg des Gesellen Rader nach seiner Entlassung verfolgen. Er hat direkt nach dem Vorfall – das war kurz vor sieben Uhr abends – eine Kneipe um die Ecke aufgesucht, seine Stammkneipe augenscheinlich.« Dort habe er getrunken, vermutlich, um über den Ärger hinwegzukommen. Rauchs Miene zeigte deutlich, was er von derartigen Abendvergnügungen hielt, er konnte seinen Ekel aber mühsam unterdrücken. »Allerdings scheint der Alkohol nicht den erwünschten beruhigenden Effekt gehabt zu haben, sondern im Gegenteil: Lang ist er da nicht geblieben. Um kurz vor acht hat der Verdächtige den Wirt nach der Uhrzeit gefragt und ist, wie von einer Tarantel gestochen, aus der Kneipe gelaufen. Vermutlich, so können wir schließen, um seinem Opfer aufzulauern und es zu erschießen.«

An dieser Stelle begehrte Staben auf. »Nun, das passt aber doch gar nicht zusammen. Wenn Lübbe sein Geschäft erst um halb zehn verlassen hat, wieso sollte der Verdächtige schon um acht …«

Rauch lächelte nachsichtig. »Aber Lübbe hat sonst jeden Tag – ich wiederhole: jeden Tag – sein Geschäft um acht Uhr abgeschlossen. Die Leute vom Tabakladen orientierten sich geradezu daran, wann der Lübbe sein Geschäft abschloss und herüberwinkte, denn um acht Uhr abends wechselten die Schichten. Die Zigarrenwicklerinnen gingen, ein Schub Männer löste sie ab.« Daher war es gestern zu einem großen Durcheinander gekommen: Um kurz nach acht waren die Arbeiter von der nächsten Schicht bereits da, aber die Frauen hatten die Plätze noch nicht geräumt. Erst später hatten die Männer den Lübbe dann gesehen, sie waren hinunter in den Verkaufsraum gelaufen und hatten auf die Uhr geschaut: halb zehn, da waren sie sich sicher.

»Gerade weil Lübbe so streng an dieser Gewohnheit festhielt, musste der Verdächtige annehmen, auch am gestrigen Abend würde Lübbe um kurz nach acht durch die Wallanlagen kommen.« Und es kam noch besser: »Um zehn war der Verdächtige wieder in seiner

Stammkneipe, wirkte viel ruhiger, von Lübbe war gar nicht mehr die Rede. Er hätte noch etwas vorgehabt, das wäre jetzt erledigt. Dann trank er noch ein Bier mit einem Nachbarn und ging mit diesem nach Hause.« Kommissar Rauch gab kund, es sei wohl am besten, wenn seine Leute den Mann suchen gingen.

Staben seinerseits demonstrierte Unentschlossenheit. Dies ging ihm alles ein wenig zu schnell. »Zunächst einmal muss jemand mit den Schneidern bei Lübbe & Sohn sprechen.« Mit ›jemand‹ meinte er sich selbst, aber das hätte er deutlicher machen sollen, wie ihm nachher aufging. »Außerdem gibt es noch eine Menge Kleinarbeit: Haben *Ihre Leute* schon den Tatort abgesucht?«

Rauch hatte kein Gespür für Ironie. »Schon geschehen. Sie haben nichts, aber auch gar nichts gefunden. Natürlich gibt es Fußstapfen und Wagenspuren vom Gießwagen und Abdrücke der Pferdehufe von der berittenen Polizei – aber alle Spuren sind schon älter, liegen alle übereinander. Ohnehin haben inzwischen die Schaulustigen den ganzen Rasen zertreten.«

Und die suchenden Polizisten hatten wahrscheinlich den Rest niedergetrampelt. »Man muss natürlich weiträumiger nach der Börse suchen lassen …«

»Habe ich bereits veranlasst.«

»Und nach der Waffe!«

»Wird gesucht.«

»Man sollte sich auch in Waffengeschäften erkundigen, ob Rader eine Pistole erworben hat …«

»Meine Leute sind schon unterwegs.«

»… sowie die Anwohner befragen, ob sie etwas gesehen oder gehört haben.«

»Das übernimmt Geringer.«

Geringer nickte zufrieden und ging gemächlich nach

draußen, um sich dieser verantwortungsvollen Aufgabe zu widmen – demnächst, denn zuerst brauchte er eine kleine Stärkung. Rauch bot an, jederzeit für Staben einzuspringen, wenn dieser ebenfalls eine Pause machen wolle. »Nein, danke, ich komme zurecht.« Es klopfte. »Ja, bitte, treten Sie ein!«

»Kommissar Staben möchte bitte zum Polizeipräsidenten kommen!«, rief der junge Mann, der den Kopf durch die Tür steckte. »Erster Stock, dritte links.« Kommissar Rauch schlenderte unheilvoll lächelnd in sein eigenes Büro und Staben machte sich auf den Weg in den ersten Stock, voll böser Vorahnungen.

Der Polizeipräsident stand im Halbprofil, als posierte er für ein Standbild. Mit dem Kopf direkt vor dem hellen Fenster konnte man seine Gesichtszüge zunächst gar nicht erkennen – nur die dem Fenster zugewandte Spitze des Schnurrbarts.

Die Spitze wippte. »Guten Morgen«, sagte der Präsident würdevoll.

»Guten Morgen«, sagte Staben und wollte noch mehr sagen, aber sein Gegenüber gab ihm keine Gelegenheit. »So, jetzt sind Sie ja endlich da. Eigentlich wollte ich es ein bisschen feierlicher machen, aber in Anbetracht der Umstände und der fortgeschrittenen Zeit …«

»Es …«

»In Anbetracht dieser Umstände also setze ich Sie hiermit zum neuen Kommissar ganz offiziell ein. Kriminal- und politische Polizei, dieser Mord fällt unter Ihre Zuständigkeiten.« Staben öffnete den Mund, aber der Polizeipräsident kam jedem Einspruch zuvor. »Ganz kurzfristig haben wir umentschieden: Kommissar Rauch übernimmt die politischen Fälle, er ist mit den hiesigen Verhältnissen schon besser vertraut.« Er hoffe, es mache Staben nichts aus, dass sie ein wenig von der ursprünglichen Abmachung abgewichen seien.

Mache es nicht, murmelte Staben nicht ganz wahrheitsgemäß und der Polizeipräsident nahm es wohlwollend zur Kenntnis. »Jedenfalls ist das mit dem Lübbe eine ganz schreckliche Angelegenheit, ein alteingesessener Bürger unserer Stadt ist er gewesen. Seit Jahrzehnten führt die Familie ihr Geschäft. Schlimm, wenn die Gesellen sich gegen den Meister erheben, das darf sich auf keinen Fall zu einer politischen Sache auswachsen. Wir müssen hier nämlich sehr vorsichtig sein. Das mit dem Polizeirat Rumpf, das haben Sie wohl gehört?« Ein Mann mit anarchistischer Gesinnung hatte dem Polizeirat auf seinem Weg vom Präsidium nach Hause aufgelauert und ihn im Hauseingang erstochen. »Das ist erst im Januar gewesen. Und solches Gesindel treibt sich natürlich noch überall in der Stadt herum.«

»Lübbe wurde aber nicht …« erstochen, hatte Staben sagen wollen. Denn das fand er bemerkenswert.

Der Polizeipräsident anscheinend nicht. »Dankenswerterweise hat Kommissar Rauch heute Morgen schon eine Menge Arbeit geleistet, ab jetzt übernehmen Sie. Es ist Ihr Fall, bringen Sie ihn zügig und sorgfältig zu Ende.« In Stabens Augen schlossen sich beide Forderungen nicht notwendig, aber möglicherweise gegenseitig aus. Und er persönlich gab der Sorgfalt den Vorrang.

Der Polizeipräsident, der es bis jetzt nicht für nötig befunden hatte, Staben die Hand zu reichen, schaute ihn durchdringend an. »Selbstverständlich, Herr Polizeipräsident«, sagte Staben und ging rückwärts zur

Tür, da das anscheinend die Rolle war, die ihm hier zugedacht war.

Draußen im Flur blieb Staben kurz stehen, ballte die Hände zu Fäusten. »Mein Fall«, wiederholte er und beglückwünschte sich zu dem wunderbaren Zusammentreffen der folgenden fünf Umstände. (Staben pflegte Umstände immer durchzunummerieren, wenn er einen Fall zu bearbeiten hatte.) 1. Er war neu in Frankfurt und hatte sich 2. unglaublich verspätet, was vermutlich niemandem aufgefallen wäre, wenn nicht 3. ausgerechnet heute Nacht jemand erschossen worden wäre – 4. ein Umstand, dessen Aufklärung sein Kollege Rauch sich nur zu bereitwillig annahm, während dieser 5. in seinem schönen, großen Büro saß, das er Staben vor der Nase weggeschnappt hatte.

Die Frage war nur, wo war dieser Kollege jetzt? Mit dem sicheren Gefühl, schon wieder zu spät zu sein, hechtete Staben die Wendeltreppe hinauf. Kommissar Rauch war ausgeflogen. Der sei zu einer Befragung gegangen, erklärte ein Wachtmeister. »Wegen dem Toten heute Morgen, Sie wissen schon.«

Staben nickte tapfer. Schon wollte er wieder in sein Büro gehen, da fiel ihm noch etwas ein. »Ach, sagen Sie, könnten Sie mir vielleicht ein paar Blatt Papier geben? Und ein paar Stifte? Ein frisches Schreibheft vielleicht auch? Der Kollege Rauch hat doch sicher nichts dagegen, oder?«

»Ach, wieso denn? Ist ja genug da!« Bereitwillig lief der Wachtmeister zu den Regalen, um das Gewünschte herauszuziehen. »Noch ein Heft?«

»Gern.« Staben schleppte das neuerworbene Inventar in sein Büro. Jetzt musste alles erst einmal sorgfältig durchdacht werden. Oder, wie der Präsident gemeint hatte: zügig und sorgfältig. Er legte das Papier ordentlich an den Rand seines Schreibtisches, schlug das Schreibheft auf, nahm einen Bleistift, aber dann – er schob alles wieder beiseite und griff sich das Brot, das ihm Frau Elbert zugesteckt hatte. Zuerst musste er frühstücken.

Wenn ihr erntet, sollt ihr euer Feld nicht bis an den Rand abernten und keine Nachlese halten, auch eure Weinberge sollt ihr nicht ganz ablesen und die heruntergefallenen Trauben nicht aufheben. Lasst etwas übrig für die Armen und für die Fremden, die in eurem Land wohnen. Denn ich bin der Herr, euer Gott.«

In Frau Neuhofs Vorratskammer lagerte der Schinken neben dem Käse, ihre Söhne waren nicht beschnitten und wenn sie einmal eine Synagoge aufsuchte, sagte sie, sie gehe in die Kirche – trotzdem beherzigte sie die Worte aus dem dritten Buch Moses. Vor zwei Jahren hatte sie ihre Suppenanstalt gegründet, für Arbeitslose und Arme, für Wöchnerinnen und Kranke. Mochte da auch die eine oder andere bedürftige Bürgerfamilie hereinschauen, komplett mit Kind und Kegel. Damit nahm Frau Neuhof es nicht so genau.

Und noch jemandem hatte sie damit eine Wohltat erwiesen: Ihre weiblichen Bekannten waren äußerst angetan von dieser neuen Art der gemeinsamen Betätigung. Ja, nützlich machen wollten sie sich alle so gerne, ehrenamtlich und für einen guten Zweck! Wenn die anderen Frauen sich für ihren Vormittagsbesuch zurechtmachten oder im Wohnzimmer über das Klavier beugten, da schlüpften Frau Neuhof und ihre Bekannten in ein gewöhnliches Straßenkleid und eilten ihrer neuen Wirkungsstätte entgegen. Alle waren sie verheiratet, hatten Kinder, ein eigenes Heim. Mit einer Ausnahme.

Die Vordertür des Gebäudes, in dem sie gegen Mittag die Suppe ausgaben, war noch verschlossen. Also schlängelte sich Karoline zwischen vollgehängten Wäscheleinen und diversen Tonnen ungeklärten Inhalts in den Hinterhof. Die Hintertür stand weit offen, fröhliches Geplapper drang aus der Tür auf den Hof, anscheinend waren die anderen Helferinnen bereits mitten in der Arbeit.

»Guten Morgen!«, rief Karoline in die Runde und das Gespräch verstummte sofort. Die Damen hatten die einzelnen Zutaten vor sich aufgeteilt, jede hielt ein Schälmesser oder einen Korb vor sich. Alle Augenblicke gab es ein leises Poltern, wenn eine weitere Kartoffel den Weg in einen der großen Kochtöpfe gefunden hatte. Zwischendurch perlte ein Regen von Erbsen hinterher. Im Hintergrund hörte man die regelmäßigen Schläge des Fleischergesellen, der Fleischreste zu Suppeneinlage zerkleinerte.

Ansonsten Stille. Karoline überlegte gerade, ob am Ende sie der Gegenstand des abgebrochenen Gesprächs gewesen war, da schwang die Tür auf. »Guten Morgen, Fräulein Stern«, begrüßte sie Frau Neuhof, »wie Sie sehen, haben wir bereits ohne Sie angefangen. Leider sind zwei Damen heute unpässlich, deswegen sind wir besonders unter Druck. Könnten Sie helfen, die Erbsen zu enthülsen?«

»Die Erbsen machen die Frau Schäfer und ich«, erklärte Frau Rosenblum sofort.

»Ich mache mich gleich ans Brot!« Das war Frau Oswald.

»Die Kartoffelschälmesser sind schon alle vergeben.« Karoline blickte hilflos in die Runde und schließlich bestimmte Frau Neuhof, sie solle die Kartoffeln in Würfel schneiden. Im Vorderraum räumte Karoline sich einen Tisch frei, holte sich einen Eimer geschälter Kartoffeln und schnitt einsam vor sich hin.

Im Hintergrund nahmen die anderen ihr Gespräch wieder auf. Zuerst zaghaft, weil sie nicht wussten, wie weit diese junge Frau wirklich entfernt war. Dann vergaßen sie ihre Vorsicht und redeten munter durcheinander. Da war die Rede von einem Oberst als Ehemann und einem englischen Gentleman als Liebhaber. Von einer Frauengestalt mit merkwürdigem Namen, zwischen den beiden hin- und hergerissen. Karoline spitzte die Ohren, bis sie schließlich bemerkte, dass da die Handlung eines Romans wiedergegeben wurde. Eines Romans von nicht ganz untadeligem Ruf.

Nachdem die Suppenköchinnen das Verhalten der Heldin mit all seinen Details im Konkreten ausführlich erörtert hatten, schwenkten sie um aufs Allgemeine. Ob es eine Beleidigung war, dass man den Damen gekürzte Fassungen der großen Literatur anbot (diese Meinung vertrat Frau Schäfer) oder ob man dankbar sein sollte, dass man deren Kostbarkeiten auf diese Weise ganz ohne üblen Beigeschmack genießen konnte (so fand Frau Oswald). Frau Schäfer hielt wiederum entgegen, sie habe einmal in den Wilhelm Meister hineingeschaut und nichts Schlimmes darin finden können. »Also, bei uns steht der Goethe komplett im Bücherschrank, ohne Kürzungen und frei zugänglich!«

Mit den Büchern der George Sand sei es aber etwas ganz anderes, wandte Frau Rosenblum ein. Die Geschichte dieser Indiana zum Beispiel! So etwas würde sie ihrer Tochter nicht zu lesen geben. Das könne ein unschuldiges Herz ja so leicht verderben.

»Sie haben es anscheinend doch auch gelesen!«, bemerkte Frau Schäfer spitz.

»Ja, aber *nachdem* ich verheiratet war. Mein Mann hat es mir erlaubt!«

»Dass Ihr Gatte Ihnen ausgerechnet *dieses* Buch in die Hand gedrückt hat …« Frau Oswald ließ die Andeutung sanft ausklingen.

Die Angesprochene erkannte die Beleidigung dennoch und rächte sich mit weiteren Andeutungen, die mit Lektüre nichts mehr zu tun hatten. Wohl aber mit Frau Oswalds Gatten.

Karoline verfolgte das Geschehen zunächst noch mit halbem Ohr, dann gar nicht mehr. Sie hatte sich in der Zwischenzeit zu einer Kartoffelschneidemaschine entwickelt. Halbieren, umdrehen, Streifen, von der Seite noch zweimal durch – in den Topf! Alle paar Minuten trug man ihr einen neuen Korb geschälter Kartoffeln herein und sie hatte sich das ehrgeizige Ziel gesteckt, ihren Korb bereits ganz geleert zu haben, bevor der Nachschub kam.

»Meine Güte, Fräulein Stern, das geht ja ruckzuck bei Ihnen!«, rief Frau Neuhof entzückt. »So schnell sind die Kartoffeln noch nie in den Topf gewandert. Die zwei können wir schon aufsetzen! – Frau Schäfer, haben Sie die Erbsen schon fertig?«

Frau Schäfer brachte die Erbsen, Frau Rosenblum die Fleischstücke – alles wurde gerecht auf die Töpfe verteilt. Mit einer Kanne schaufelten sie Wasser hinein, bis die Töpfe fast überliefen, die Küchenvorsteherin entzündete eigenhändig das Feuer.

Noch bevor das Fleisch richtig gar war, kamen die

ersten Leute. Sie klopften vorsichtig an die Vordertür. »Zum Glück sind wir heute ein bisschen früher dran«, flüsterte Frau Neuhof ihren Helferinnen zu. Sie fischte nach einem Kartoffelstückchen, piekte die Gabel durch das Fleisch – »Also, die beiden Töpfe hier könnten schon gehen. Was meinen Sie?« Die Suppe wurde allgemein für genießbar befunden.

Während Staben sein Frühstück verspeiste, gingen seine Gedanken eigene Wege. Die einen galten der Pistole. Erschlagen, Erstechen, Erdrosseln – solche Gewalttaten kamen hin und wieder vor. Wieso hatte Rader sein Opfer aber ausgerechnet erschossen, noch dazu aus nächster Nähe? Nun, Staben hatte Rader ja noch nie gesehen. Vielleicht war er klein oder schwach, hatte sich nicht zugetraut, den kräftigen Lübbe niederzuringen. Ein Mord mit Pistole war ungewöhnlich, aber nicht undenkbar. Durfte auch gar nicht undenkbar sein, denn schließlich war er geschehen.

Staben hielt inne und untersuchte sein Frühstück. Dieser Käse, den ihm Frau Elbert da mitgegeben hatte, schmeckte aber sonderbar. Und sehr salzig. Auf unauffällige Weise wollte er von Frau Elbert in Erfahrung bringen, was sie ihm da mitgegeben hatte. Sicher etwas ganz Besonderes, etwas Ausländisches und Teures. Aber Staben hatte keine Lust auf Experimente. Er legte den angebissenen Käse beiseite und aß das Brot ohne Belag zu Ende.

Zweitens: der Tathergang. Kommissar Rauch schien davon überzeugt, dass Rader um acht die Kneipe verlassen hatte, um Lübbe auf seinem Heimweg abzupassen. Weil der sich aber verspätete, hätte Rader in den Anlagen warten müssen. Von acht bis halb zehn. Aber wenn er doch sicher damit gerechnet hatte, dass Lübbe wie jeden anderen Abend um kurz nach acht durch die Anlagen kommen würde, und eine Stunde später hätte er ihn immer noch nicht erspäht – dann hätte der verhinderte Mörder wohl gedacht, er hätte sein Opfer verpasst und das Warten aufgegeben.

Außer, dieser Mörder wusste um den Grund, aus dem Lübbe sich ausgerechnet an jenem Abend nicht direkt nach Ladenschluss, sondern später auf den Weg machen wollte. Und in diesem Fall wäre er nicht um kurz vor acht, ›wie von einer Tarantel gestochen‹, aus der Kneipe zu den Anlagen geeilt.

»Es ist ein Pech, immer haben wir nur Pech.« Die Frau ließ sich einfach nicht abwimmeln. Auf den langen Holzbänken saßen bereits siebzig, achtzig Männer und Frauen, tief über ihre Teller gebeugt. Weitere standen Schlange und warteten auf ihre Portion oder auf einen Nachschlag.

Die Frau, die sich vom Pech verfolgt fühlte, stand genau vor der Theke. Sie mochte dreißig oder auch vierzig Jahre alt sein. Das Alter der Arbeiterfrauen war schwer zu schätzen, sie alterten schneller und anders als die Frauen in Karolines nächster Umgebung.

»Was ist Ihnen denn geschehen?«, fragte Karoline entgegenkommend und versuchte, an der Unbekannten vorbei einem anderen auszuteilen.

Sie hätte besser nicht fragen sollen. Die freundliche Anrede setzte Tränen frei, die plötzlich und lautlos über das Gesicht strömten.

»O nein!«, murmelte Karoline, drückte der Frau ihr Taschentuch in die Hand und erwiderte Frau Neuhofs fragenden Blick mit einem Schulterzucken. »Haben Sie schon gegessen? Noch nicht? Warten Sie, ich hole Ihnen etwas. Suchen Sie sich inzwischen schon mal ein freies Plätzchen.« Vorsichtig, damit die Suppe nicht überschwappte, balancierte Karoline den Teller zu den Tischen.

Den Sorgen dieser Frau war mit heißer Suppe nicht beizukommen. Widerwillig tauchte sie den Löffel in die Brühe und brach sich ein Stück Brot ab, fing aber gar nicht erst an zu essen. »Immer haben wir nur Pech. Jetzt haben sie meinen Mann auch noch entlassen. Dabei hat es so schon nicht gereicht. Und ich arbeite auch schon den ganzen Tag, ich mach alles, was ich find. Wäsche und Aufwartung und solche Sachen. Der Otto ist Schneider, aber was anderes würde er auch machen, wenn es was gäbe. Mein Ältester war mal in der Fabrik, zur Aushilfe, aber dann war er nicht flink genug. Und die andern sind doch noch so klein.«

»Wie viele Kinder haben Sie denn?«

»Drei, von meinem Kasper, Gott hab ihn selig, und die Jüngste ist grad erst krank gewesen. Kostet alles extra und geholfen hat's auch nicht.« Die Miete war auch schon länger im Rückstand, sie wohnten da in der Kruggasse, groß wär's nicht, aber teuer. Lange würde der Vermieter das nicht mehr mitmachen. »Da kommen andauernd Leute vorbei und fragen, ob etwas frei ist. Aber wenn jetzt der Rader auch noch seine Arbeit verloren hat!« Mal sprach sie von ihrem Mann mit dem Vornamen, mal mit dem Nachnamen, als wäre es ein ihr völlig fernstehender Mensch mitten in einer Menge anderer. »Bald sitzen wir auf der Straße!«

»Aber nein! Haben Sie keine Verwandten oder Freunde?«

Keine.

»Kann ich vielleicht irgendetwas für Sie tun?«

Die Frau schüttelte den Kopf.

»Vielleicht, wenn Sie zum Armenamt gehen?«

Auf dieses Wort reagierte die Frau geradezu entsetzt. »Nein!«

»Da ist doch nichts dabei, Sie könnten doch einfach mal hingehen …« Karoline war kurz davor anzubieten, sie zum Armenamt zu begleiten.

»Die können doch gar nichts für uns tun«, unterbrach Frau Rader. Der Rader wär doch erst vor einem knappen halben Jahr hergekommen, extra hierher nach Frankfurt, weil er dachte, hier wäre es leichter. Dann hätten sie geheiratet und jetzt befürchtete sie: »Am Ende müssen wir alle zusammen zurück in den Odenwald, wo der Otto herstammt!«

Die Suppe dampfte schon nicht mehr und Karoline wusste beim besten Willen nichts mehr zu sagen. Weil sie nun schon einmal hier war, so sah es aus, tunkte Frau Rader schließlich den Löffel in die Suppe und fing an zu essen.

»Ich muss wieder zum Ausgeben«, murmelte Karoline hilflos.

Hinter der Theke nahm Frau Neuhof sie zur Seite. »Im Allgemeinen«, sagte sie vorsichtig, »ist es nicht vorteilhaft, wenn man sich mit den Leuten hier allzu gemein macht. Jeder erwartet dann eine Vorzugsbehandlung, sie hoffen auf Weiteres, Geld vielleicht.«

»Ich glaube nicht, dass diese Frau sich etwas erhofft. Wir haben ja nur gesprochen. Man hat ihren Mann entlassen.« Nun, das unterschied Frau Rader kaum von dem Rest. »Sehen Sie, jetzt geht sie einfach.«

Frau Rader hatte keinen Nachschlag verlangt, nur Teller und Löffel abgestellt ohne ein Wort des Abschieds. Das hätte Karoline nun schon erwartet, wirklich. Wenigstens ein kurzes Nicken, zum Zeichen, dass sie miteinander gesprochen hatten.

Frau Neuhof lächelte. »Ja, es kommt vor, dass einen

das Mitleid überfällt, gerade bei den Frauen. Man gibt ihnen einen Liter Suppe und schickt sie dann wieder hinaus. Das kann einem schon das Herz brechen bisweilen.« Plötzlich erinnerte Frau Neuhof sich an ein Wort: »Zedaka.«

»Wie bitte?«

»Zedaka – Gerechtigkeit. Und zur Gerechtigkeit gehört die Barmherzigkeit.« Frau Neuhof schaute Karoline ins Gesicht und lachte. »Was mir da gerade alles einfällt! Als Kind habe ich es nicht verstanden. Was soll das heißen, dass man eine Ecke des Kornfeldes stehen lassen soll für die Armen? Wieso kommt Ruth und sammelt Ähren auf? – Sie wissen wohl überhaupt nicht, wovon ich rede?«

»Nein«, gab Karoline zu.

»Nun, es ist wohl aus dem Talmud oder aus der Mischna.« So genau wisse sie das jetzt auch nicht mehr. »Es geht darum, wie man Almosen geben soll, so hat mein Großvater es mir erklärt. Es ist nicht gut, dem Bettler etwas zu geben, besonders nicht, wenn jemand es sieht. Am besten ist es, wenn jeder sich holen kann, was er zum Leben benötigt.« Wieder trat eine Reihe von Leuten heran. Mit dem Teller in der Hand warteten sie auf ihren Teil Suppe.

»Was denken Sie«, fragte Karoline, »ist die Suppenanstalt mehr von der Art, dass sich jemand etwas holt, oder mehr von der Art, dass man einem Bettler etwas gibt?«

»Ich hoffe, mehr von der ersten Art.« Aber auch Frau Neuhof war sich da nicht so ganz sicher.

Zweifellos war die Zeil eine prächtige Straße, aber sie hatte ein gespaltenes Antlitz. Die riesigen Gebäude auf der nördlichen Seite präsentierten sich über alle Stilfragen hinweg geschlossen als eine Ansammlung Frankfurts erster Adressen: Bürgerhäuser berühmter Familien, Hotels. Eines davon kannte Staben sogar vom Hörensagen: Der Russische Hof sollte Bismarcks bevorzugtes Quartier sein, wenn er sich in Frankfurt aufhielt.

Die Südseite konnte mit diesem Aufgebot endloser Fassaden und großer Namen nicht ganz mithalten. Ihre meist kleinen, niedriggeschossigen Häuser beherbergten Gastwirtschaften und Geschäfte, die mit ihren Angeboten nach den Gästen der Hotels gegenüber schielten. Ein verschnörkelter Giebel mit einem winzigen Rundfenster trug das Schild, das Staben suchte: ›Lübbe & Sohn‹. Drinnen ging es zu wie im Bienenstock. Mehrere Männer in tadellosen Anzügen eilten hin und her, rückten den Kunden Stühle zurecht, brachten Stoffe herbei und notierten neue Aufträge.

Ein wenig überfordert wirkte der junge Mann, der sich schließlich als Lübbe junior herausstellte. Zwar sei am heutigen Morgen schon einmal ein Kommissar dagewesen, erklärte er, aber wenn es nötig sei – nur zu willig, dem wilden Treiben zu entkommen, führe er Staben zum Kontor. »Mein Gott, jetzt kommen sie plötzlich alle auf einmal und wollen neue Anzüge und Kleider, als ob ihnen heut Morgen aufgefallen wäre, dass die alten es nicht mehr tun. Und meine Mutter, die Ärmste – also gut ein Dutzend Besucher waren schon da und wollten kondolieren.«

Staben murmelte, es sei doch sicher ein schönes Gefühl, dass der Vater so beliebt gewesen sei, während Lübbe ihn durch einen Flur bugsierte.

»Beliebt?«, wiederholte der Sohn betreten. »Ja, natürlich war er beliebt. Aber das hier ist Neugier, die reine Neugier, ich sag's Ihnen. Wo mein Großvater starb vor zehn Jahren – ich erinnere mich noch –, hat kaum einer vorbeigeblickt. Er war schon alt und kränkelnd, ein ganz normaler Tod. Aber jetzt – dass mein Vater erschossen wurde! Das finden sie so dramatisch, da müssen sie alle herkommen und gucken, wie es sich so lebt, wenn der Vater ermordet wurde.«

Staben gab zu bedenken, dass ein Mord ja nun wirklich auch dramatisch sei.

»Eben, und müssen sie dann alle ihre Nase reinstecken? Ich hätt ja am liebsten zugemacht heut Morgen, aber der Buchhalter ...« Der Buchhalter hatte ihm eindringlich zugeredet, das könnten sie sich nicht leisten. Lübbe junior seufzte und stieß eine Tür auf.

Das Kontor wurde zur Hälfte von einem riesigen Mahagonitisch eingenommen und zu einem weiteren Viertel von einem riesigen Sessel dahinter. Ein kleiner Stuhl für herbeizitierte Angestellte stand etwas verloren davor. Auf diesem bat Lübbe junior seinen Besucher Platz zu nehmen. Er selbst schlängelte sich um den Schreibtisch herum und ließ sich so umständlich in den dicken Sessel hinab, als hätte er noch nicht das Gefühl, es wäre tatsächlich seiner.

Kurz gab Staben den Stand seiner Ermittlungen wieder, ging dabei ausführlich auf Rader ein, der sein Gegenüber verständlicherweise in besonderem Maße interessierte. Aber auch wenn Rader sehr verdächtig wirke, erklärte Staben, seien doch noch ein paar weitere Fragen offen. Vor allem: »Die Leute aus dem Tabakgeschäft gegenüber haben Ihren Vater gesehen, wie er um halb zehn das Geschäft geschlossen hat.«

»Erst um halb zehn?«

»Wissen Sie vielleicht, ob er noch etwas vorhatte? Hat er Ihnen was gesagt?«

»Nein! Ich bin nämlich schon um halb acht gegangen.«

»Könnte etwas Besonderes im Geschäft zu erledigen gewesen sein, hätte er verabredet sein können oder ins Theater wollen?«

Unwissendes Kopfschütteln. »Mein Gott, wenn ich das nur wüsste – er hat nichts darüber gesagt, aber *irgend*was muss er wohl zu tun gehabt haben.«

Dieser brillanten Äußerung konnte Staben kaum widersprechen. »Ausgerechnet gestern ist er länger geblieben – das wäre aber ein merkwürdiger Zufall, meinen Sie nicht?«

»Ja, wirklich.« Mit gepresster Stimme erklärte der Sohn: »Ich habe noch kaum Zeit gehabt, über die ganze Sache nachzudenken. Das Geschäft muss ja weiterlaufen, gerade jetzt.«

Staben beschloss, mit Ruhe vorzugehen. »Ich nehme an, Sie sind jetzt der Geschäftsführer? Lübbe & Sohn habe ich draußen auf dem Schild gelesen.«

»Nein, der Sohn, das war mein Vater. Mein Großvater Lübbe ist hier in Frankfurt auf seiner Wanderschaft hängen geblieben, hat sich bei seinem Meister gut gemacht und den Laden nach dessen Tod übernommen. Dann hat er dieses Geschäft aufgemacht. Ja, so war das damals!«, seufzte der Sohn, als erinnerte sich ein Greis an die gute alte Zeit seiner Jugend zurück. Allerdings klang es ein wenig auswendig gelernt.

Der jüngste Lübbe, der vor ihm saß, war anscheinend kein Teilhaber geworden, schloss Staben aus dieser Familiengeschichte. »Und heute? Wie ist es heute?«

»Heute?«, wiederholte der Junior trübsinnig. »Heute, da sind die Tage der Maßschneiderei gezählt. Haben

Sie's nicht gesehen, als Sie gekommen sind? Konfektionäre links und Konfektionäre rechts, sie bauen die größten Häuser und produzieren Massenware von der Stange. Alles mit der Maschine zugeschnitten und der Rest von irgendwelchen kleinen Leuten daheim im Akkord zusammengenäht. Richtige Schneider sind das ja gar nicht mehr!« Er beugte sich an dem großen Schreibtisch vor, so weit es eben ging, und schickte sich an, etwas sehr Tiefsinniges zu verlautbaren. »Wissen Sie, ich sag Ihnen was: Im Schneidergeschäft geht es entweder nach oben oder nach unten.«

»Aha.« Staben bat ihn, diese philosophische Betrachtung etwas näher zu erläutern, und Lübbe tat das mit einigen Umwegen. »Nach oben, das heißt, für die ganz Reichen. Nehmen sie den Kobisch zum Beispiel, der beliefert Prinzen und Prinzessinnen da in Berlin und welche von Hamburg und den einen oder andern sogar aus Österreich. Aber solche Kunden, die kommen nicht so einfach in den Laden. Diese Kunden muss man sich suchen! Ja, der Kobisch ist sehr gewandt in solchen Dingen. Mit seinen neuen Entwürfen fährt er in die Sommerfrische und kommt mit einem Packen Adressen zurück. – Also das ist oben.« Er blickte den Kommissar zufrieden an, weil er das so schön dargelegt hatte.

Staben nickte folgsam.

»Da geht's für die meisten aber nicht hin und mit einem Kobisch in der Stadt ist das schon abgedeckt. Also geht's nur noch nach unten: Konfektionshäuser, Massenware. Da wissen Sie ja, was das heißt, muss ich Ihnen nicht erst erklären?«

»Nein, danke«, sagte Staben. »Und welchen Weg beschreitet Ihr Geschäft? Nach oben oder nach unten?«

Das gab Lübbe nun zu denken. »Stets geradeaus«,

meinte er schließlich diplomatisch und sehr zu Stabens Verwirrung – wofür war der philosophische Einschub dann gut gewesen? Er steuerte auf das frühere Thema zurück: »Aber nach dem Tode Ihres Vaters übernehmen doch Sie das Geschäft, oder?«

»Wer sollte es sonst machen?« Lübbe schien das ganz nüchtern zu sehen. »Und wenn ich es erbe – allerdings ist das Testament noch nicht – wie heißt das?«

»Eröffnet«, ergänzte Staben. Und war ein wenig verwundert, denn er hatte geglaubt, ein Vater würde mit seinem einzigen Sohn wohl über solche Dinge reden, längst bevor er verstarb. »Nehmen wir einmal an, Sie *wären* der Erbe. Was würden Sie dann als nächstes unternehmen?«

Lübbe verstand die Frage nicht.

»Was würden Sie mit dem Geschäft unternehmen?«

»Ach so!« Hier gewann der vermutliche neue Geschäftsführer endlich Auftrieb, dazu hatte er eine Idee. »Da werd ich hier mal gründlich aufräumen! Denn Leute wie dieser Rader … und wegen dem sind Sie ja auch eigentlich hier …«

»Nicht nur«, sagte Staben rasch und wollte sich noch einmal oben und unten oder vielmehr die nähere Zukunft von Lübbe & Sohn erklären lassen.

Aber Lübbe war nicht mehr zu bremsen. »Also dieser Rader. Als der vor fünf Monaten hier aufgetaucht ist, habe ich gleich das Gefühl gehabt, das wird nichts Gutes. Habe ich meinem Vater auch gesagt. Wenn der so ein guter Schneider ist, wieso ist er dann nicht da geblieben, wo er herkommt? Aber der alte Herr war – wie soll ich sagen? – ein wenig starrsinnig. Hat ihn eine Hose anfertigen lassen, nur zur Probe, aus billigem Stoff.«

Lübbe seufzte, aber wohl mehr über seines Vaters

Starrsinnigkeit als über dessen Gesellen. »Ein guter Schneider ist der Rader schon gewesen, das will ich nicht bestreiten. Aber sonst – eine richtige Unruhe hat er mit hierher gebracht. Da kamen Blätter, auf denen die Schneider zu allem möglichen Unsinn aufgerufen wurden. Gestern hab ich wieder welche gesehen, da stand etwas vom Zehn-Stunden-Tag. Zehn Stunden – ich bitte Sie, und wer macht den Rest? Also einen Teil hab ich ihm weggenommen, aber dann kam ein Kunde und nachher wusste niemand von nichts. Solche Sachen hat der mit hierher gebracht, hat die anderen angestiftet. Ja, von einem Schneider muss man mehr erwarten. Zu seinem Meister muss er halten und nicht gegen den sich stellen.«

Von der mangelnden Loyalität der heutigen Gesellen ihrem Brotgeber gegenüber kam Lübbe direkt auf den allgemeinen Sittenverfall und von da auf den Niedergang des alten Handwerks zu sprechen. Ja, der Anfang vom Ende, das sei die Nähmaschine gewesen. Die sei so leicht, praktisch jeder könne ja eine solche bei sich aufstellen. Und dann die Zuschneidemaschinen natürlich, das könne ein Außenstehender sich gar nicht vorstellen, wie viel handwerkliches Können damit überflüssig geworden wäre. Nicht, dass die Zuschneidemaschinen so gut wären wie ein geübtes Auge und flinke Finger, die Maß nähmen, und schneiderliches Geschick.

Auf den Erfindermessen, da könne man es sehen. Kämen so harmlos daher, diese neuen Erfindungen. Aber wie viel ein solches neues Gerät zerstöre, das sehe man ihm auf den ersten Blick gar nicht an. Das sei mit der Eisenbahn genau das Gleiche gewesen. Zuerst denke man, wie praktisch das doch sei, und jetzt: Nervenleiden seien die Folge, der Mensch sei einfach nicht auf die Geschwindigkeit eingestellt. – Der junge Lübbe verlor sich in den Details technischer Neuerungen.

Staben ließ diese Schmährede auf den Fortschritt kommentarlos an sich vorüberziehen und machte sich Notizen, die mit Nähmaschinen und Eisenbahn wenig zu tun hatten. Und unter diesen Notizen standen jetzt vier Fragen, nummeriert:

1. Warum ist Lübbe jr. kein Teilhaber?
2. Wie wird es mit diesem Geschäft weitergehen?
3. Was ist mit oben … (Kobisch)
4. … und mit unten (Konfektionswesen)?

»Was meinen Sie?«, unterbrach Staben den jungen Mann, der gerade von den neuen Maschinen in der Stiefelherstellung berichtete. »Vielleicht hatte jemand von der Konkurrenz die Hoffnung, dass das Geschäft nach Ihres Vaters Tod geschlossen würde? Könnte das im Zusammenhang mit der Ermordung Ihres Herrn Vater …?«

Alarmiert riss Lübbe die Augen auf »Ich denke, es war dieser Rader …«

Vermutlich, behauptete Staben. Allerdings dürfe man in solchen Ermittlungen nichts auslassen, das müsse man ganz sorgfältig und unvoreingenommen angehen. »Bitte überlegen Sie einmal: Diese Konfektionäre wollen doch gewissermaßen das Schneiderhandwerk zugrunde richten, wenn ich Sie richtig verstanden habe.«

»Die Konfektionäre sind alles Juden«, klärte Lübbe ihn auf. »Und die haben von diesem Geschäft ja gar nichts zu befürchten. Eher umgekehrt!« Er wollte sich noch ausführlicher über jüdische Geschäftemacherei auslassen, aber dafür musste er Luft holen.

»Oder Kobisch«, bot hastig Staben an. »Es ist ja nicht

auszuschließen, dass es zu Feindseligkeiten gekommen ist. Wegen gemeinsamer Kunden zum Beispiel ...«

»Das könnt ich mir im Leben nicht vorstellen!«, rief der junge Lübbe. »Das ist ein ganz, ganz guter Kollege. Gute Freunde waren sie, so muss man das sagen. Hatten zusammen sogar eine Loge in der Oper gehabt, bis vor ein paar Jahren jedenfalls, haben oft zusammen zu Abend gegessen. Also der hat damit gar nichts zu tun. Aber Feindseligkeiten, Sie suchen Feinde? Da sag ich Ihnen was, die Sozis, die waren seine Feinde. Diese Leute machen vor nichts Halt, dabei hat mein Vater sich so für die kleinen Leute eingesetzt.«

Gern wär er noch weiter auf den Undank dieser kleinen Leute eingegangen, aber erstaunt hielt er inne. Zum zweiten Mal an diesem Tag war Staben auf die Knie gegangen. »Was suchen Sie denn?«

»Einen Knopf. Ihr Vater hat sich doch gestern in diesem Raum aufgehalten, oder?«

»Hat er schon«, antwortete der Sohn und bückte sich, um Staben nicht aus den Augen zu verlieren. »Ich weiß nicht, ob Sie da etwas finden – aber nebenan haben wir sehr viele Knöpfe, alle Größen.«

Er versteht es einfach nicht, sagte sich Staben vor und richtete sich auf. Seine Knie waren völlig eingestaubt, womit sich die Frage nach dem letzten Reinemachen erübrigte. Die Friedhofszellen waren jedenfalls sauberer gewesen. »Womit haben Sie selbst eigentlich den Montagabend verbracht?«

»Ich?« Die direkte Frage schien den Mann zu verunsichern. Allerdings sah er eher betroffen aus, fand Staben, nicht gerade wie einer, dem man langsam auf die Schliche kommt. »Ich war – aus. Bin mit einem Bekannten ins Theater. Nein, nicht das neue. Ganz unbekannte Bühne in Sachsenhausen.«

»Und dann?«

»Dann bin ich noch woandershin gegangen. Ich konnte ja nicht wissen, dass mein Vater da gerade«, er schluckte nochmals, »in Schwierigkeiten steckte. Es war gegen zwei, als ich nach Hause kam, oder halb drei. Nein, es war niemand mehr wach, ich habe mir selbst aufgeschlossen. Ja, natürlich könnte mein Bekannter das bestätigen!« Bestürzt diktierte er Staben Namen und Adresse. »Das wäre mir aber nicht lieb, wenn Sie ihn ausfragen, das sieht ja aus, wie wenn Sie mich verdächtigen!«

Staben versicherte, das tue er keineswegs. Das gehöre alles zum üblichen Vorgehen in einem Mordfall. »Und wenn Sie den Knopf doch noch finden oder sonst etwas Ungewöhnliches – wenn Sie die Papiere Ihres Vaters durchgehen zum Beispiel ...« Staben drückte sich zur Tür hinaus und nahm als wichtigstes Ergebnis der Unterredung mit hinaus: Lübbes Sohn war nicht gerade das, was man ein helles Licht nannte. Und wenn seine kaufmännischen Fähigkeiten nur annähernd so schlecht waren wie seine Fähigkeit, schlüssig zu denken und bündig zu reden – darin würde das Geschäft bald ganz miserabel dastehen.

»Mi-se-ra-*bel*«, murmelte Staben vor der nun geschlossenen Tür und machte sich daran, den unmittelbaren Vorsteher des Verdächtigen aufzusuchen. Bürgermeister, so nannten sie den Mann, der die Gesellen einer Abteilung unter sich hatte. Und dieser Bürgermeister, der hieß – Staben musste in dem Protokoll nachschauen, das Geringer ihm überbracht hatte.

Der Bürgermeister hieß Merkel und kam in Gestalt eines großgewachsenen, hageren Mannes stattlichen Alters um diverse Tische mit Nähmaschinen herum auf

Staben zugelaufen. Den Stoffteilen nach zu urteilen, die die Gesellen vor sich hatten, war er bei den Herrenschneidern gelandet. Die Männer an den Maschinen schauten kurz hoch – und blickten dann wieder nach unten. Gingen mit geradezu strafender Aufmerksamkeit ihrer Arbeit nach.

»Sie wollen was über den Rader wissen?« Merkel war nicht unfreundlich, aber recht verwundert. »Ja, aber da war doch vorhin erst ein Kommissar hier und hat mich so was schon gefragt.«

»Wer war hier?«, fragte Staben mühsam. »Ein Kommissar Rauch?«

»So hieß er wohl.«

An dieser Stelle platzte Staben der Kragen. Während er beim Polizeipräsidenten gewesen war, war Rauch zu Merkel gegangen. Und während er jetzt gerade bei Merkel war, erstattete Rauch vermutlich dem Polizeipräsidenten Bericht. Staben hielt sich für einen besonnenen Charakter, deswegen war er genauso überrascht wie sein Gegenüber, als er sich losdonnern hörte: »Ja, Himmel noch mal, dann war eben vorher schon jemand da, jetzt bin ich aber auch da. So, und am besten gehen wir irgendwohin, wo wir unter vier Augen sprechen können.«

»Aufs Revier?«, fragte der Mann entsetzt. »Ich muss mit aufs Revier?«

Stabens kleiner Ausfall musste ihm schwer zugesetzt haben. Die dünnen weißen Haare auf seinem Kopf zitterten, in seiner ganzen Länge wand sich der Mann wie eine Zitterespe im Herbststurm. Schon tat er Staben wieder Leid. »Nein, nicht aufs Revier. Ich meine, in irgendeinen Raum, in dem nicht gearbeitet wird. In den Aufenthaltsraum zum Beispiel?«, sagte er versöhnlich und der Bürgermeister richtete sich wieder auf.

»Also, der Aufenthaltsraum ...« Der Mann schaute suchend in alle Richtungen. Anscheinend hatten sie keinen. »In den Korridor könnten wir gehen, da ist es ruhig«, schlug er schließlich als Ersatz vor.

Und zugig, vermerkte Staben bei sich, als er Merkel durch den langen, dunklen Schlauch folgte, der vermutlich nach hinten hinaus aus dem Gebäude zu einem winzigen Hof führte. Lange, dunkle Flure mit Türen am hinteren Ende interessierten Staben berufsmäßig, auch wenn in diesem Fall nicht ersichtlich war, wie die Architektur des Geschäfts irgendwie zu dem Mord seines Inhabers beigetragen haben könnte. »Wo geht es da hinten hinaus? In den Hof?«

Merkel nickte. Der werde aber nur für den Abfall benutzt, das Lager wär im ersten Stock und beliefert würde von vorn. »Möchten Sie sehen? Ich müsste nur erst den Schlüssel holen, den hat nur der Lübbe – das heißt, jetzt hat ihn natürlich der Lübbe junior – oder aber auch nicht – aber sicher ist auch im Geschäft vorne noch einer – soll ich nachfragen?«

Staben verneinte, vielleicht später. Zunächst wolle er ein paar allgemeine Erkundigungen einziehen. »Wie lange arbeiten Sie denn schon hier?«

Seit gut acht Jahren, im Herbst würden es neun.

»Als Bürgermeister?«

»Ach so, Bürgermeister bin ich erst im dritten Jahr. Ich wollte ja zuerst nicht, solche Posten«, er wand sich genierlich, »sind eigentlich nichts für mich. Aber dann haben sie mich gewählt.« Staben nickte ermutigend. »Und weil ich mit dem Lübbe auch ganz gut auskomme ... auskam«, fuhr der Mann fort, »schien es ganz passend.«

Aha, dachte Staben. Irgendwelche verborgenen Qualitäten musste dieser scheue Mann wohl aufweisen, wenn sowohl Kollegen wie auch der Arbeitgeber ihn für einen geeigneten Vertreter hielten. »Das ist doch aber eine Auszeichnung, wenn Sie gewählt wurden«, sagte Staben. Die Zitterespe nickte müde mit ihrer spärlich belaubten Krone und Staben hob behutsam zu den eigentlichen Fragen an: »Und Rader? Wie lange arbeitet der schon hier?«

»Seit fünf Monaten.« Wieder dieses genierte Zu-Boden-Blicken. Man sah dem Bürgermeister an, dass ihm der Gedanke unangenehm war, über einen seiner Gesellen ausgefragt zu werden.

Nun wusste Staben Loyalität durchaus zu schätzen. So gehörte es sich für einen Mann, der seinen Kollegen nicht anschwärzen will. Für einen Polizeibeamten gehörte es sich aber nun einmal, die Wahrheit ans Licht zu bringen. »War er ein guter Schneider?«

»O ja, sehr geschickt, sehr fleißig.«

»Aber es gab trotzdem ein paar Differenzen zwischen ihm und Lübbe?«

Merkel nahm seufzend Anlauf für eine etwas ausgiebigere Auskunft. »Nun, es gab immer wieder eine Meinungsverschiedenheit. Es ging um Arbeitszeiten – der Rader hatte da ganz eigene Ideen, ein wenig radikal vielleicht – oder um die Krankenversicherung.«

»Ja?«, bohrte Staben und fand, in seinem Beruf brauche man eine Engelsgeduld. Der eine redete wie ein Wasserfall und dem nächsten musste man die Sätze wie Würmer aus der Nase ziehen.

»Nun, Sie werden davon gehört haben. Dass man die Arbeitszeiten auf eine bestimmte Zahl von Stunden festlegen soll oder dass man den Arbeitern die Krankenversicherung nicht vom Lohn abziehen darf. Solche Sachen. Diese Diskussionen werden Sie überall finden.«

Sehr diplomatisch! »Und was denken Sie?«

Der Befragte war ganz Bescheidenheit. »Ich hab
dazu keine Meinung.«

»Aber als Stellvertreter der Gesellen müssen Si
doch irgendetwas befürworten. Haben auch Sie gefor
dert, dass der Betrieb die Krankenversicherung au
eigener Kasse übernimmt?«

»Nun, das schon«, bekannte Merkel. »Als Stellvertre
ter.«

Vorsicht war dieses Mannes Tugend. »Könnte ma
sagen, dass Rader mit den Sozialdemokraten sympa
thisiert?«

»Es mag sein, dass er einmal davon gehört hat.«

»Der Rader hätte unter den Leuten agitieren woller
hat Lübbes Sohn gemeint.«

»Ja?«

»Aber das müssen Sie doch gesehen haben! Hat e
Flugblätter ausgeteilt oder Reden gehalten oder hat e
die Leute zu irgendwelchen Treffen mitnehmen wollen?

»Wie ich schon sagte. Flugblätter gibt es überall.«

Staben begutachtete den Bürgermeister misstrauisch
Konnte sein, er gehörte selbst mit dazu. Nicht sel
ten waren diese Männer überhaupt die Anführer, pre
digten ihren Leuten von Arbeiterrechten. Aber dies
dünne Gestalt vor ihm … »War es das erste Mal, das
Lübbe den Rader deswegen zur Rede gestellt hat?«

»O nein!« Der Bürgermeister befand sich wieder au
sicherem Boden. Schon zwei- oder dreimal, aber ges
tern wäre es dem Lübbe wohl zu bunt gewesen, d
hätte er ihn schließlich rausgeschmissen. Nicht ohn
Vorwarnung allerdings, das müsse er noch hinzufügen
da sei der Lübbe anständig gewesen.

»Und was hat Rader darauf gesagt?«

Der Mann wand sich. »Nun, das Ganze fand ja hinte
im Büro statt, also kann ich nicht genau wissen …«

Staben kam ihm entgegen. »Aber wenn zwei sich derart streiten, dann wird es ja schon einmal lauter. Konnten Sie da irgendetwas verstehen?«

Der Mann seufzte. Ja, geschrien hätten sie schon, alle beide, das könne man wohl sagen. »Lübbe hat gesagt, das wäre ja Undank oder der falsche Lohn oder wie geht das Sprichwort?«

»Undank ist der Welt Lohn.«

Merkel bedankte sich. »Rader – hat Lübbe gesagt – weiß ja gar nicht zu schätzen, wie sehr er – der Lübbe – für seine Angestellten kämpft. Kämpfte. Damit sie überhaupt von der Schneiderei leben können. ›Haben Sie denn überhaupt eine Ahnung, wie schlecht es denen im Konfektionswesen geht?‹ – Das hat der Lübbe geschrien.«

»Das haben Sie also alles wortwörtlich hören können?«

»Nun, das hat der Lübbe bei ähnlichen Gelegenheiten schon vorher gesagt. Darum hab ich mir das so zusammenreimen können. Ja, und der Rader ist natürlich auch laut geworden und hat unfeine Worte benutzt. – O nein, die wiederhole ich nicht!«

»So in etwa?«, fragte Staben gedehnt und wippte in seinen Stiefeln mit den Zehen.

»Das hätte er dem Lübbe schon länger mal sagen wollen, und mit seinem ganzen Getue wegen der Armenpflege und so …«

»›Getue‹ hat er gesagt?«, fragte Staben nach.

»Hat er gesagt.«

Staben notierte ›Getue‹ und versah es mit einem Fragezeichen. »Eine Drohung war nicht zufällig dabei?«

Nun, doch, in gewisser Weise könne man das so nennen, sagte der Mann vorsichtig.

»Nämlich?«, flehte Staben.

»Das würde dem Lübbe noch leid tun. ›Mit mir nicht, so etwas können Sie mit mir nicht machen!‹«, deklamierte der Bürgermeister die Rede des verstoßenen Gesellen, und zwar mit mehr Schwung, als Staben ihm zugetraut hätte.

»Haben auch Sie hin und wieder Differenzen mit dem Verstorbenen gehabt?«

»Äh … nein. Natürlich nicht.« Der Schwung war wieder dahin.

»Das war die Drohung? Nicht sehr präzise, finde ich«, bekannte der Kommissar.

Merkel nickte gedankenvoll. »Ich würde sagen, das sagt man so daher, also das muss ja nicht unbedingt etwas heißen. Und wenn Sie mich fragen, also das kann ich wirklich nicht glauben, dass der Rader den Lübbe umgebracht hat. Das sind doch zwei Paar Schuh, ob man mit jemand streitet oder ob man jemand umbringt.« Der Bürgermeister blickte ihn an, als hätte er mit beidem wenig eigene Erfahrung. »Brauchen Sie mich noch?«, fragte er hoffnungsvoll.

»Nein, Sie haben mir sehr geholfen.« Staben bedankte sich. Er reichte ihm sogar die Hand und der Schneider fasste sie mit Bedacht und schüttelte sie sorgfältig, bis er meinte, der Höflichkeit Genüge getan zu haben. Dann verschwand er in Windeseile und ließ Staben in dem dunklen Korridor stehen. Von wo aus dieser sich zur Hintertür vortastete, feststellte, dass sie tatsächlich abgeschlossen war, und dann durch den Geschäftseingang wieder den Rückweg zum Clesernhof antrat.

Von Geringer keine Spur, Kommissar Rauch – Staben spähte wie im Vorbeigehen in dessen Raum – unterwegs, sein eigenes Büro stickig wie ehedem. Tür und Fenster standen nämlich in heimlicher Bundesgenossenschaft. Sobald man die Tür zu heftig schloss, schlug das Fenster weit auf, klappte dann von alleine zu und versiegelte das Dachzimmer zu einem hochsommerlichen Ofen.

»Und was jetzt?«, überlegte Staben laut, hechtete zum Fenster und erhielt sofort Antwort.

»Wir haben ihn!«, rief Geringer stolz und kam mit Rauch zur Tür herein. »Wir haben ihn gefunden!« Den Rader, setzte er der Genauigkeit halber noch hinzu.

»Wachtmeister Geringer«, versetzte Staben streng, »ich dachte, Ihre Aufgabe war es, die Anwohner zu befragen. Ob sie etwas Verdächtiges beobachtet haben.«

Nun, gab Geringer gesenkten Hauptes zur Antwort, dieser Aufgabe habe er sich auch zunächst gewidmet. »Aber es war ja keiner da.« Nur die Witwe Lübbe selbst, aber die hätte geweint und nichts zu sagen gewusst. Und dann noch ein paar Dienstmädchen. Da hätte Geringer auch ein oder zwei befragt, aber – Staben wisse ja, wie Dienstmädchen so seien – die hätten alle nichts bemerkt gehabt.

Staben seinerseits senkte die Stimme wie ein Lehrer, der einen ungehörigen Schüler zur Rede stellt. »Wann waren Sie denn da?«

»So gegen halb zwölf«

»Und da ist Ihnen nicht die Idee gekommen, dass die Damen vielleicht gerade einen Vormittagsbesuch machen, dass die Männer vermutlich arbeiten?«

Geringer fuchtelte hilflos mit den Händen. »Das schon, aber dann dachte ich, ich kann ja nicht den ganzen Tag warten, also bin ich wieder zurück und Sie

waren nicht hier und dann sind wir den Rader …« Ge
ringer blickte hilfesuchend zu Kommissar Rauch hi
nüber, der, wie es unter ungehörigen Schuljungen s
üblich ist, unbeteiligt nach vorne blickte und seine
Kameraden im Stich ließ.

»Wann kommen die Hausfrauen und die arbeiten
den Männer gewöhnlich nach Hause?«

»Zur Mittagszeit?«, fragte Geringer beschämt.

Staben nickte wissend und verschränkte die Arme
Ermutigt durch dessen Schweigen, ließ Geringer sic
zu Ausreden hinreißen, die alles noch verschlimmer
ten. »Ich wär ja auch noch mal hingegangen. Abe
sehen Sie, dann hatte ich Hunger« – er deutete auf sei
nen Bauch und dann spielte er mit den Augenbraue
all die Unsicherheiten und Zweifel nach, die er gehab
hatte, als er von der Hochstraße ins Präsidium zurück
gegangen war, »weil ich dachte mir schon, dass ic
vielleicht besser später noch einmal« – aber wenn e
nichts gegessen hätte, würde es ja auch nicht besser
»und die anderen wollte ich beim Essen nicht stören
das gehört sich nicht«, das hatte seine Mutter imme
gesagt, »und dann hab ich hier den Kommissar Rauc
getroffen« – und wo der Kommissar Rauch sowieso ge
meint hatte, man müsse sofort den Verdächtigen fin
den, »sonst macht der sich über alle Berge …«

»Ziehen Sie noch einmal los«, brüllte Kommissar Sta
ben, um endlich klarzustellen, wessen Anordnunge
Geringer Folge zu leisten hätte. »Und kommen Si
nicht wieder, bevor Sie nicht in allen umliegende
Häusern nachgefragt haben. Die Männer, die Frauen
die Kinder, die Dienstboten. Alle!«

Trotzig stapfte Geringer hinaus, nahm sich vor, i
den nächsten Tagen am besten überhaupt nicht wieder
zukommen, denn so lange würde es ja wohl dauern

bis er *alle* befragt hatte, und daran wäre Staben selbst Schuld, und er schmetterte die Tür zu.

»Und Sie«, sagte Staben über die Schulter hinweg, denn zunächst musste er das Fenster wieder öffnen, »Sie haben also unseren Verdächtigen aufgespürt.«

»Allerdings«, bekannte Rauch bescheiden und vornehm. »Verhaftet habe ich ihn aber noch nicht. Ich dachte, das würden Sie gerne machen.«

»Ja, *allerdings*«, zitierte Staben, »aber vorher würde ich ganz gerne wissen, wo Sie den Verdächtigen entdeckt haben und was er über den gestrigen Abend gesagt hat und ob Sie eventuell die Pistole oder die Börse auch gleich gefunden haben. Diese Kleinigkeiten würden mich dann doch interessieren.«

Nein, weder Börse noch Pistole habe der Mann bei sich getragen. Auf dem ehemaligen Judenmarkt hatten sie ihn gefunden, da, wo die Leute nach Gelegenheitsarbeiten suchten. Rauch wartete, um sich von Staben bestätigen zu lassen, dass dies eine höchst raffinierte Idee gewesen war. Aber die Bestätigung blieb aus, und Rauch legte in triumphalem Tonfall nach: Der Verdächtige habe nämlich partout nicht sagen wollen, wo er hingegangen sei, nachdem er die Kneipe verlassen hatte. Um zehn sei er ja wieder dagewesen, aber was er dazwischen gemacht hätte: »Dazu hat er kein Wort gesagt, hat nicht einmal versucht, sich eine Ausrede zurechtzulegen. Zwischen acht und zehn: Das war die Zeit, in der er dem Lübbe aufgelauert hat.«

Staben überlegte. »Wenn er unschuldig wäre, hätte er wohl gesagt, wo er gewesen ist. Dadurch macht er sich ja nur verdächtig.«

»Vielleicht hat er nicht gewusst, dass er sich verdächtig macht, wenn er nicht aussagt«, schlug Rauch vor.

Staben runzelte die Stirn. »Na, hören Sie mal: Wenn er der Mörder ist, weiß er um die Folgen und darf deswegen nichts sagen. Und wenn er nicht um die Folgen wüsste, wäre er nicht der Mörder. Soll ich daraus schließen, dass Sie sich nicht sicher sind, dass er der Mann ist, den wir suchen?«

»Selbstverständlich bin ich mir sicher«, sagte Rauch verärgert. »Außerdem ist es ohnehin Ihr Fall. Ihre Entscheidung, wie Sie jetzt weiter vorgehen.« Er ging.

»Das höre ich gern!«, sagte Staben zu der von außen zugeknallten Tür und versuchte, den hirschförmigen Stiftebehälter zwischen Fenster und Rahmen zu klemmen. »Geringer? Geringer!« Ach, den hatte er ja weggeschickt. Hatte sich wohl etwas im Ton vergriffen, das war aber auch ein Tag heute! Mit Geringer konnte er jetzt jedenfalls nicht rechnen.

»Jawohl?«, fragte Geringer betont gleichgültig und schlenderte zur Tür herein.

»Sie sind ja noch da?«, fragte Staben.

»Sie haben doch gerufen!«, verteidigte sich Geringer. »Und ich geh auch gleich in die Hochstraße, nur zuerst muss ich etwas essen. Ich war doch mit dem Kommissar bei dem Rader, deswegen habe ich mein Mittagbrot ...«

»Schon gut«, wehrte Staben alle weiteren Ausreden verzweifelt ab. »Geringer, mit diesem Büro muss etwas geschehen. Was ist das hier zum Beispiel?« Staben trat näher an das Bild, das einsam und hässlich die Wände schmückte. Ein griesgrämiger Mann mit dicker weißer Halskrause, die aufdringlich von den Braun-, Grau- und Schwarztönen des restlichen Bildes abstach.

»Das wissen wir auch nicht so genau.« Geringer zog die Stirn in Falten. »Ich nenne ihn immer den Bullenbeißer, wegen dem Halsband. Sie können ihn natürlich abnehmen. Es ist nur so, er hängt schon immer da, solange ich mich erinnern kann.« Da Geringer nicht sehr alt war, konnte das keine allzu starke Bürgschaft sein.

»Nein, nein, ich lasse ihn hängen. Wenn er dazugehört«, sagte Staben und hoffte Geringer dadurch versöhnlich zu stimmen. »Aber könnte man vielleicht noch einige Dinge zusätzlich hierher bringen?«

»Bilder?«, fragte Geringer verwundert.

»Nein«, erklärte Staben. »Einen größeren Vorrat an Papier und Stiften, was man so braucht … Ein Telefon gab's hier wohl noch nie?«

»O doch«, antwortete Geringer. »Es steht bei Kommissar Rauch und der geht dran und ruft Sie, wenn es für Sie ist. Und wenn Sie ein Gespräch führen wollen, gehen Sie einfach rüber. Es ist überhaupt kein Problem.« Geringer memorierte. »Papier, Stifte, das mit dem Telefon ist ja geklärt. Sonst noch etwas?«

»Nun …« Staben ließ seine verzagten Augen durch den Raum schweifen. »Ein Regal möglicherweise. Etwas, wo ich die Papiere dann hineintun kann, wenn ich sie mit den Stiften beschriftet habe.« Unwillig erklärte Geringer, auch die fänden sich schließlich im Zimmer schräg gegenüber.

»Wachtmeister Geringer, ich war vorhin etwas heftig«, gab Staben nach. »Natürlich weiß ich Ihre Bemühungen zu schätzen. Aber bei der Polizei ist es nun einmal so, dass jeder eine Aufgabe zugeteilt bekommt. Damit sich die anderen darauf verlassen können, dass es erledigt wird. Und auf Sie kann man sich doch verlassen, oder?«

»Natürlich!« Geringer schien Stabens Entschuldigung anzunehmen und verschwand.

Früher oder später, dachte Staben, würde sein Wachtmeister wohl noch einmal in der Hochstraße aufkreuzen. Eher später. Und wenn nicht, würde er sich im Notfall selbst auf die Suche machen. Wenn zum Beispiel jemand den Schuss gehört hatte, wusste man schon einmal die genaue Tatzeit, und wenn er dann vielleicht noch aus dem Fenster geschaut hatte, dann hatte man sogar einen Zeugen ... Das wäre zu schön, um wahr zu sein.

Die Verhaftung wolle er Staben überlassen, hatte Kommissar Rauch großzügig erklärt. Aber Staben verspürte keineswegs den dringenden Wunsch, eine vorschnelle Verhaftung vorzunehmen. Gut, dass man weder Börse noch Pistole bei dem Mann gefunden hatte, musste nichts bedeuten. Die würde er wohl eher zu Hause aufbewahren. Andererseits war der Mann, statt das neugewonnene Geld auszugeben, direkt auf den Arbeitsmarkt gelaufen. Vielleicht war er vernünftig genug gewesen, das Geld nicht gleich auszugeben – ein vernünftiger Mörder und Dieb?

Leider wussten sie ja gar nicht, wie viel Geld sich in der Börse überhaupt befunden hatte. Zehn, zwanzig Mark führte ein Mann wie Lübbe doch sicher mit. Fast der Wochenlohn eines Schneidergesellen. Was würde jemand tun, der in einer Börse einen ganzen Wochenlohn findet? Oder sogar noch mehr? In einem Anflug von Unkonzentriertheit rechnete Staben die ausgemalte Summe auf sein eigenes Gehalt hoch und gab sich unbescheidenen Phantasien hin – die Frage war abschlägig beantwortet: Einer, der so viel Geld bei einem anderen fand, würde sich wohl *nicht* zurückhalten können.

Noch mehr Sorgen bereitete Staben aber die Pistole: Woher hatte Rader sie überhaupt? Um bei dem Krieg gegen die Franzosen dabeigewesen zu sein, war er zu jung. Hätte sie allerdings von seinem Vater bekommen können oder sonstwo her. Eine Pistole war teuer. Sogar die billigste noch etwas wert. Wenn einer kein Geld hatte – würde er dann eher seine Waffe versetzen oder sie aufheben für den Fall, dass sein Arbeitgeber ihn entließ, um ihn dann zu erschießen? Staben gratulierte sich zu diesem scharfsinnigen Gedankengang und prägte ihn sich ein, um ihn gelegentlich Rauch gegenüber zu äußern.

Sollte man wenigstens Raders Wohnung einmal durchsuchen? Aber Staben glaubte ohnehin nicht, dass die Suche nach dieser Waffe jemals Erfolg haben würde. Im Geiste sah er eine Pistole, die sich in den Schlamm einwühlte, daneben eine Börse, ebenfalls auf dem Grund des Mains.

»Herr Kommissar!«, rief jemand vom Flur aus. »Herr Kommissar, der Polizeipräsident wünscht Sie zu sprechen. Nein, nicht da lang, er ist am Telefon.«

Am Telefon! Der Mann saß doch gerade ein Stockwerk unter ihm. Unter den betont desinteressierten Blicken von Kommissar Rauch nahm Staben den Hörer entgegen. Es bedurfte keiner einleitenden Worte, denn der Polizeipräsident hatte nur eine kurze Anweisung zu geben. »Sie waren vorhin aus dem Haus, deswegen habe ich Ihren Kollegen zum Fall Lübbe befragt. Kommissar Rauch hat berichtet, einiges weise auf einen Mann namens Rader hin, er habe den Verdächtigen bereits aufgespürt. Einen Haftbefehl habe ich Ihnen besorgt. Sobald Sie sich dazu in der Lage sehen, können Sie mit der Verhaftung des Mannes beginnen.«

»Ich hielt es für meine Pflicht …« Aus den Augenwinkeln sah Staben, dass Rauch dem Gespräch interessiert folgte.

»Ich hege keinen Zweifel, dass Sie Ihren Pflichten stets korrekt nachkommen«, tönte es durch den Hörer. »Fassen Sie es nicht als Einmischung auf, gewöhnlich pflege ich solche Fälle nicht persönlich zu überwachen. Aber Sie müssen wissen, bei dem Verstorbenen handelt es sich um einen angesehenen Bürger, es wirft *kein* Licht auf unsere Polizei, wenn wir uns nicht die *größte* Mühe geben. Und wenn dieser Geselle keine einwandfreie Erklärung bringt, wo er zur fraglichen Zeit gewesen ist …« Das Gespräch war zu Ende, Kommissar Rauch starrte wieder auf seinen Schreibtisch, Staben hängte den Hörer ein.

Blieb ihm etwas anderes übrig? Er lieh sich zwei von Kommissar Rauchs Männern und machte sich auf, den Schneidergesellen Rader zu verhaften.

Die letzten Reste der Suppe hatten ihren Weg in hungrige Mägen gefunden. Die Suppenköchinnen waren wieder nach Hause geeilt, um sich um ihre Männer und Kinder zu kümmern. Oder um wenigstens zu überprüfen, wie die Dienstmädchen dieser Aufgabe in der Zwischenzeit nachgekommen waren. Es waren Frau Neuhof und Karoline, die ein letztes Mal durchfegten, die Tische feucht abwischten und sich vergewisserten, ob sie auch keinen Topf vergessen hatten.

»Hervorragend«, sagte Frau Neuhof mehr zu sich selbst. Sie zupfte die Lappen an der Stange gerade und lächelte Karoline zu. »Hervorragend. Und das mit der Zedaka – also das überleg ich mir noch einmal.« Zielstrebig steuerte sie nach Hause, zu einem friedlichen

Nachmittag mit Nachwuchs und Straminnähen, einem beschaulichen Abend mit Gatten und Stickrahmen.

So stellte Karoline es sich zumindest vor. Währenddessen schlenderte sie etwas langsamer die Hanauer Landstraße hinunter, als es sich für eine Dame gehört, die weiß, wo sie hin will. Um sie herum waren alle recht betriebsam. Bäcker, Fleischer, Tischler: Wagen lieferten an und fuhren mit neuer Ware ab, Kunden eilten vom einen zum nächsten Laden. Aus dem Schornstein der Oppenheimerschen Seifen- und Parfümeriefabrik strömten merkwürdige Dämpfe. Aus den Fenstern des Heinemannschen Pensionats lugten Mädchen auf die Straße und erzählten einander kichernd von ihren Beobachtungen – denn vor den Türen des gegenüberliegenden Thora-Vereines debattierten junge Männer soeben Gelerntes. Na, das war ja wohl kaum im Sinne des Erfinders, fand Karoline und musste grinsen. Hätten sie den Thora-Verein besser woanders hingelegt!

Unschuldige Vergnügungen, seufzte sie etwas altklug und überlegte, wann *sie* sich das letzte Mal vergnügt hatte. Trübselige Gedanken stellten sich ein und wurden durch das Gefühl abgelöst, undankbar zu sein. Im Vergleich zu vielen anderen, sagte sie sich dann tapfer, geht es mir jedenfalls ganz gut. Allerdings hatte sie noch nie verstanden, inwiefern jemand Trost daraus schöpfen konnte, dass andere noch schwerer zu tragen hatten an ihrem Leben. Das machte einen doch höchstens verzweifelt, oder etwa nicht?

Die arme Frau Rader zum Beispiel. Vielleicht besorgte sie anderer Leute Wäsche. Vielleicht sammelte sie zerschlissene Bettlaken zum Stopfen oder nähte Kragen. Vielleicht hatte sie nichts gefunden und grämte sich. Karolines Selbstmitleid fand ein neues Opfer und widmete sich ganz dieser bedürftigen Frau eines arbeitslosen Schneidergesellen. Ein Jammer, dass die Raders Auswärtige waren und der Weg zum Armenamt verstellt war.

Das Frankfurter Armenwesen war erst vor wenigen Jahren neu eingerichtet worden, nach den Ideen, die der neue Bürgermeister Miquel mitgebracht hatte. Es war ein gutes System, hatte Karolines Vater gefunden und jedes Mal dafür gestimmt, wenn der Vorschlag im Magistrat zur Abstimmung gestellt wurde. Es war ein gutes System, das fand im Grunde auch Karoline. Jeder, der ein Recht darauf hatte, sollte versorgt werden, so hieß es. Ein wohlhabender Bürger nahm sich eines, zweier, bis zu sechs armer Mitmenschen an. Besuchte sie in ihren Wohnungen, überprüfte ihre Bedürftigkeit, klagte ihre Ansprüche vor den wohltätigen Einrichtungen ein.

Viele hatten anfangs Bedenken geäußert gegen diese Reform. Zum einen durfte niemand die Wahl zum Armenpfleger ablehnen, obwohl es ein Ehrenamt war. Zum anderen waren seitdem sämtliche wohltätigen Stiftungen zusammengeschlossen und unterstanden städtischer Kontrolle, unabhängig von der Konfession. Sogar an die Israeliten, die doch wahrlich genug Geld hatten, musste man jetzt zahlen, wenn ihre Dienstboten krank wurden. Für die waren doch seit Jahrhunderten ihre eigenen Stiftungen zuständig gewesen und so solle es auch besser bleiben, murrten viele. Es gebe keinen Grund, Gleichstellung mit Gleichmacherei zu verwechseln!

Aber statt ins Unermessliche zu wachsen, waren die Ausgaben des Armenamtes sogar leicht rückläufig. Jedes Jahr wurden Listen veröffentlicht mit den Namen derjenigen, die Zuwendungen erhalten hatten. So konnte man endlich nachprüfen, ob ein und dieselbe

Person sich möglicherweise an verschiedenen Stellen Spenden erschlich. Man konnte verhindern, dass Auswärtige und Vagabunden, die an die Stadt Frankfurt gar keine Ansprüche zu richten hatten, hier die hohle Hand aufmachten.

Karoline hatte die Lange Straße erreicht und beschloss, nicht gleich nach links hinunter zum Fischerfeld zu gehen, sondern noch ein Stück weiter in Richtung Innenstadt. Auswärtige und Vagabunden hin oder her, sie würde dieser Frau Rader jetzt einen Besuch abstatten. Und auch wenn Frau Neuhof sie gewarnt hatte: Man durfte sich der Not solcher Leute nicht einfach verschließen, wenn sie einem zu Ohren kam. Wenn einem eine weinende Frau sozusagen vor die Füße stolperte, musste man zusehen, ob ihr mit anderem mehr gedient war als mit einem Teller Suppe.

Sehr genau wusste sie ja nun nicht, wo die Raders wohnten. In der Kruggasse, schön und gut. Die Kruggasse zählte zwar nur ein Dutzend Häuser – aber die konnte sie nicht alle absuchen.

»Entschuldigen Sie, kennen Sie eine Familie Rader, der Mann ist Schneider, muss hier in der Straße wohnen?«, fragte sie zwei Männer, die einen hochbeladenen Karren hinter sich herzogen. Truhen, Bettgestelle, Säcke: quietschend zogen sie mit ihrem Hausrat zur neuen Wohnung. Sie waren zu überrascht, um auch nur die Köpfe zu schütteln. Was für eine ungewöhnliche Frage aber auch!

Eigentlich sollte sie umkehren. Eine typische Kalinenidee, würde ihr Vater sagen. ›Kaline‹ hatte sie als Kind ihren Namen ausgesprochen, und Kalinenideen hieß seitdem die Sorte von Plänen, die ihr Vater von vornherein für abwegig und aussichtslos hielt und von deren Ausführung er ihr immer wieder dringend abriet.

Nun, ihr Vater war aber nicht hier. Dagegen saßen ein Stückchen weiter drei Frauen, die ihr doch sicher weiterhelfen konnten. Federvieh hing kopfüber vom Balken eines Vordachs, Körbe mit Eiern standen daneben und je nachdem, wozu sie in der Laune waren, priesen die Frauen den Vorbeikommenden mal die eine und mal die andere Ware an. Ein bisschen enttäuscht schienen sie, als Karoline nach den Raders fragte – aber sie nahmen sich der Sache an. »Rader, meinen Sie? – Also, hier ziehen so viele Leute ein und aus, ich weiß wirklich nicht!«

»Ein Kommen und Gehen ist das hier«, bestätigte auch die zweite. »Wen suchen Sie? Rader? Also ich weiß nicht. – Magda, kennst du eine Frau Rader?« Die Angesprochene fuhr sich konzentriert durch die Haare und zerdrückte danach etwas sehr, sehr Kleines zwischen den Fingernägeln, die Frage wurde in verstärkter Lautstärke wiederholt. Finger wanderten weiter durch die Haare, Karoline wurde gemustert und ihre Absichten für harmlos befunden. »Weiter oben, die Nummer sieben. Oder neun. Nach dem Hof jedenfalls, auf der linken Seite. Gegenüber ist ein Bäcker.« Karoline bedankte sich und erklärte entschuldigend, nein, sie wolle wirklich keine frisch geschlachteten Hühner ordern, auch nicht frei Haus.

Der Bäcker war fast schwerer zu finden als das Haus selbst, aber zum Glück war der Hof unübersehbar. Zwischen den Häusern führte ein winziges Gässchen nach hinten und verbreiterte sich, wurde nicht nur von Menschen, sondern auch von Hühnern bewohnt. Und von Schweinen, den Lauten nach zu urteilen. Bauern mitten in Frankfurt. Zwei kleine Kinder hüpften vor der Nummer neun auf den Pflastersteinen herum, versuchten, nicht auf zerbrochene Stücke und Risse zu treten, und erschraken jubelnd, wenn es doch geschah. »Sie dürfen da nicht langgehen, das gibt Cholera!«, riefen sie, und Karoline beherzigte den Ratschlag und steuerte auf Umwegen den Hauseingang an.

Die Haustür stand offen. Schon im ersten Stock gingen da vier Türen in verschiedene Richtungen ab, ohne irgendwelche erkennbaren Hinweise auf ihre Bewohner. Nicht, dass sie viel hätte erkennen können, denn das Treppenhaus wurde nur durch einen Lichtschacht von oben beleuchtet und war in den unteren Stockwerken dementsprechend düster. In der Hoffnung, irgendwann mit einem Bewohner zusammenzustoßen, tastete sich Karoline ein paar Stufen höher und verstand dann auch, warum die Haustür so weit offen stand. Es roch nach Abtritt.

Sie nahm sich vor, nicht zimperlich zu sein, und wurde prompt belohnt. Im zweiten Stock ging die Tür auf, ein älterer Mann kam aus dem Abtritt, zog kräftig an einer widerwilligen Spülung und schloss sich die Hose. Das Gurgeln verstummte ein wenig zu schnell. »Entschuldigung, ich suche die Familie Rader.«

»Vierter Stock, zweite links.«

Nach mehrmaligem Klopfen wurde die Tür einen Spaltbreit geöffnet, Frau Rader lugte heraus und Karoline über die Schulter. Besonders erfreut sah sie nun nicht gerade aus, die Frau Rader. Anscheinend erkannte sie ihren unerwarteten Besuch nicht einmal.

»Wir haben uns heute in der Suppenanstalt gesprochen …«, erklärte Karoline unsicher. Kalinenideen hatten es leider an sich, dass ihre Ausführung sehr gründlich fehlschlagen konnte.

»Ach ja!« Die Frau erinnerte sich und spähte Karoline immer noch über die Schulter.

»Wenn Sie jemand erwarten, dann möchte ich nicht stören.«

»Nein, nein«, sagte die Frau. »Sind Sie alleine gekommen?«

Karoline nickte und jetzt machte die Frau die Tür ein wenig weiter auf. »Ich dachte nur, vielleicht kommt die Polizei ja noch einmal!« Sie wurde jetzt sehr energisch, schob Karoline rasch in einen Raum, den Karoline zuerst für einen dunklen Flur hielt, und schloss die Wohnungstür.

»Die Polizei?«, fragte Karoline und erkannte: Dies war nicht der Flur, es war die Küche. Da drüben die Spüle, ein Herd mit Töpfen und Pfannen und Löffeln, die von einer Leiste hingen. Und es war auch das Esszimmer, da stand ein Tisch mit Tellern und einer Nähmaschine, und zum Wohnen: ein Sofa, mit Wäsche beladen. In einer Ecke ein kleines metallenes Bettgestell: das Kinderschlafzimmer. Aus dem angrenzenden Raum kullerten die dazugehörigen Kinder herein.

»Eben grad waren sie hier, haben herumgeschnüffelt und ihn gleich mitgenommen. Seinen Meister soll er umgebracht haben.«

Die Frau setzte sich an den Tisch und langte hinüber zum Wäscheberg auf dem Sofa. Anscheinend hatte sie doch noch Arbeit gefunden, das waren Hemden, die sie da aufgestapelt hatte: auf der einen Seite die kaputten, auf der anderen Seite die, die sie schon von Hand vorbereitet hatte, um sie dann mit der Maschine zu nähen.

»Wer soll seinen Meister umgebracht haben?«, fragte Karoline und widerstand der Versuchung, sich Luft zuzufächern. Es war unglaublich stickig. Unauffälliges Umhersehen ergab: kein Fenster. Der einzige Luftzug kam aus dem Schlafzimmer nebenan. Die Kinder hatten krumme Beine, litten vermutlich an der Englischen Krankheit und balgten sich für ihr Alter viel zu geräuschlos um eine Stoffpuppe.

Frau Rader bearbeitete mit eisernem Ernst die Hemden, legte aufgerissene Säume zurecht und stach Nadeln hinein. »Na, der Rader. Soll ihn erschossen haben – mit einer Pistole!«

»Aber das glauben Sie doch nicht?«, fragte Karoline verunsichert und hielt ihr Kleid mit einer Hand zusammen, weil eines der Kleinen versucht hatte, darunter Verstecken zu spielen.

Frau Rader zuckte mit den Schultern, die nächste Naht wurde vorbereitet. Nein, natürlich glaube sie es nicht. Ihr Mann doch nicht! »Aber er wollte eben nicht sagen, wo er gewesen ist gestern Abend. So um halb zehn, wollte die Polizei wissen. Wo er um halb zehn war oder schon vorher. Und da hat der Otto die Lippen zugekniffen und gesagt, das sage ich nicht. Jetzt sag ihnen schon, wo du warst, hab ich gesagt. Aber er hat sich eben geweigert. Und ich weiß es ja auch nicht. Da haben sie ihn eben mitgenommen. Was soll ich da schon tun?«

Das Kind gab das Spiel unter dem Kleid auf und zupfte an den Rüschen auf Karolines ausstaffiertem verlängertem Rücken. Eines der Kinder war krank gewesen, fiel Karoline ein, und sie musste an die Mädchen auf der Straße denken. Was ein Unsinn! schalt sie sich dann. Die Cholera hatte in Frankfurt noch nie Fuß fassen können. Und man steckte sich auch nicht sofort damit an.

»Wieso soll er den Mann denn ermordet haben?«, fragte Karoline, zwinkerte dem Kleinen halbherzig zu und entwand ihm die losen Enden.

»Weil er ihn doch entlassen hat. Wissen Sie, der

Rader ist schon so oft entlassen worden und hat noch nie jemanden umgebracht!« Die Frau lachte kurz auf. »Und eine Pistole hat er auch nicht gehabt. Hat ab und zu dem Jungen mal eine gewischt und mir auch und einmal war er besoffen und hat sich geprügelt. Aber doch nicht mit der Pistole!«

»Das haben Sie der Polizei aber doch gesagt, oder? – Vorsicht!«

Das größere Mädchen tastete nach dem Spülbecken und im letzten Moment fing Frau Rader einen Teller auf, bevor er der kleineren auf den Kopf fallen konnte. »Natürlich hab ich der Polizei das gesagt! Hat nur nichts genützt. Die haben auch die halbe Wohnung auf den Kopf gestellt, aber nichts gefunden, keine Pistole, kein Geld. Das Geld von dem Mann soll er nämlich auch gestohlen haben, der Otto. Sehen Sie hier irgendwo Geld?« Karoline schaute sich um und schüttelte vorsichtig den Kopf. Vermutlich, befürchtete sie, sah Frau Rader ihr alles an: wie sie sich trotz allen Wohlwollens vor der Armut der ungewohnten Umgebung ekelte.

Aber Frau Rader zeigte gar kein Interesse an einem möglichen inneren Zwiespalt ihrer Besucherin. Sie griff nach dem letzten Hemd im Stapel. »Gut, gestern ist er spät nach Hause gekommen, hat vielleicht was getrunken, so über den ersten Schreck. Aber heute Morgen war er wieder völlig klar, ist früh aus den Federn. Neue Arbeit wollte er sich suchen. Natürlich war er's nicht«, wiederholte sie. »Aber sie haben gesagt, er ist ein Sozi und deswegen gab's Streit mit seinem Meister und dann haben sie ihn mitgenommen.«

»Ist er denn ein – Sozi?«, erkundigte sich Karoline vorsichtig. Aus dem Munde eines preußischen Polizisten konnte dies genauso gut ein Schimpfwort sein wie eine ernst gemeinte Anschuldigung. Oder vielleicht war es gar nur ein Vorwand.

»Was weiß denn ich? Was weiß ich, wo mein Mann sich so rumtreibt, wenn er weg ist? Aber ein Mörder ist er jedenfalls nicht.« Ruhig und fast unbeteiligt hatte die Frau das festgestellt, von Verzweiflung, Pech und Tränen konnte keine Rede mehr sein. »Morgen gehe ich mal hin und seh, ob sie mich zu ihm reinlassen.« Sie hatte sämtliche Nähte vorbereitet und tastete sich mit der einen Hand zum Rad der Nähmaschine vor.

Karoline fühlte sich überflüssig, stand auf und stieg über den Raderschen Nachwuchs zur Tür. Hoffentlich habe sie nicht zu sehr bei der Arbeit gestört und vielleicht werde der Irrtum sich bald aufklären. Bestimmt sogar!

»Sicher«, murmelte die Frau und dann noch etwas, das bei dem Rattern nicht zu hören war.

Karoline wollte an die frische Luft, zum Fluss. An den Main, wo die Nachmittagssonne über Sachsenhausens Dächern stand und wo das Wasser in schnellen kleinen Wellen dahinfloss, wo die Fischer bereits ein letztes Mal in ihre Boote stiegen, in der Ferne die Lastkräne quietschten und wo man sich einbilden konnte, wenn man auf einem der Kähne mitführe, dann würde man irgendwann aufs freie Meer kommen.

Noch allerlei andere Leute nutzten die Uferpromenade zum Spazierengehen. Liebespaare, Kinder, die von der Alten Brücke Steine ins Wasser warfen, Kindermädchen, die die Steine werfenden Kinder vom Brückengeländer wegzogen. Die Häuser am Kai blickten mit ihren hohen weißen Fronten direkt auf das Wasser. Die Bewohner hatten die Fensterläden geschlossen, damit Teppiche und Polster nicht ausgebleicht würden.

Schöne Aussicht, so hieß dieser Teil der Mainanlage treffenderweise. Parallel zum Main: Hinter der Schönen Aussicht. Und dahinter: die Fischerfeldstraße. In dieser Straße wohnten die Sterns. Als hier vor dreißig, vierzig Jahren die ersten Mietshäuser erbaut wurden, galt die Gegend noch als vornehm. Von der Judengasse ins Fischerfeld – das war der erste Schritt.

Aus irgendeinem Grund waren die Sterns nie mehr über diesen Schritt hinausgekommen. Ihre Bekannten wohnten längst weiter im Osten, jenseits des alten Walls, oder im Norden, wo ein neuer Stadtteil entstand, und im Westen, wenn sie über genug Geld verfügten. Die Sterns aber blieben hier. Ihr großer Plan war es, hinauszuziehen aus diesem Viertel, an dessen religiösem Leben sie kaum mehr Anteil nahmen und das zunehmend von Juden aus dem Osten besiedelt wurde, die den religiösen Bräuchen mit einer Ernsthaftigkeit folgten, die selbst ihre Eltern nicht mehr gekannt hatten. »Aber nicht jetzt«, hieß es immer, wenn die Sterns von anderen Wohnvierteln sprachen. Später würden sie umziehen, beteuerten sie, bald sogar – aber nicht jetzt.

Karoline scherte sich nicht um die Umzugspläne, denn ›zu Hause‹ hieß für sie nichts anderes als die vertraute Wohnung. Eine geräumige quadratische Diele, der Salon und das Wohn- und Esszimmer nach vorne hinaus, ein Zimmer für jeden von ihnen zur Seite oder nach hinten. Von der Küche ab für das Mädchen ein

Kämmerchen mit eigenem Fenster – das war schon fast Luxus.

»Guten Tag, Lisbeth. Ist mein Vater schon zu Hause?« Nein, war er nicht. Aber ein Brief war für sie gekommen. Karoline drehte ihn in den Händen: von ihrer Schwester anscheinend. Die hatte sie schon seit einiger Zeit nicht mehr gesehen.

Genau das schrieb auch die Schwester. Und dass sie sich so freuen würde, wenn Karoline sie endlich wieder einmal besuchen würde! Gern auch vormittags, Karoline könne praktisch jederzeit vorbeikommen, sie selbst habe im Haushalt so viel zu tun und sei nur dankbar für jede Form der Abwechslung. Karoline seufzte, denn das hieß nichts anderes, als dass die Schwester auf ihre Mithilfe rechnete. Ansonsten enthielt der Brief nichts Besonderes: Berichte von der Arbeit des Mannes, der anscheinend erst spätabends nach Hause kam. Andeutungen, die Karoline nicht recht verstand, die aber möglicherweise heißen sollten, dass ihre Schwester wieder ein Kind erwartete. Ausführliche Nachrichten von Krankheit, Genesung und weiterem Gedeih der Zwillinge.

Und als Karoline den Brief ganz auffaltete, fiel noch ein weiteres Blatt heraus. Auf der einen Seite hatten sich die Kleinen im Malen versucht, dann das Bild in zwei Hälften gerissen und darauf der Mutter diktiert: »Liebe Tante Karoline, bitte komm uns doch schnell einmal besuchen. Es ist so langweilig! Wir haben Hausarrest, weil Papa böse ist. Es ist so langweilig!« Unterschrieben war dieser Hilferuf mit zwei eigenwilligen Krakeln – die Zwillinge waren erst fünf. Jawohl, ich komme, versprach Karoline den Krakeln, denn trotz allem waren die Zwillinge entzückend.

Aber nicht jetzt.

Sie wollte auf ihren Vater warten und die Misere der Raders mit ihm bereden. Sicher, der Abstecher in die Kruggasse war eine Kalinenidee, in die Tat umgesetzt und leider missraten. Allein konnte sie nichts tun für diese bemitleidenswerte Frau mit den drei Kindern. Der konnte man nur helfen, indem man erst einmal ihrem Mann half. Aus dem Gefängnis heraushalf. Denn dass ein entlassener Geselle sich eine Waffe besorgte und seinen Meister erschoss, ganz nebenher – das konnte sich Karoline nicht einen Moment lang vorstellen. Und was die Sache mit dem ›Sozi‹ anging – seitdem zu Jahresanfang der Polizeirat Rumpf einem Attentat zum Opfer gefallen war, sahen die Preußen in jedem armen Schlucker einen potentiellen Aufrührer.

Die Rede kam von selbst darauf. Als Herr Stern von seinem langen Arbeitstag in der Kanzlei nach Hause gekommen und sein wohlverdientes Abendessen zu sich genommen hatte – bestehend aus aufgewärmten Kartoffeln mit angebackenen Bohnen, aber er schien nicht zu bemerken, dass beides von gestern war –, wollte er die Neuigkeit loswerden.

»Wisst ihr, was heute geschehen ist?«, nahm er Anlauf, seiner Familie die Neuigkeiten darzubringen.

»Was?«, fragten Frau und Tochter unisono, die eine mehr, die andere weniger arglos.

»Nun, es geht um den Lübbe. Hatte ein Geschäft auf der Zeil, Maßschneiderei – wisst ihr, gegenüber dem Tabakladen vom Westphal. Und in der Stadtverordnetenversammlung war er auch, ein Demokrat, ich hab sogar oft neben ihm gesessen.«

Das war allerdings immer ein bisschen unangenehm gewesen, denn Lübbe hatte mit seiner Meinung nicht hinterm Berg gehalten. Wenn ihm was gefallen hatte,

hatte er gebrummt, wenn ihm was nicht gepasst hatte, hatte er geknurrt. Oder er hatte auf den Tisch geschlagen, was dann beides heißen konnte. »Einer von der lauten Sorte. Aber seine Ansichten habe ich natürlich geteilt, der hat sich sehr engagiert, gerade was die Armenpflege angeht und die Krankenversicherung. Ständig hat er Eingaben gemacht wegen dieser oder jener Verbesserung.« Herr Stern pflegte, wenn er schon Anlauf nahm, diesen auch voll auszuschöpfen. Jetzt hielt er inne und schaute sich um: Kamen die anderen auch hinterher? »Also, ihr wisst schon, der Lübbe. Ihr kennt doch den Mann!«

»Natürlich kennen wir ihn«, sagte Frau Stern und kramte in ihrem Gedächtnis. War es der kleine Dünne mit dem kleinen Spitzbart? Oder der kleine Runde ganz ohne Bart? Nein, der machte in Wäsche.

Herr Stern bemerkte es. »Der immer so perfekt angekleidet war, mit Frack und Zylinder. Fanny, wir haben dir da früher oft Kleider machen lassen. Und das Kleid, das du bei Friederikes Hochzeit getragen hast – daran musst du dich doch erinnern!« Frau Sterns Kenntnis von dem Inhalt ihres Kleiderschrankes belief sich auf die diffuse Erinnerung an ›buntes Nebeneinander‹ und war damit ähnlich dürftig wie die der verschiedenen Orchideenblüten im Palmengarten. Schlechter sogar. »Ja«, sagte sie tapfer. »Was ist mit dem Mann?«

»Tot!«, brachte Herr Stern theatralisch seine Pointe.

»Der Ärmste.«

»Ermordet!«

»Nein!«

»Doch!« Herr Stern war gewiss kein Mann, der sich mit Klatsch und Tratsch hervortat oder sich sensationslustig an anderer Leute Elend weidete. O nein, so einer war er nicht! Aber jetzt hatte er den ganzen Tag mit seinen Kollegen über diesen Mord gesprochen – wie sich die Ermittlungen wohl anließen und wie es weitergehen würde mit dem Geschäft, welche Schritte die Demokratische Partei zu unternehmen hatte. Und da war es doch nur natürlich, auch einmal im Kreis der Familie darüber zu reden. »Erschossen hat man ihn auf dem Anlagenring gefunden, verzeiht, die Einzelheiten wollt ihr sicher nicht wissen. Ach, das war eine Aufregung heute!«

Karoline hatte bisher nicht gewusst, wer der Ermordete war, und erinnerte sich auch jetzt nicht, den Mann gekannt zu haben. Ihre Kleider wurden nicht nach Maß angefertigt. Frau Stern hingegen war ganz betroffen. Sie hatte jetzt plötzlich ein Bild vor Augen, ein freundlicher, großer und kräftiger Mann mit einem vollen Bass, der einem stets in Mark und Glieder fuhr, wenn der Besitzer hinten am Rücken mit den Nadeln hantierte. »Wer soll denn so einen liebenswürdigen Menschen ermorden wollen?«

»Das hab ich mich auch gefragt!«, brummte Stern.

»Ich habe gehört, sie haben einen Schneidergesellen verhaftet«, sagte Karoline vorsichtig. »Der Lübbe hatte ihn entlassen – wie hieß er? – Rader.«

Herr Stern runzelte die Stirn. Ein Geselle, der die Nadel gegen die Pistole getauscht hatte? »Woher hast du das?«

»Hhm, aus der Suppenanstalt. In der Suppenanstalt war seine Frau, sie war ganz in Tränen aufgelöst.«

»Heute Mittag?«, fragte Stern alarmiert. »Das ging aber schnell. Der Mann ist doch heute Morgen erst gefunden worden, da können sie doch nicht schon am Mittag einen Mann verhaften! Bist du sicher?«

Karoline wand sich. »Nun, sie hatten es vor. Verhaftet haben sie ihn erst heute Nachmittag.«

»Die haben es ja eilig!« Herrn Stern ging gerade auf, dass Karoline, wenn sie schon von der Verhaftung, dann auch von dem Mord gehört haben musste. »Du hast es gewusst«, sagte er gekränkt.

»Ja, nun.« Karoline gab es zu. »Ich wollte ohnehin mit dir darüber reden. Er war ein Sozialist, hat die Polizei gesagt, und dann haben sie ihn mitgenommen.«

»So ist es immer«, knurrte Herr Stern. »Sie sagen, dass jemand ein Sozialist ist, und dann nehmen sie ihn mit und behalten ihn erst mal ein Weilchen.« Was die Verhaftung politisch Verdächtiger anging, hatte die Polizei für sein Empfinden zu weite Befugnisse.

»Siehst du, das denke ich nämlich auch.« Karoline war ganz erleichtert. »Jetzt ist der Rader im Gefängnis und vielleicht könntest du – also, er ist es bestimmt doch nicht gewesen und jetzt sitzt die Frau zu Hause, sie haben kein Geld und drei Kinder – da hab ich gleich an dich gedacht. Irgendetwas müsste man doch machen?«

Was für eine konfuse Rede! Herr Stern runzelte die Stirn. »Es wäre mir lieber, du würdest etwas mehr geradeheraus sagen, was du eigentlich willst.«

Nun, so genau wusste Karoline auch nicht, was ihr Vater tun sollte. Bei der Polizei vorbeigehen oder im Gefängnis – er könne das tun, was Anwälte eben so zu tun pflegten!

»Könnte ich das?« Zweite Stufe des Unbehagens: Herr Stern zog jetzt anstelle der Stirnfalten die Augenbrauen hoch.

»Irgendjemand muss doch der Polizei auf die Finger schauen, damit sie ihn nicht einfach so im Gefängnis behalten. Papa, der Mann hat doch sonst niemand!«

»Karoline, ich habe den Lübbe selber gekannt, aus der Stadtverordnetenversammlung. Ich kann doch nicht den

Mörder von einem Bekannten verteidigen und die ganze Partei habe ich dann auch gegen mich!«

»Also wenn es danach geht: Bestimmt hat jeder Anwalt in der Stadt den Lübbe gekannt, dann darf ihn ja überhaupt niemand verteidigen«, bemerkte Karoline zutreffenderweise. »Und was die Partei betrifft: Neulich erst hast du gesagt, es wär nichts abscheulicher wie diese Modeanwälte, die immer nur das täten, was den anderen auch recht wäre, und das Wichtigste an unserem Rechtssystem wäre die Unparteilichkeit, und zwar egal, was Parteien und Einkommen und all diese Dinge angeht.«

Das hatte er wohl so gesagt und Herr Stern konnte es nicht abstreiten. War sogar ein wenig gerührt und geschmeichelt, dass sie sich das alles gemerkt hatte. »Aber es bleibt dabei, für die Familie ist das ein Schlag ins Gesicht. Stell dir vor, ich drücke der Witwe die Hand und sage: Mein Beileid. Übrigens versuch ich, den Mörder frei zu bekommen!«

»Aber vermutlich ist er's doch gar nicht gewesen. Papa, sieh's doch mal so. Du kannst den Leuten ja sagen, du willst nur, dass der wahre Mörder zur Rechenschaft gezogen wird.« Karoline ging gerade auf, dass sich morgen, wenn es in den Zeitungen stand, ein Mann – oder eine Frau? – über die Maßen freuen würde, dass die Polizei einen anderen abgeführt hatte. »Der Mörder läuft doch frei herum, während sie auf dem armem Rader herumhacken.«

»Ach, und woher weißt du das? Er kann doch ein Mörder sein, selbst wenn er kein Sozialist ist!«

»Das weiß ich einfach. Papa, ich bin bei der Familie gewesen, du kannst dir gar nicht vorstellen, wie die leben!« Karoline gab eine Schilderung der Kinder, des Stapels Hemden auf dem Sofa und der Wohnung, unter

Auslassung der Gerüche, die nicht so sehr zum Abendessen passten.

»Du *willst*, dass er es nicht war. Arme Frau, kleine Kinder«, sagte ihr Vater leicht verärgert. »Aber das ist doch kein Argument! Ich muss sagen, von dir hätte ich schon ein wenig mehr erwartet!«

Karoline schaute Hilfe suchend zu ihrer Mutter, die die bisherige Diskussion schweigend verfolgt und dabei das Kerzenlicht in ihrem Kaffeelöffel betrachtet hatte. »Du solltest deinem Vater nicht so zusetzen. Schließlich ist es doch unmoralisch, einen Dieb oder Mörder zu verteidigen«, erklärte Frau Stern jetzt. »Wenn man jemanden umgebracht hat, muss man auch die gerechte Strafe in Kauf nehmen. Dafür ist doch das Gesetz da, dass ein Mörder verurteilt wird! Wieso soll man den da herausreden?«

Das brachte Herrn Stern in Rage und er drehte sich aufgebracht von seiner Tochter zu seiner Frau um. Typisch! Da forderten die Frauen mal dies und mal jenes und wollten zeigen, dass sie alles den Männern gleich tun konnten. Schön und gut, er war dafür. Aber da sah man es wieder: Selbst die elementaren Grundregeln des Rechtssystems verstanden sie einfach nicht! »O nein, Fanny, zum Beruf eines Rechtsanwalts gehört auch, dass man diejenigen verteidigt, die schuldig sind. *Jeder* Verbrecher braucht einen Verteidiger, das gehört nun einmal zum System.« Er legte seiner Frau die Prinzipien von Anklage und Verteidigung auseinander. »Und deswegen darf ein Anwalt, sogar wenn ein Mörder ihn aufsucht, seine Hilfe nicht verweigern, nur weil der Mann schuldig ist.«

Frau Stern blinzelte ihren Mann ganz arglos an. »Dann kann es dir aber doch gleich sein, ob der Rader der Mörder ist oder nicht. Wenn du ihn auch verteidigen müsstest, wenn er es getan hätte.«

Herr Stern sah sich in der Klemme. »Und wenn er mich aufgesucht hätte …«, griff er nach dem einzig verfügbaren Strohhalm. »Dieser Rader hat mich aber nicht aufgesucht. Er bekommt ohnehin einen Anwalt, steht ihm von Rechts wegen zu.«

»Ja, aber was für einen!«, schaltete Karoline sich wieder ein. Denn hatte ihr Vater nicht kürzlich erst geschimpft, dass die Chancen der Verdächtigen durchaus ungleich seien, was das Aufsuchen eines Anwaltes angehe? »Ich möchte nicht wissen, hast du gesagt, wie viel arme Schlucker da im Gefängnis sitzen und auf eine Untersuchung warten, während ihre Akten sich auf dem Schreibtisch irgendeines unfähigen Kommissars stapeln. Da müsste man dringend etwas verbessern, hast du damals gesagt.«

»Wenn ich all das gesagt habe …«, seufzte Herr Stern. »Hat man denn überprüft, wo dieser Rader zu der entsprechenden Zeit war?«

Karoline wand sich etwas. »Das ist es ja gerade. Er will partout nicht sagen, wo er war. Nicht einmal seiner Frau.«

Ausgerechnet dieser Punkt bereitete Herrn Stern kein Kopfzerbrechen. »Nun, so was kommt vor. Der wird sich's schon noch überlegen und wenn er dann wirklich woanders war, wird er es irgendwann sagen.« Er bat seine Tochter, ihm die Pfeife zu bringen. »Ich mach's.«

»Danke, Papa!« Sie fiel ihm um den Hals.

»Gleich morgen geh ich hin.« Wenn er ehrlich war, hatte er ohnehin gerade nicht viel zu tun. Der Monat August hatte nämlich einen Nachteil: All seine Klienten trieben sich draußen in der Sommerfrische herum und waren damit so beschäftigt, dass sie gar keine Zeit fanden, die kleineren und größeren Ungesetzlichkeiten und Streitereien zu veranstalten, von denen Sterns Kanzlei letztlich lebte. »Aber versprich nur eins, Karoline: Du darfst nicht enttäuscht sein, wenn der Rader es trotzdem war! Nein, hör auf, dich zu bedanken. Versprich's.«

»Ich verspreche es.«

»So, und jetzt bring mir die Pfeife.« Damit war das Thema abgeschlossen.

Karoline brachte die Pfeife, bedankte sich nochmals und wusste sofort, dass sie das Versprechen nicht würde halten können. Natürlich würde sie enttäuscht sein, wenn der Rader doch der Mörder gewesen war. Würde sich wünschen, sie hätte ihren Vater erst gar nicht dazu überredet. Jetzt saß er da in seinem Fauteuil, kämpfte mit dem Tabak und klopfte auf die Pfeife. Er sah rührend aus.

»Wir hätten ihn nicht so beschwatzen dürfen«, flüsterte Karoline ihrer Mutter in der Küche zu. »Stell dir vor, es geht etwas schief.«

»Wenn er es nicht richtig fände, würde er es nicht tun«, erwiderte ihre Mutter und schichtete die Teller übereinander. »Dein Vater weiß schon, was er tut.«

Ja, das sagte ihr Vater auch immer. »Dein Vater weiß schon, was er tut«, das war trotzdem keine Garantie für den Erfolg der jeweiligen Unternehmung. »Das hier tut er aber für mich«, versetzte Karoline. Wenn Rader doch der Mörder wäre – wenn ihr Vater dann von ihr enttäuscht wäre – wenn das Ganze böse Folgen für seine Kanzlei haben würde … Aber jetzt war der Gang der Dinge nicht mehr aufzuhalten.

Langeweile machte sich breit. Karolines Vater hatte das Haus verlassen, um sich der Angelegenheiten des Schneidergesellen Rader anzunehmen, ihre Mutter war zum Kunstverein davongezogen. Das Mädchen hatte die Frühstücksteller zusammengeschoben und führte sie in der Küche fließendem Wasser zu. Karoline lehnte sich an den Türrahmen. »Wo könnte ich mich denn nützlich machen, Lisbeth?«

»Überall«, erklärte Lisbeth, erbarmte sich und reichte Karoline ein Staubtuch. »Sie könnten Staub wischen. Vielleicht im Salon, der hat es am nötigsten.« Der Salon war in der Vergangenheit lange nicht benutzt worden und sah einer ebenso einsamen Zukunft entgegen. Zwischenzeitlich konnte man den Staub hin und wieder aufschrecken, nicht aber entfernen.

Lisbeth wusste das. Karoline hingegen nicht. Voller Tatendrang klopfte sie Kissen und Sofaüberwürfe aus, staubte die Kanten der Bilderrahmen ab, polierte das Buffet, bei dem der eine Schlüssel fehlte, und den Sekretär, bei dem die Schreibplatte klemmte. Sie rüttelte an den schweren Vorhängen und staunte über die satten Farben, die dies zum Vorschein brachte. Nachdem die ersten Wolken sich gelegt hatten, überprüfte sie, *wohin* sie sich gelegt hatten: auf das Sofa, auf die glänzenden Oberflächen des Buffets und des Sekretärs, auf die Bilderrahmen. Sie holte ein frisches Staubtuch und begann wieder von vorne.

Gegen Mittag erbarmte Lisbeth sich ein zweites Mal und brachte Karoline eine Paste für die spröden Finger. »Es reicht.«

»In den Vorhängen war vielleicht ein Staub!«, rief Karoline und rieb sich die Hände ein. »Das war natürlich nicht gegen Sie gerichtet. Sie können ja nicht alles machen.«

Lisbeth gab ein unbestimmtes »Hhm« von sich. Möglicherweise wollte sie damit darauf hinweisen, dass sie doch mehr oder weniger alles machen musste. Seit Frau Stern immer unbekümmerter wurde, was die Führung des Haushalts anging, wuchs das Dienstmädchen ungewollt auch in die Rollen einer Waschfrau und einer Haushälterin hinein. »Aber wo meine Mutter jetzt unter die Künstler gegangen ist ...«, meinte Karoline weiter.

»Ja, die gnädige Frau hat viel zu tun«, äußerte Lisbeth diplomatisch.

»... seitdem geht es mit dem Haushalt bergab.« Ich gönne ihr die Malerei ja von Herzen, dachte Karoline in Erinnerung eben vollbrachter Heldentaten etwas selbstgerecht, aber *ein bisschen* könnte sie sich doch um ihre Familie kümmern! »Was gibt es eigentlich zu Mittag?«

Eine rhetorische Frage. Lisbeth stammte aus einer nordhessischen Bauernfamilie und glaubte an die nährende Kraft der Kartoffel. Wenn sie nichts anderes geheißen wurde, dann servierte sie Kartoffeln mit Fleisch und weißen Bohnen, im Winter mit Kohlgemüse, freitags mit Fisch und sonntags mit Suppe und Braten. »Kartoffeln mit Ochsenfleisch und Bohnen«, antwortete Lisbeth erwartungsgemäß und zog wieder in die Küche.

Gegen Mittag ging endlich die Wohnungstür auf, jemand trat sich ordentlich die Füße ab und Herrn Sterns Gesicht tauchte etwas gereizt hinter einem Strauß von Rosen und Wicken auf. »Nimm mir den Mantel ab, ich dachte, es würde endlich mal regnen – Achtung, die Blumen, die sind von den Westphals – wo ist deine Mutter? Sie schaut Bilder an, na schön. Gibt es in diesem Haushalt eine Vase?« Karoline meinte, ja, wusste aber nicht, wo, und Lisbeth kam aus der Küche, um den Strauß ins Wasser zu stellen. Stern lugte misstrauisch durch die offene Tür in den Salon und ließ sich dort probeweise auf das Sofa sinken. »Zum Essen will der Westphal mich auch noch einladen, dem seine Dankbarkeit nimmt ja kein Ende …« Herr Stern griff hinter seinen Rücken und zog verwundert einen Lappen hervor. »Was ist das?«

»Ein Staubtuch«, erklärte Karoline und entwand es ihm. »Und warst du nun bei dem Rader oder nicht?«

»O ja, ich war bei ihm! Aber es war kein reines Vergnügen, das sag ich dir!« An den Schranken vor der Konstabler Wache hatte Herr Stern sich erst einmal ausweisen müssen. Ausweisen – er! Die müssten ihn doch eigentlich kennen. »So viel Angst haben die vor Anschlägen. Dabei braucht da nur einmal einer zu husten, da fällt das Gemäuer in sich zusammen. Karoline, ich sag dir, die Preußen geben unserer guten alten Wache den letzten Rest. Wenn wir sie je zurückbekommen, dann müssen wir sie bestimmt gleich abreißen.« (Damit sollte er Recht behalten.) »Kein Stein steht mehr auf dem andern. Die Wendeltreppe ist schwindelerregend und die Zellen sind feucht. Auf die Türen wollen sie sich wohl nicht mehr verlassen, da stellen sie zig Schutzleute davor, man kommt kaum mehr durch den Korridor.«

Mit seiner Unterbringung hatte der Schneidergeselle nämlich zusätzliches Pech gehabt. Zunächst hatte man ihn in die Zelle für die ›mit Ungeziefer befallenen Gefangenen‹ gesteckt, weil er sich am Vortag so verdächtig unter der Achsel gekratzt hatte. Aber nachdem er dieses Quartier wieder hatte verlassen dürfen, kam er aus dem Kratzen nicht mehr heraus. »Also von Hygiene verstehen die Preußen anscheinend nichts. Ein Wunder, dass mich die Flöhe nicht gefressen haben!« Mit Grausen dachte Stern an die zerfallenen Gemäuer zurück und beschloss, dem Gefängnisverein Mitteilung von seinen Erfahrungen zu machen, besser heut als morgen.

»Und der Rader?«, erinnerte Karoline.

»Ja, der Rader!« Herr Stern seufzte. »Der Mann ist da anscheinend ganz unglücklich hineingeraten. Ganz unglückliche Umstände waren das und die Polizei hat auch gar nichts in der Hand gegen ihn. Wundert mich, dass sie ihn überhaupt eingesperrt haben. Er hat ja nichts getan, als über seinen Meister zu schimpfen, weil der ihn entlassen hatte. Und wer tut das nicht? Die kann man schließlich nicht alle einsperren.«

»Was hat der Rader denn gesagt?«

»Langsam, langsam.« Stern erklärte sich bereit, Karoline die Einzelheiten des Vormittags zu enthüllen – aber nur gegen das feierliche Versprechen, es niemandem zu sagen, es sei nämlich streng vertraulich. Das ›niemand‹ schärfte er ihr noch besonders ein: »Auch nicht deiner Mutter oder deiner Schwester.«

»Niemandem«, beteuerte Karoline.

»Na gut.« Stern nickte und holte tief Luft. »Im Allgemeinen denkt man ja, die unteren Klassen leben so schlecht, dass sie mit den Verhältnissen im Gefängnis besser zurechtkommen, als wenn so ein reicher Mann einmal eingesperrt wird, aber, Karoline, ich sag dir, der Mann war völlig durcheinander.«

»Sie schickt der Himmel«, hatte er gerufen, als Stern sich ihm vorgestellt hatte. »Man rechnet ja immer mal damit, dass sie einen mitnehmen, aber dass es so ist, hätte ich dann doch nicht gedacht.« An der Stelle war Stern erst einmal misstrauisch geworden: Wieso rechne denn ein braver Mann ›immer mal‹ damit, dass sie ihn mitnehmen?

Nein, das hätte er natürlich nicht so gemeint, versicherte Rader, jedenfalls wusste er gar nicht so genau, wie er hier hereingeraten war. Und zuerst hatte ihm auch niemand Auskunft geben wollen. Die Polizei war bei ihm zu Hause aufgetaucht, angeklopft hatten sie schon, waren dann aber doch mehr oder weniger in seine Wohnung eingefallen. Man hatte ihn gefragt, ob er denn von dem Lübbe wisse. »Natürlich kenn ich den Lübbe, grad gestern hatten wir eine ›persönliche Unterredung‹ miteinander gehabt«, hatte er wahrheitsgemäß geantwortet und ganz unschuldig ein zerknirschtes Gesicht gemacht dabei und dann vermutlich sogar ein bisschen geschimpft auf den Mann, denn er war ja gerade nicht gut zu sprechen gewesen auf seinen ehemaligen Meister.

»Und nach dieser Unterredung?«

»Bin ich in ein Bierhaus gegangen. – Wieso wolln Sie das denn wissen? Sie kommen hier einfach rein und meine Frau ist schon ganz erschreckt und ich bin selber grad erst nach Hause …«

»Sie sind also in ein Bierhaus gegangen. Und um acht?«, hatte der Kommissar seine Tiraden mit strenger Stimme unterbrochen.

Das hatte Rader nun nicht sagen wollen und da hatten die Polizisten sich vielsagend angeschmunzelt und andauernd weitergefragt, über Pistolen und ob er mal in der Armee gewesen sei und welche Zeitungen er lese und so weiter. Und dann wär alles ganz schnell gegangen: Sie hatten ihn mitgenommen, weil der Lübbe tot war, ermordet.

»Und ich soll's gewesen sein! Und wenn er mich zehnmal entlassen hätte – so was hätt ich natürlich nie getan.« Rader schaute Stern flehend an, als wäre er der Richter höchstpersönlich.

»Schon gut, schon gut. Ich glaub Ihnen ja.« Herr Stern widerstand der Versuchung, seinem Mandanten tröstend die Hand auf die Schulter zu legen. »Erzählen Sie weiter.«

Dann hatten sie eine umfangreiche Untersuchung an ihm vorgenommen, für ihre Verbrecherkartei. »Alles an mir haben sie vermessen, ich sage Ihnen: alles!« Eine Menge metallener Instrumente hatten sie in einem Köfferchen dahergetragen und in verschiedene Richtungen seines Kopfes gehalten, dann an jedem Körperteil Maß genommen. An jedem! Eine Fotografie hatten sie auch gemacht, aber dafür durfte er sich wieder anziehen, das war nicht ganz so erniedrigend. »Können Sie mir mal sagen, wozu das ganze Vermessen gut sein soll? Wenn ich unschuldig bin, brauchen sie die Zahlen doch gar nicht. Und wenn ich der Mörder wär, würden sie mir sowieso das Seil um den Hals legen, dann brauchen sie sie auch nicht mehr.«

Stern fand diese Überlegung in sich sehr schlüssig und geradezu scharfsinnig, sah es aber als seine vorrangige Aufgabe an, den Mann zu beschwichtigen. »Bitte, Sie dürfen nicht gleich mit dem Schlimmsten rechnen.« Er murmelte etwas von Begnadigung, aber Rader winkte ab. »Gibt keine Begnadigung für solche wie mich. So ist es doch! Brauchen mich nicht zu vermessen. Außerdem war ich es gar nicht.«

Stern, der aus Raders Augen die schiere Verzweiflung sprechen sah, beteuerte unverzüglich, so hoffnungslos sei die Sache ja gar nicht. Außerdem halte er so oder so zu seinem Mandanten, selbst wenn er der Mörder wäre, er sei ohnehin zu Stillschweigen verpflichtet. Jedenfalls kämen sie am besten voran, wenn

Rader ihm geradheraus sagen würde, wo er den Abend über gewesen sei.

Hier hatte Rader noch mehrmals nachgefragt, ob ein Anwalt etwa Informationen gegen den Willen seines Klienten weitergeben dürfe und ob er Dritten schaden dürfe, die nicht seine Klienten wären, und ob er, Rader, darauf vertrauen könne, dass Stern Stillschweigen bewahren würde.

»Selbstverständlich, ich darf überhaupt nichts von dem weitergeben, was Sie mir hier erzählen«, hatte Stern versichert. »Und nun der Reihe nach: Wo sind Sie denn nun gewesen am Montagabend?«

An dieser Stelle brach Stern seinen Bericht ab und tätschelte seiner Tochter die Hand. »Du hast Recht gehabt, der Mann war's nicht. Mit ein paar Bekannten ist er zusammengewesen, die haben es bestätigt, bloß hilft das nicht viel. Das ist ein rechter Schlamassel, denn der Polizei will er es nicht sagen.«

»Wieso will er es der Polizei denn nicht sagen?«, fragte Karoline.

Ihr Vater blinzelte unverständig. »Um dir das zu beantworten, müsste ich dir ja verraten, wo er gewesen ist.«

»Ja, dann verrat mir's doch endlich!«

»Na, Karoline«, schnaubte Stern entrüstet, »das hab ich doch grad erklärt: Das ist alles ganz vertraulich. Wenn er nicht will, dass ich es erzähle, dann muss ich es für mich behalten. Vor der Polizei und vor dir ganz genauso.« Nein, sie brauche gar nicht so zu drängen.

»Ist es denn gegen das Gesetz?«, fragte Karoline in einer Mischung aus Entsetzen und freudiger Spannung.

»Schluss mit der Diskussion«, erklärte Stern kategorisch und stützte sich beim Aufstehen auf die Sofakissen, die ihn mit einer kleinen Staubwolke verabschiedeten. »Und was gibt's zu Mittag?«

»Kartoffeln mit Ochsenfleisch und Bohnen.«

»Aha.« Herr Stern ließ die Schultern hängen. »Deine Mutter ist immer noch nicht zurück von ihrem Kunstverein?« War sie nicht. Herr Stern beschloss, sich zusammenzureißen und Verständnis für die künstlerischen Ambitionen seiner Frau aufzubringen und sich mit dem kärglichen Mittagsmahl abzufinden.

Nach dem Essen verlangte er nach seiner Pfeife. Als Karoline die Pfeife aus dem Mantel holte, der an der Garderobe hing, griff sie aus Versehen in die falsche Tasche. Dahin, wo ihr Vater sein Notizheft aufhob.

Es gehörte sich nicht, jemandem hinterherzuspionieren. Aber vielleicht ein ganz kurzer Blick?

»Papa«, Karoline hatte das Notizheft wieder zurückgelegt und überbrachte nun die Pfeife, »du wolltest doch jetzt noch mal zum Polizeipräsidium gehen, gell?«

»Ja. Denen werd ich schon einheizen. Hab zwar nicht viel in der Hand ...« Stern sah den bekümmerten Blick seiner Tochter und fügte hinzu: »Aber die haben ja nun gar nix in der Hand. Mach dir keine Sorgen, Kaline, dein Vater weiß, was er tut!«

»Da ist dir Tabak auf die Hose gefallen. – Könntest du mich nicht mitnehmen?«

»Weswegen?«, fragte Stern misstrauisch und tastete unter dem Tischtuch nach dem Tabak.

»Ich würde gern wissen, wie es da aussieht.«

»Was soll das nützen?«

»Was kann es schaden?«

So direkt befragt, fiel Stern auf Anhieb nichts ein, was dagegen sprach. »Das wird dich bloß langweilen, alles nur Formalitäten. Aber wenn du willst.« Da war ja der Tabak! Stern klaubte ihn von seiner Hose und schaute seine Tochter streng an. »Wenn wir beim Kommissar sind, tust du keinen Mucks, ja?«

»Keinen Mucks«, versprach sie.

Alles zusammengenommen, musste man wohl sagen: Der Mann war verhaftet, aber die Ermittlungen fingen erst an. Unentschlossen spielte Kommissar Staben mit dem Aktendeckel. Der Polizeipräsident hatte sich über die Verhaftung zufrieden gezeigt und die Leiche zur Aufbahrung freigegeben. Die Schusswunde in Lübbes Hinterkopf schloss einen Scheintod aus und machte die Vorsichtsmaßnahme überflüssig, mit der Beerdigung auf Ablauf der Dreitagesfrist zu warten. Soweit war alles geregelt.

Andererseits war wohl auch dem Polizeipräsidenten aufgefallen, dass Lübbes längeres Verweilen in seinem Geschäft einer Erklärung bedurfte, deren Fehlen ein zweifelhaftes Licht auf die Rekonstruktion des Verbrechens warf. »Das müssen Sie baldmöglichst herausbringen«, hatte der Polizeipräsident ihm eingeschärft, »sonst nutzt uns all das andere vor Gericht überhaupt nichts.«

»Aber selbstverständlich«, hatte Staben geantwortet und die Schulter ein wenig beleidigt angezogen. So etwas brauchte man ihm doch nicht zu sagen! Sorgfalt ging ihm über alles und überhaupt: Was war denn ›all das andere‹, von dem der Polizeipräsident gesprochen hatte? Sie hatten keine Börse, sie hatten keine Pistole, sie hatten keinen Zeugen. Niemandem war ein Mann aufgefallen, der rastlos in den Anlagen wartete.

Stabens Standpauke hatte Geringer nämlich tatsächlich bewegen können, am gestrigen Nachmittag noch eine Runde in der Hochstraße sowie in der gegenüberliegenden Bockenheimer Anlage zu drehen. Alle hatte er befragt, wie er behauptete, und die Befragung ergab ein eindeutiges Ergebnis: »Nichts.« Kein einziger lebender und der menschlichen Sprache mächtiger Bewohner der umliegenden Häuser hatte jemanden gesehen, der sich übermäßig lange in den Anlagen aufgehalten hatte oder umgekehrt ganz schnell von da weggerannt war.

»Und gehört haben sie auch nichts?«

»O doch! Allesamt haben sie Schüsse gehört.« Aber dann stellte sich heraus, dass die einen ein Getöse am frühen Abend und die anderen ein Knallen tief in der Nacht und dritte wiederum ein ausgiebiges Lärmen irgendwann dazwischen gehört hatten und sich, nachdem sie ihre Zeitung gelesen hatten, sofort darüber im Klaren gewesen waren, dass das nur ein Pistolenschuss hatte sein können.

Aber keiner war sich sicher. Und keiner war vor die Tür getreten, um nach dem Rechten zu sehen. Staben fand es niederschmetternd, Geringer hingegen sah es von der praktischen Seite: »Das kann einfach kein Mensch auseinanderhalten. Wenn man bedenkt, wie viel Krach ist in so einer Großstadt.«

»Nachts?«

Stabens Nachfrage inspirierte Geringer zu einer längeren Aufzählung und teils recht gelungenen Nachahmung all der Geräusche, die ihn immer am Schlafen hinderten. Es grenzte an ein Wunder, dass dieser Mann sich trotz all der direkt vor seinem Schlafzimmerfenster vorbeigetriebenen Rinder, der kreischenden Ehepaare, explodierenden Gaslichter und zusammenbrechenden Fuhrwerke überhaupt noch auf den Beinen halten konnte.

»Aber einen Schuss hätten diese Leute doch wenigstens erkennen können!«, hatte Staben sich empört. »Das ist ja kaum zu glauben!« – Geringer, der seine Einschätzung der Sachlage bereits kundgetan hatte, hatte sich nicht verpflichtet gefühlt, weiter darüber zu diskutieren, und sich vergnügt auf die Suche nach einem geeigneten Mittagessen begeben.

Der Polizeiarzt wiederum hatte den Dienstagnachmittag dazu genutzt, um den Arm des Toten wer weiß wie oft herunterfallen zu lassen und sich in seinem neuen Gutachten zu folgender Aussage durchzuringen: »Der Tod ist frühestens gegen sechs Uhr nachmittags, spätestens gegen zehn Uhr abends eingetreten.«

Staben fluchte, als er das Gutachten durchgelesen hatte, und ging in den Nebenraum, wo Kommissar Rauch emsig einen Berg Akten durcharbeitete. »Was soll das heißen: frühestens um sechs?«, schrie er in das Telefon, sodass sogar sein Kollege am Schreibtisch zusammenzuckte. »Um sechs hat er doch noch höchst lebendig Kunden bedient, also kann er da doch nicht tot gewesen sein!«

»So gesehen, nicht. Aber Sie haben gewollt, dass ich alles hinschreib nach bestem medizinischen Wissen und Gewissen«, erinnerte Dr. Dühring mit unverkennbarer Befriedigung.

Das stimmte nun leider. Aber um halb zehn war Lübbe noch beim Abschließen seines Geschäfts gesehen worden, und das hieß: »Also kann der Mord nur zwischen halb und zehn geschehen sein?«

»Kriminalpolizeilich, ja«, antwortete der Polizeiarzt

dementsprechend vergnügt. »Medizinisch, nein. Da kann er auch vorher …«

»Aber dass es nicht nach zehn war, das können Sie mit Sicherheit sagen?« Vielleicht hatte der Polizeiarzt nur vorn und hinten je zwei Stunden zu seiner früheren Uhrzeit dazuaddiert.

»Mit Sicherheit kann ich nur sagen, dass er überhaupt tot ist. Der Sommer«, flötete der Arzt, »der Sommer ist daran Schuld. Bei der Hitze kann man überhaupt nichts Sicheres sagen.« Er verabschiedete sich höflich und hängte den Hörer ein.

Als er in sein kleines Kämmerchen zurückkehrte, machte auch Staben die Hitze wieder zu schaffen. Im Innenhof des Clesernhofs stand eine Kastanie, groß und gut gewachsen. Leider reichten ihre Äste aber nicht weit genug herüber, um seinem Dachzimmer Schatten zu spenden. Breiteten sich wohl aber, wie Staben, durch das Fenster sich zwängend, berechnete, schützend über Kommissar Rauchs Büro aus. Staben drehte sich mit dem Rücken zum Fenster, äußerte einen Fluch und fing den strafenden Blick des mittelalterlichen Würdenträgers auf, der ihn aus seinem monumentalen Bilderrahmen fixierte. »Es ist doch wirklich zum Verrücktwerden«, rief Staben entschuldigend. »Wie soll einer da …!«

»Was ham Sie gesagt?« Geringer platzte zur Tür herein, ohne anzuklopfen. »Ach so, Sie reden mit dem Bullenbeißer! Gell, wenn man sich erst mal an ihn gewöhnt hat, kommt er einem gar nicht mehr so grauslich vor!«

»Natürlich habe ich nicht mit dem Bild geredet! – Machen Sie die Tür zu«, kommandierte Staben und nahm wieder an seinem Schreibtisch Platz. »Und nächstes Mal klopfen Sie an!«

»Das muss Ihnen nicht peinlich sein«, tröstete Geringer und ließ die Tür offen. »Auch ich hab dem Bullenbeißer schon so manches …«

»Mir ist gar nichts peinlich«, erklärte Staben kategorisch. »Was gibt es?«

»Herr Kommissar, hier ist jemand für sie. Wegen Lübbe.« Er ließ Sterns Visitenkarte auf den Schreibtisch segeln und verschwand. Einen Moment lang schöpfte Staben Hoffnung: Vielleicht waren das Zeugen? Vielleicht hatten sie Rader in der Anlage gesehen oder beim Kauf einer Pistole oder als er die Börse in den Main warf?

Aber als Staben die Visitenkarte seines Besuchers las, sank sein Mut, und als wenig später Herr Stern persönlich auftauchte – dieser Mann war ganz Verteidiger. Ob er die junge Frau in seinem Gefolge vertrat? Eigentlich war doch gar keine Frau involviert.

Mit kurzem Blick schätzte Staben den Rang seiner beiden Besucher ab. Dies war ein kritischer Fall: ein wohlgekleideter Herr reiferen Alters und eine sehr junge Dame. Und der Raum hatte nur zwei Sitzgelegenheiten, inklusive des Sessels, auf dem er selber gerade saß. Staben beschloss, die Unterredung komplett im Stehen durchzuführen. »Einen guten Tag, Herr Anwalt. Was kann ich für Sie tun?«

»Ich bin in der Angelegenheit Lübbe zu Ihnen gekommen. Der Verdächtige, Herr Otto Rader, ist mein Mandant. Herr Kommissar, ich muss mich wirklich wundern, dass Sie aufgrund so weniger …«

»Haben Sie eine Vollmacht Ihres Mandanten?«

»Natürlich.« Stern zupfte an seiner Brusttasche herum, aber der Kommissar zeigte sich großmütig.

»Schon gut. Und wer ist die junge Dame? Die Ehefrau des Inhaftierten?«

»Meine Tochter!« Herr Stern war empört.

Staben hingegen war erleichtert: Die Stuhlfrage war gelöst. »Tut mir leid, Fräulein Stern, aber diese Angelegenheiten sind vertraulich, ich muss Sie leider bitten, draußen zu warten. Wachtmeister Geringer wird sich um Sie kümmern. – Geringer!«

Karoline öffnete den Mund, ihr Vater war schneller. »Betrachten Sie sie als meinen Gehilfen.«

Staben musterte die Dame mit den unordentlichen Haaren misstrauisch. »Ich wusste gar nicht, dass Frauen in juristischen Berufen zugelassen sind.«

»Nicht wahr«, sagte das Fräulein und verzog ihre Mundwinkel zu einem schiefen Lächeln, »die Fortschrittlichkeit der preußischen Regierung erfreut einen stets aufs Neue.«

Dann musste sie eben stehen. »Herr Anwalt, nehmen Sie doch bitte Platz.« Staben und sein Gegenüber setzten sich und die Tochter blieb hinter ihrem Vater stehen.

Die beiden Herren schienen ein Spiel zu spielen, fand Karoline, sie tauschten Informationen aus über die genaueren Umstände der Verhaftung, sprachen von Indizien, leierten Zeiten herunter. Alles in höflichem Ton und immer schön an der Sache vorbei. Um halb zehn war der Lübbe noch gesehen worden, um acht war Rader aus der Kneipe gelaufen, gegen zehn war er wieder dort aufgetaucht, sechs Uhr abends war die frühestmögliche Todeszeit, die Leiche allerdings erst um fünf Uhr morgens gefunden worden.

Dann feilschten die beiden um Raders Tun und Treiben in der ungeklärten Zeit dazwischen. Nein, das dürfe Stern dem Kommissar nicht enthüllen, auf den ausdrücklichen Wunsch seines Mandanten hin. – In diesem Falle müsse Staben aber weiterhin von der

Möglichkeit ausgehen, der Verhaftete habe Gelegenheit gehabt, den Mord zu begehen. – Das sei ganz dem Kommissar überlassen, bloß müsse Stern als Raders Anwalt daran erinnern, dass in diesem Staate immer noch Schuld, nicht etwa Unschuld eines Verdächtigen nachzuweisen sei. In welchem Zusammenhang er betonen wolle, dass die Polizei kein einziges Indiz gefunden habe, das auf die Schuld seines Mandanten hindeute, worauf er auch den Untersuchungsrichter aufmerksam zu machen gedenke.

Jetzt komm endlich zur Sache, Papa, dachte Karoline und musterte dessen Gegenspieler. Schlank, ein wenig zu schmal vielleicht, denn auch die Uniformjacke konnte seine Schultern nicht imposant erscheinen lassen. Anfang oder auch Mitte Dreißig mochte er sein. Seine Haare begannen sich an den Schläfen zurückzuziehen. Seine zu langen Arme guckten ein gutes Stück aus den Ärmeln heraus, griffen weit über den Tisch und beschäftigten sich ständig mit dem Aktendeckel und seinem Inhalt.

Gelangweilt ließ Karoline ihren Blick durch den absonderlich leeren Raum schweifen. Das einzig Interessante war das Bild dahinten in der düsteren Ecke.

»Wie Sie sehen«, schloss der Kommissar gerade seinen Bericht ab, »haben wir den Tathergang genauestens rekonstruieren können. Solange Ihr Mandant nicht enthüllen will, was er ansonsten getrieben hat …«

Karoline räusperte sich und der Kommissar sah verärgert hoch. Mehrmals schon hatte er das ungute Gefühl gehabt, sie schaue auf ihn herab. Aber nein, sie starrte auf die Halskrause in Öl.

»Der Verdächtige …«

»Mein Mandant«, erinnerte Herr Stern.

»Ihr Mandant *ist* der Verdächtige. Er wusste, dass

Lübbe üblicherweise um acht seinen Heimweg antrat, und ist genau zu dieser Zeit aus der Kneipe …« Irritiert blickte Staben hoch, denn die Anwaltstochter hatte sich nochmals geräuspert.

Jetzt schaute Karoline ihn tatsächlich an. »Ich weiß nicht, wie gut Sie unsere Stadt kennen, Herr Kommissar …«, begann sie höflich.

Staben war verblüfft. »Danke, ich finde mich zurecht!«

»… aber von der Kneipe, in der Rader sein Bier getrunken hat, konnte er in vier Himmelsrichtungen gehen. Woher wissen Sie also, dass Rader ausgerechnet zur Wallanlage gegangen ist?«

Das mit den Himmelsrichtungen, erklärte Staben, verhalte sich in Berlin genauso und auch an seinem sonstigen Wissen lasse er sie gern teilhaben. »Wir von der Polizei nennen so etwas ein Motiv. Rader war höchst aufgebracht über seine Entlassung und hegte Rachegelüste, wie mehrere Unbeteiligte bezeugen konnten. Wut ist ein sehr gutes Motiv, um einen Mann umzubringen. Und da dieser Rader wusste, dass Lübbe stets durch die Anlagen nach Hause ging …«

Geringer kam zur Tür herein. »Sie haben gerufen?«

Ja, damals, vor einer Viertelstunde, dachte Staben und suchte schnell nach einer neuen Beschäftigung, damit der Wachtmeister sich nicht beschweren sollte, umsonst gekommen zu sein. »Bitte bringen Sie uns einen Kaffee. Herr Anwalt, darf ich Ihnen einen Kaffee anbieten?« – »Nein, danke vielmals.« – »Fräulein Stern – nein? Danke, Geringer, wir möchten doch keinen Kaffee.« Geringer beschloss insgeheim, nächstes Mal nicht alles stehen und liegen zu lassen, um seinem Vorgesetzten zu Hilfe zu eilen.

»Ach, Geringer – sind Sie noch da? Bitte bringen Sie doch noch einen Stuhl!«

Geringer brachte einen Stuhl.

Der Stuhl schien das Fräulein zu besänftigen und während sie die Falten ihres Kleides um die Sitzfläche herum sortierte, ergriff ihr Vater wieder das Wort. »Es braucht allerdings nicht nur Motive, sondern auch Beweise. Sollten Sie nicht wenigstens einen Zeugen haben, der Rader in der Anlage gesehen hat?«

»Nun, bei den wenigsten Morden verfügen wir über einen Zeugen. Das ist eine Frage der Logik«, erklärte Staben. »Denn ein Mörder würde seinen Plan kaum ausführen, wenn er sich dabei beobachtet fühlte.«

Der Anwalt gestand es ihm mit einem Nicken zu und machte nochmals darauf aufmerksam, dass es zum Wesen der rechtlichen Prinzipien des preußischen Staates gehöre, dass die Schuld, nicht etwa die Unschuld eines Verdächtigen bewiesen werden müsse.

Das war ja alles nur leeres Gerede. Karoline mischte sich wieder ein. »Habe ich Sie richtig verstanden, Herr Kommissar, dass Rader aufgrund seiner Entlassung gewissermaßen den Kopf verloren hat? Und er ist danach nicht wie üblich nach Hause gegangen, sondern direkt in die Kneipe?« Staben nickte, und Karoline überlegte: »Der Alkohol hat seine Wut noch verstärkt. Dann hat er sich erinnert, dass Lübbe immer gegen acht sein Geschäft verließ, hat sich auf den Weg gemacht, ihm in der Anlage aufgelauert und ihn erschossen. Also ein Mord, wie sagt man, aus dem Affekt heraus?«

»So war es.« Staben war geradezu erleichtert. Wenn jemand anders es so zusammenfasste, hörte es sich doch ganz vernünftig an.

Karoline lächelte freundlich. »Dann hätte ich noch eine Frage bezüglich der Logik.«

»Vielleicht sollten wir …«, warf ihr Vater versuchsweise ein, aber der Kommissar wollte sich die Gelegenheit nicht entgehen lassen, ein unerzogenes Fräulein über logische Zusammenhänge aufzuklären.

»Bitte?«, meinte er höflich.

»Was denken Sie, Herr Kommissar?«, fragte Karoline. »Wenn er zwischendurch also nicht nach Hause gegangen ist – hat Rader zeit seines Lebens eine Pistole mit sich herumgetragen, für den Fall, dass ihn irgendwann einmal ein solch starker Affekt überkommen würde?«

»Hhm«, machte Staben.

»Oder hat er die Pistole auf dem Weg zu den Wallanlagen erst gefunden?«

»Nun …« Staben schluckte und hoffte, dass es hinter seinem Kragen nicht allzu sichtbar wäre. »Nach der Tatwaffe suchen wir noch.« Er schluckte nochmals.

»Das ist zweifellos …«, begann ihr Vater. Ohne Erfolg, denn unbeirrt fuhr Karoline fort: »Ich persönlich glaube ja, die Waffe liegt längst auf dem Grund des Mains. In inniger Umarmung mit der Börse übrigens, die der Mörder nur an sich genommen hat, um den Verdacht in die falsche Richtung zu lenken. Die Waffe finden Sie nie wieder.«

Staben sah beide Gegenstände deutlich vor sich: nass und unerreichbar in einem schlammigen Flussbett. »Ich bin da nicht so pessimistisch«, behauptete er trotzdem, denn immerhin hatte er hier die Ehre der preußischen Polizei zu vertreten. »Ein Dutzend Uniformierter grast halb Frankfurt nach dieser Pistole ab. Aber so, wie es jetzt aussieht, hat Rader die Pistole nicht bei sich gehabt. Er ist also nicht direkt zu den Wallanlagen gelaufen, sondern zunächst nach Hause …«

»Aber wenn er doch dachte, dass Lübbe sich um acht

auf den Heimweg machen würde – wieso sollte er dann um acht nach Hause laufen, um die Pistole zu holen?«

»Das stimmt«, räumte Staben ein. »Also hat er sie doch schon den ganzen Tag bei sich getragen …«

»Es gefällt mir nicht, dass Sie Ihre Überzeugungen so schnell wechseln«, mahnte Karoline ein wenig von oben herab. »Sie müssen sich schon entscheiden: Entweder geschah der Mord im Affekt – oder er war geplant.«

Wie sie vorhin gesagt hatte, gab es bei der ersten Variante das Problem, wie Rader an die Pistole gekommen war. Also entschied sich Staben für die zweite. »In diesem Fall muss es wohl doch geplant gewesen sein.«

»Aber dann haben Sie kein Motiv!«, rief Karoline triumphierend. »Oder wusste Rader, dass seine Entlassung bevorstand?«

»Nein«, gestand Staben mit hängenden Schultern.

»Und ich hätte noch eine weitere Frage.«

»Später«, schlug Herr Stern vor.

»Es ist doch äußerst rätselhaft«, fuhr Karoline fort, »warum der Ermordete ausgerechnet an diesem Abend länger im Geschäft geblieben ist. Könnte das nicht mit dem Mord in einem Zusammenhang stehen?«

»Bestimmt sogar«, beteuerte Staben und preschte etwas zu kühn voran. »Falls es tatsächlich nicht die Entlassung gewesen ist, dann finden wir vielleicht darin ein Motiv. In dem, was Lübbe dazu bewogen hat, länger zu bleiben – oder in dem, was er noch zu tun hatte.«

»Aber könnte das nicht auch auf jeden anderen zutreffen«, wandte Karoline sanft ein, »dass Lübbes ungeklärtes Tun nach acht Uhr ihn zu dem Mord bewogen hat?«

»Das könnte auch auf einen anderen zutreffen«, gestand Staben hilflos.

»Sicher gehen Sie jeder noch so geringen Möglichkeit ganz unvoreingenommen nach, untersuchen sorgfältig weitere Verdächtige und ihre Motive …«

»Aber natürlich!«, rief Staben dankbar, durch die Erwähnung seiner Prinzipien angefeuert.

»Und immerhin war Lübbe ein Stadtverordneter, ein Mann der Politik. Es könnte ja sein, dass jemand seine Meinungen nicht geteilt hat.«

»Auch das kann sein«, erklärte Staben. »All das wird überprüft.«

Karoline nickte ihrem Vater zufrieden zu. »Das wird dein Mandant sicher gerne hören, Papa, dass der Kommissar noch gar nicht entschieden ist, wie es zunächst aussah.«

»Zweifellos«, entgegnete ihr Vater etwas verwirrt und wiederholte noch ein paar Förmlichkeiten. Der Abschied folgte auf dem Fuße, zu ihrer aller Freude und Erleichterung.

Dem alleingelassenen Staben entfuhr ein Fluch. Selbst wenn diese junge Dame hier und da sogar Recht haben mochte, ihn ins Kreuzverhör zu nehmen stand ihr nicht zu. Dazu die Andeutungen ihres Vaters, er dürfe nicht offenbaren, was sein Mandant in der fraglichen Zeit getrieben habe. Als ob er tatsächlich mit Sicherheit wüsste, dass Rader den Mord nicht begangen hatte. Allerdings würde jeder gute Anwalt der Polizei gegenüber an der Unschuld seines Mandanten festhalten, solange noch nicht das Gegenteil bewiesen war. Durfte ein Kommissar also dessen Beteuerungen vertrauen? Wohl kaum. Er musste fortfahren, wie er es für richtig hielt: möglichst viel über Lübbe, seine Bekannten und seine Geschäfte in Erfahrung bringen, um damit Raders Schuld belegen zu können – oder die eines anderen.

Vater und Tochter vor der Tür schlängelten sich die Turmtreppe nach unten und triumphierten. »Damit kommen die nie durch, Karoline, er wird sich hüten, den Fall so der Staatsanwaltschaft zu übergeben. Noch heut geh ich zum Untersuchungsrichter und frag, was der sich dabei überhaupt gedacht hat.«

»Motiv, hat der Kommissar gesagt! Als ob nicht jeden Tag zig Leute entlassen würden. Und vermutlich ist er auch gar kein Sozialist.«

Stern vermied es, darauf direkt zu antworten. »Vielleicht lassen sie ihn sogar von allein wieder frei, wenn die Pistole ganz woanders gefunden wird.«

»Die werden sie nie finden, Papa, da gehe ich jede Wette ein.«

»Mit mir nicht, Karoline, keine Wetten.« Sie hatten den Clesernhof verlassen und glücklich blinzelte Stern in das bisschen blauen Himmel, das man zwischen den Häuserreihen der engen Gasse erkennen konnte. Was für ein erfreulicher Vormittag! Nur eines einzigen kleinen Tadels konnte er sich nicht enthalten. »Keinen Mucks, hatte ich gesagt!« Karoline senkte in Reue den Kopf und nachdem derart die Autorität des Familienoberhauptes Stern wiederhergestellt war, trug er seiner Tochter auf, nach Hause zu gehen, und begab sich selbst in seine Kanzlei.

Er war doch froh, dass er sich der Verteidigung des Schneidergesellen angenommen hatte, es war eine Frage der Gerechtigkeit. Der arme Mann kam aus dem Odenwald, hatte ein paar Flugblätter verteilt und sich als Mordverdächtiger wiedergefunden. Überhaupt, wenn die Preußen nicht so ängstlich wären wegen der Sozialisten und die Pressefreiheit achten würden, dann hätten die Sozialisten ihre ganzen Heimlichkeiten gar nicht nötig und was nicht heimlich war, das konnte sich auch zu nichts Schlimmem auswachsen. Das war Herrn Sterns feste Überzeugung.

Mit solchen Heimlichkeiten hatte nämlich auch das Missgeschick des armen Rader begonnen.

»Nein, ich darf überhaupt nichts von dem weitergeben, was Sie mir hier erzählen«, hatte Herr Stern dem Inhaftierten mehrmals versichern müssen. »Und nun der Reihe nach: Wo sind Sie denn nun gewesen am Montagabend?«

Also, hatte der Inhaftierte endlich angefangen zu erzählen, wie gesagt, war er nach dem Streit erst mal in die Kneipe gegangen, da hatte er ein Bier oder zwei getrunken und seiner Wut etwas Luft gemacht. Er war aber keineswegs so betrunken, wie die Polizei ihn vielleicht hatte glauben machen wollen. Denn als er gemerkt hatte, es ging auf acht Uhr zu, hatte er sich schleunigst in Bewegung gesetzt und war dann in eine andere Kneipe gegangen, ins Albusgässchen. Zum Eber hieß die, vormals: Zum Roten Eber. Das war die Kneipe vom Zeller, aber den kenne Stern wohl nicht.

»Nein, kenne ich nicht.«

»Das ist so ein Treffpunkt für politische Leute. Ja, und dann haben wir den *Sozialdemokraten* ausgeteilt.« Anscheinend meinte er die sozialdemokratische Zeitung. In Preußen war sie selbstverständlich längst verboten, deswegen wurde sie bisweilen in Zürich gedruckt und dann nach Frankfurt hereingeschickt. »Mal kommt der *Sozialdemokrat* direkt mit der Post, mal geschmuggelt, aber diesmal waren's Pakete. Oft verteilen wir die einfach bei unseren Sitzungen, aber das kommt eben drauf an, wie die Lage so ist. Wenn die Spitzel alle im Vorzimmer sitzen, dann kann man schlecht im Kollegzimmer die Zeitungen austeilen, deswegen haben wir den *Sozialdemokraten* in den letzten Wochen immer einzeln ausgetragen.« Er selbst sei ja noch neu in Frankfurt, ihn würde noch keiner verdächtigen, also hätte er hinter der Kneipe gewartet. Die anderen aber, stadtbekannte Sozialdemokraten, hätten sich erst einmal demonstrativ im Schankraum gezeigt und eine halbe Stunde gebraucht, bis sie die Spitzel allesamt losgeworden wären. Dann wären sie schließlich zusammen losgezogen.

Sterns persönlicher Eindruck war, der Verdächtige bräuchte nicht ganz so oft ›der Sozialdemokrat‹ sagen, ›die Zeitung‹ hätte gereicht. Und die allzu leichtfüßige Erwähnung von Spitzeln schien ihm auch einigen Stolz und Vergnügen zu bereiten. Daher empfand Stern es ein wenig demütigend, diesem Stolz noch Vorschub zu leisten – aber allein aus beruflichem Interesse hatte er schließlich doch nachgefragt, wie man das denn so mache, ›Spitzel loswerden‹.

Bei der Erinnerung hatte Rader gekichert und ein paar abenteuerliche Anekdoten erzählt. Dass manchmal ein paar Genossen zum Schein irgendwo hingingen und dort Karten spielten, die Polizisten in Zivil in Kartenspiele verwickelten, während immer mehr Genossen unauffällig hinausschlichen und sich ganz woanders trafen. In etwa so hatten sie es gestern auch gemacht. »Vorne gehn alle rein und hinten gehn ein paar wieder raus.«

»Aha«, sagte Stern, verwundert über die Einfalt der Beamten. Die anschauliche Erzählung, wie Sozis und Polizisten manchen Abend mit Täuschen, Suchen und Verstecken verbrachten, erinnerte ihn an die Spiele seiner Kindheit. Aber hier ging es um etwas Ernstes, ermahnte er sich dann. Wer von den anderen gefunden wurde, bekam keinen Kohlestrich auf die Nase, sondern einen Prozess und Gefängnis und dies brachte ihn wieder zurück zu seiner eigentlichen Aufgabe. »Sie waren also nicht vorne im Schankraum?«

»Nein, ich hab doch hinten gewartet«, antwortete Rader.

»Mich kannten sie ja noch gar nicht und ich wollt auch nicht, dass sie mich kennen *lernen*.«

Sie, das hieß wohl, die Polizisten. Und sicher führten diese Polizisten genau Protokoll über das Kommen und Gehen sämtlicher Gäste. »Das heißt«, fasste Stern entmutigt zusammen, »dass die Spitzel, wie Sie sie nennen, die Namen Ihrer Genossen notiert haben, mit denen Sie später die Zeitung ausgetragen haben. Und die Spitzel glauben ebenfalls zu wissen, dass Sie nicht mit den anderen im Eber waren. – Das wird wohl ein bisschen schwierig für Ihre Genossen, der Polizei dieses verwickelte Versteckspiel zu erklären …«

»Nein, nein, nein!«, rief Rader. »Aber das will ich doch gar nicht. Sehen Sie, dann kommen die vielleicht auch ins Gefängnis!«

Damit war zwar zu rechnen. »Aber …«, Stern wand sich taktvoll, »… besser als die Strafe, die Sie zu erwarten hätten, ist es wohl doch? Wenn Sie erlauben, dann spreche ich einmal mit Ihren Genossen.« Danach werde er unverzüglich zum Polizeipräsidium und zum Untersuchungsgericht gehen und auf Raders sofortige Freilassung drängen, ohne allerdings dessen tatsächliches Tun und Treiben am Montagabend zu enthüllen. Denn dass man ihn aufgrund so dürftiger Anhaltspunkte festgesetzt habe, spreche ja ohnehin allen Vernunftgründen Hohn. Und nur im Notfall – das hieße, wenn es zum Prozess und bevor es zum Schlimmsten kommen sollte – würde er vor Gericht von der Aussage dieser Genossen Gebrauch machen. Das sicherte er seinem Mandanten ausdrücklich zu.

Eigentlich hatte Karoline vor, direkt die Adresse aufzusuchen, die sie in den Notizen ihres Vaters gefunden hatte. ›Zum Eber im Albusgässchen Nr. 12‹ hatte da gestanden und Karoline missverstand diese Worte so, dass ein Herr Eber mit Rader den Abend verbracht hatte und seine Unschuld bezeugen konnte. Das ging doch nicht an, dass ein Bekannter Rader vor dem Beil retten konnte und sich einfach weigerte, zur Polizei zu gehen und auszusagen. Wenn man noch einmal mit ihm reden würde und ihm eindringlich klarmachte, dass Raders Leben davon abhängen konnte …

Weiter kam Karoline nicht, sonst wären ihr möglicherweise sanfte Zweifel ob der Durchführbarkeit ihres Plans gekommen. Aber während sie sich ihren Weg durch die Altstadt zur Zeil bahnte, erschrak sie und blieb schnell hinter einem Häuservorsprung stehen. Vorne um die Ecke bogen drei vertraute Gestalten: Frau Wertheimer, mit einem frisch erworbenen modischen Sonnenschirm kämpfend, Tochter Sophie und dieser Ludwig, der im Vorbeigehen zwei kleine Kinder triezte, die sich harmlos auf dem Bürgersteig vergnügten.

Karoline wollte sich ungesehen davonschleichen, konnte aber nicht, denn die Häuserfront verbarg sie nur sehr unvollständig. Frau Wertheimer hatte sie bereits erblickt und lief strahlend auf sie zu. »Ja, ist das nicht ein Zufall? So lange haben wir uns nicht gesehen und jetzt so kurz hintereinander!« Erfreut ließ sie die Höhepunkte ihres gemeinsamen Ausflugs zur Alten Post Revue passieren – dann sank ihr der Mut. »Konnte man ja nicht ahnen, dass solch ein Unglück über die Stadt kommen würde.«

Frau Wertheimer blickte vielsagend über ihr schwarzes Kleid und erklärte, gerade hätten sie einen Kondolenzbesuch gemacht. »Hat länger gedauert, als mir lieb ist, aber dann hat die Witwe angefangen zu weinen und dann mag man sie ja auch nicht alleine lassen ...« Gerne hätte sie Karoline Genaueres mitgeteilt, finde jetzt aber keine Zeit dafür. »Wir müssen ganz schnell weiter. Der Frau Kommerzienrätin haben wir versprochen, sie bei ihrem Spaziergang im Palmengarten zu begleiten, und sind schon so spät dran, deswegen ...«

Frau Wertheimer musterte Karoline und geriet ins Trudeln. Es ziemte sich nicht, eine Dame wie die Kommerzienrätin warten zu lassen, am End stand schon die Droschke bereit und dann würden alle in eine höchst peinliche Situation gebracht. Andererseits, im Rahmen des Wertheimerschen Ehrenkodex ziemte es sich ebenso wenig, eine junge Dame allein durch die Straßen nach Hause ziehen zu lassen. Selbst wenn man sie ebenso allein vorgefunden hatte, was im Grunde auch nicht ganz statthaft war, aber unbeaufsichtigt wieder zurücklassen – nein!

»Ludwig, du bringst Karoline ...« Frau Wertheimer stockte. Aber das ging ja nicht, zwei unverheiratete junge Leute verschiedenen Geschlechts! Ob sie stattdessen Sophie mitschickte – nein, denn dann wäre ihre Tochter auf dem Rückweg allein. Frau Wertheimer kam ins Grübeln und fühlte sich wie der Fährmann, der Wolf und Schafe gemeinsam über den Fluss übersetzen muss und beide doch nicht miteinander allein lassen darf. Vielleicht war das die Lösung: Ludwig und Sophie gingen mit Fräulein Stern ins Fischerfeld und sie selbst allein zur Kommerzienrätin. Aber, fiel ihr jetzt ein, dann wäre der Zweck des Besuches verfehlt. Wie Sophie ihrer Mutter kürzlich verschämt gebeichtet hatte, hatte sie nämlich Gefallen gefunden an dem Sohn der Kommerzienrätin, aber kaum eine Gelegenheit, ihn wiederzusehen.

Frau Wertheimer seufzte und entschied sich für das kleinste Übel, das Zu-spät-Kommen. »Auf den kleinen Schlenker ins Fischerfeld kommt es nun auch nicht mehr an.« Konnte man alles mit der trauernden Witwe entschuldigen. »Zuerst einmal bringen wir Sie nach Hause.«

»Es macht mir überhaupt nichts aus …« Aber Karolines Proteste nutzten ihr wenig, auch nicht der Hinweis, dass sie eigentlich in der entgegengesetzten Richtung unterwegs war. Schließlich fügte sie sich. Sie beschloss, den Besuch bei dem unbekannten Herrn Eber auf den nächsten Tag zu verschieben, und erkundigte sich nach dem Kondolenzbesuch bei der Witwe Lübbe – eine Anregung, die von Frau Wertheimer nur allzu freudig aufgegriffen wurde.

»Ach, in dem Haushalt geht alles drunter und drüber! Gar nicht gut sieht es da aus, pfft, da muss einiges in Schuss gebracht werden.« Zuerst einmal hatte ihnen ein verhuschtes, viel zu junges Dienstmädchen die Tür geöffnet. Anscheinend wusste dieses Geschöpf nicht, wie man Gäste anständig hereinbat: In der geöffneten Haustür zwischen Flur und Vordertreppe ließ sie die drei stehen und Frau Wertheimer beobachtete es mit Missbilligung. »In einem Haus muss nicht alles neu und modern sein«, pflegte sie zu sagen, »aber ein Mädchen ist die Visitenkarte des Hauses.« Sie selbst verfügte jedenfalls über eine ausgezeichnete Visitenkarte, wohingegen dieses Geschöpf gesagt hatte: »Sie sollen in den Salon kommen«, woraufhin Frau Wertheimer schaudernd die kleine Beileidsprozession angeführt hatte. »Sie sollen in den Salon kommen!«

Da saß sie, die Witwe Lübbe, in der Mitte ihres großen Sofas. Wie eine Puppe hielt sie ein weißes Spitzentaschentuch in der Hand, hatte ihre düsteren Röcke im Halbkreis um sich herum gebreitet, starrte trübsinnig ins Leere. Frau Wertheimer hatte sich auf einen Fauteuil daneben gesetzt und in das Schweigen eingestimmt, dann aber bemerkt, dass die Blicke der Witwe doch nicht ins Leere, sondern auf das Buffet gegenüber gerichtet waren.

Dort war eine Reihe gerahmter Fotografien aufgebaut, die den Verstorbenen zeigten. Herr Lübbe in stolzer Pose vor seinem Geschäft auf der Zeil, eine Anzahl von Angestellten verschämt in zweiter Reihe links neben ihm aufgebaut. Herr Lübbe und Frau in glücklicher Hochzeitspose. Herr Lübbe und Frau mit Baby in weißem Taufkleid auf dem Schoß und so weiter bis zur Komplettierung der Familie bis zum jüngsten Enkel.

Das müsse eine große Stütze für sie sein, dass sie eine so große Familie habe, hatte Frau Wertheimer bei der Suche nach tröstlichen Worten also zunächst einmal gesagt und sich bewundernd über die Ahnengalerie von Lübbe & Sohn geäußert.

Dies schien die Witwe tatsächlich ein wenig aufzumuntern und sie gab eine kurze Zusammenfassung des Lübbeschen Familienwerdegangs, vom kleinen Schneider der ersten Generation und seiner Geschäftseröffnung, vom Aufstieg des Imperiums in der zweiten Generation über die Beteiligung bei den Spendenaufrufen verschiedener Spitäler bis hin zur Wahl zum Stadtverordneten.

»Ja, das hat mein Simon auch immer von ihm erzählt«, stimmte Frau Wertheimer in das Schwärmen ein. »Ein so engagierter Mann war er.«

»Ich hab ihn kaum mehr zu sehen bekommen – nein, das ist keine Klage, ein guter Mann ist er immer gewesen. Und stolz bin ich gewesen, weil er sich so gekümmert hat.« Die Witwe schaute ihr tief in die Augen. »Nie hat er Ruhe gegeben, wenn irgendwo Unrecht war.«

Frau Wertheimer stimmte zu, Herr Lübbe sei gewiss nicht von der Art gewesen, die Hände in den Schoß zu legen und sich's einfach gutgehen zu lassen, wo andere Not litten. »Sich selbst hat er nie geschont. Einer der ersten Armenpfleger ist er geworden, unten in der westlichen Altstadt. Ach, immer aus eigener Tasche hat er ihnen was gegeben, hat sich um sie gekümmert wie um sein eigen Fleisch und Blut. Was er da gesehen hat, ganz niedergeschmettert ist er nach Hause gekommen und ich hab gesagt: ›Karl, du bist ein guter Mann und ich bin sehr stolz auf dich.‹« Die Witwe war anscheinend etwas peinlich berührt, eine solch intime Szene preisgegeben zu haben, aber Frau Wertheimer beschwichtigte sie mit einem Lob. »Darauf können Sie auch ganz zu Recht stolz sein. Ich erinner mich noch gut, wie er sich für die neue Armenordnung eingesetzt hat und für die neue Bauordnung …«

»Nein!«, unterbrach die Witwe. »Bei der Bauordnung, da war er doch dagegen. Da hat er nämlich gemeint, wenn man nicht garantiert bekäme, dass es nachher genauso viel Wohnungen gäbe wie vorher, dann sollte man überhaupt keinen Abriss erlauben. Ja, da war der Karl mal wieder der Einzige, der sich gefragt hat, was dann mit den Armen geschieht ...«

Hier musste Frau Wertheimer widersprechen: »Also, *der Einzige* war er wohl nicht. Mein Mann zum Beispiel ist ja auch sehr engagiert. Der findet es auch nicht richtig, wenn man nur neue, große Geschäfte baut und die kleinen Leute ganz ihrem Schicksal überlässt.« Frau Wertheimer runzelte die Stirn. »Wie heißt so was noch?«

»Spekulation.« Das Wort hatte die Witwe oft genug aus dem Mund ihres Mannes gehört und bei der Erinnerung an seinen Idealismus, seine Empörung und seine Widersacher wurde ihr schwer ums Herz. »Einen richtigen Tumult hat es letztes Jahr gegeben. Ein Sozialist wäre er, hat da einer von den Hausbesitzern ihn angeschrien, ja wirklich, ein Sozialist – mein Mann! Die dachten, er wolle ihnen was wegnehmen.«

Empörend, fand Frau Wertheimer und sagte das der Witwe auch. Wer ein ganzes Haus besitze, müsse doch auch Geld genug haben, um sich ein wenig um die Ärmeren zu kümmern. »Wie manche Leute nur so geizig sein können!«

Diese an sich auf Einverständnis abzielende Bemerkung führte zu der einzigen kleinen Missstimmung zwischen den beiden Damen. Denn das Stichwort Geiz entlockte der Witwe einen Seufzer, führte ihre Gedanken zum Thema Sparsamkeit (das ihren Haushalt seit Jahren beherrschte) und von da auf andere, wenig freundliche Pfade. Außerdem waren bei Lübbes gerade mal Abtritt und Küche an eine Leitung angeschlossen, während die Frau Wertheimer sich kürzlich mit einer Badewanne und einem eigenen Badezimmer gebrüstet hatte, das sie in ihr neues Haus angeblich hatte einbauen lassen – welchem Zweck eine solche Einrichtung auch immer dienen mochte.

Plötzlich sah die Witwe in der Kondolierenden nicht mehr die Verbündete, sondern die Konkurrentin. »Wenn die Zeiten hart sind, denkt jeder an sich selbst zuerst«, versetzte sie mit etwas bissigem Unterton. »Das verstehen Sie vielleicht nicht, bei *Ihnen* kennt man halt keine Armut.« Das saß! Frau Lübbe sah genau, wie Frau Wertheimer mühsam um eine Antwort rang. Schließlich war allseits bekannt, dass seit dem Mittelalter jeder Jude in Frankfurt ein Wucherer war oder das, was man heutzutage Bankier nannte. Nein, nichts gegen die Rothschilds. Nichts gegen überhaupt jemanden *persönlich.*

Das war nun wirklich nicht gerecht, fand Frau Wertheimer, die gerade in den ärgsten Vorbereitungen für den kommenden Wohltätigkeitsbasar steckte. »Auch wir tun, was wir können«, entgegnete sie und gab sich erst gar keine Mühe, ihre Kränkung zu verbergen.

Das verschaffte Frau Lübbe zunächst eine gewisse Befriedigung, dann leise Scham. »Natürlich«, lenkte sie ein, legte ihre Hand auf die der Frau Wertheimer und die Missstimmung war überwunden. Frau Wertheimer nahm sich insgeheim vor, die Witwe für den nächsten Basar zu gewinnen, und suchte mit den besten Absichten zum Anlass ihres Besuches zurück. »Das wird sicher eine große Beerdigung«, sagte sie ganz unschuldig und die Kraft der Witwe war erschöpft. Bei der Vorstellung, wie all die Menschen auf den Friedhof strömten, um ihrem Mann das letzte Geleit zu geben, fing sie an, nach Luft zu schnappen, sie rang mit den Tränen.

Mit diskreten Blicken verständigte Frau Wertheimer Tochter und Sohn, den Salon zu verlassen.

Bei der Erinnerung an das nun Folgende schüttelte Frau Wertheimer traurig den Kopf. »Da konnte sie mal so richtig ihr Herz ausschütten«, erklärte sie Karoline, führte diesen Teil des Gespräches aber nicht weiter aus. Denn sie hatte der Witwe zwar nicht versprochen, Stillschweigen zu bewahren, aber in einer solchen Situation war es wohl selbstverständlich, dass dem Mund eines Trauernden so manches entschlüpfte, was nicht für die Allgemeinheit bestimmt war.

Betreten stapften Karoline und ihre kleine Kohorte die Fahrgasse in Richtung Fischerfeld hinunter. Sophie kaute auf einer Locke und sogar Ludwig verzichtete darauf, die Stimmung mit Springreiteranekdoten aufzulockern. »Es war erschütternd«, machte Sophie dem sorgenvollen Schweigen schließlich ein Ende. »Noch im Flur haben wir sie schluchzen gehört.«

»Und da standen wir dann rum«, maulte Ludwig. »Kein Mensch hat sich um uns gekümmert! Keine Haushälterin und kein Diener, falls die Lübbes so etwas überhaupt haben, und das ungeschickte Mädchen von vorhin erst recht nicht. Die hat nur kurz aus einer Tür rausgeschaut und sich dann wieder in der Küche versteckt.«

»Ein merkwürdiges Wesen«, stimmte Sophie zu.

»Wer?«, fragte Karoline.

»Dieses Mädchen. So blass, so dünn.«

»So dünn war sie gar nicht«, erklärte Ludwig mit einer Miene, als wäre er ein Spezialist für weibliche Anatomie. »Sie trägt nur nicht so ein Dingsda wie du!« Schamlos puffte er seiner Schwester zwischen die Stäbe ihrer Turnüre.

»Lass das!«, fauchte Sophie mit erstaunlichem Nachdruck. »Aber blass war sie doch.«

»Vielleicht hat sie geweint«, meinte Karoline.

»Ein Dienstmädchen weint doch nicht, wenn der Herr stirbt«, erklärte Ludwig, diesmal in seiner Eigenschaft als Spezialist für zwischenmenschliche Beziehungen, und grinste. »Außer …« Er zog die Augenbrauen hoch.

»Ludwig!«, fauchte diesmal Frau Wertheimer. »Sicher ist sie vom Land, völlig verloren hier in der Stadt.«

»Jedenfalls hat sie uns eine Ewigkeit da stehen lassen.« Sophie und Ludwig hatten fünf Minuten gewartet und dann noch eine Viertelstunde und sich selbst langsam verloren gefühlt da in dem Flur. Aber langsam waren die Schluchzer leiser geworden, dann war ihre Mutter wieder aus dem Salon gekommen, hatte das dünne Dienstmädchen herbeigerufen und sie angewiesen, schnell zur Apotheke zu laufen.

»Zur Apotheke?«, fragte Karoline erschrocken.

»Die Nerven«, erklärte Frau Wertheimer, denn so viel durfte sie ja wohl preisgeben. »Sie hat schon Montagabend einen Anfall bekommen. Und jetzt glaubt sie, das wäre ein Zeichen gewesen. Macht sich Vorwürfe!« Frau Wertheimer schüttelte traurig den Kopf. »Ich hab versucht, es ihr auszureden, aber wenn einer trauert, spricht man wie gegen eine Wand. Und darin die ganzen Erinnerungen …«

»Ja«, murmelte Karoline vage, denn sie hatte noch nie den Tod eines Nahestehenden beweinen müssen.

»Aber vermutlich ist es am besten, man stellt sich den Erinnerungen gleich, dann bringt man es leichter hinter sich. Mehr Tränen, aber weniger Gram, so ist es wohl«, murmelte Frau Wertheimer weiter, bemerkte schließlich Karolines hilflos umherirrenden Blick und riss den Kopf hoch, streckte die Brust heraus und versuchte ein Lächeln. »Na, damit muss sich ein junges

Mädchen noch nicht belasten. Aber ist das nicht schön gesagt von der Witwe: ›Nie hat er Ruhe gegeben, wenn irgendwo Unrecht war.‹«

»Sehr schön gesagt«, musste Karoline zugeben. Zwar hatte derselbe Lübbe den Rader entlassen und ihn und seine Familie damit ins Unglück gebracht. Aber dafür verdiente er doch auch Hochachtung, dass er die Armen der Altstadt gegen Spekulanten und habgierige Hausbesitzer verteidigt hatte.

Wenn die Witwe aus ihrem Schlafzimmerfenster hinaussah, konnte sie zwischen den Bäumen die Gartenmauer erkennen, dahinter das Grün der Wallanlagen und die Wege. Gestern, als die Polizisten nach Spuren gesucht hatten, hatte sie sie stundenlang beobachtet. Sie waren hin und her gelaufen und dann waren neugierige Passanten von der gegenüberliegenden Straße herübergekommen und hatten das Ihre getan, um das Durcheinander noch zu vergrößern. Gefunden hatte die ganze Meute nichts, aber wenn jetzt die Äste ein wenig schwankten, glaubte sie, die große, bräunliche Stelle zu sehen, wo der Rasen niedergetreten und am Dienstagmorgen, in aller Früh, ihr Mann gefunden worden war.

Kein Wunder, dass ihre Nerven verrückt spielten, wenn sie stundenlang aus dem Fenster blickte. Sie erinnerte sich, wie ihre Mutter kaum zwei Tage nach dem Tod des Vaters dessen gesamten Kleiderschrank aufgeteilt hatte in drei Häufchen: für den Bruder, für den Sohn, für den Almosenkasten. Herzlos war ihr das damals vorgekommen, aber wahrscheinlich hatte ihre Mutter recht daran getan.

Sie ging hinüber in das Zimmer ihres Mannes, von wo aus Garten und Anlagen genauso aussahen wie an jedem anderen Tag auch. Mehrere Schubladen hatte sie schon geleert und den Inhalt sortiert, war aber mit den Gedanken nicht ganz bei der Sache. Den ganzen Tag hatten Bekannte und weniger enger Bekannte hereingeschaut, als letztes war die Frau Wertheimer dagewesen, und je mehr es auf den Five-o-clock-Tee zuging, desto sicherer rechnete Frau Lübbe mit einem weiteren Besucher. Vielleicht allerdings würde ihn das ständige Kommen und Gehen abschrecken. Vielleicht war er auch gar nicht in der Stadt. Aber früher oder später würde er erscheinen.

Unten hörte sie die Tür aufgehen und Luisa erklären: »Nein, ich soll keinen Besuch mehr reinlassen.« Bei ihm dürfe sie doch sicherlich eine Ausnahme machen, antwortete der Gast und die Witwe glaubte die Stimme zu erkennen. Mit einem Bündel Briefe in der Linken, den Rock mit der Rechten gerafft, lief sie die Treppe hinunter und erst auf der vorletzten Stufe blieb sie stehen: Das war weiß Gott nicht der, den sie erwartet hatte. Es war ein großer, hagerer Mann in Polizeiuniform. Er stellte sich vor, blickte sie erwartungsvoll an.

»Herr Kommissar! Sie müssen sich ansehen, was ich gefunden habe!«, rief sie, weil ihr keine bessere Erklärung für ihre Hast einfiel. »Ich habe seinen Sekretär geöffnet …«

Vermutlich hat sie eine ihrer Töchter erwartet, dachte Staben mitleidig und folgte ihr die Treppe hinauf. Sie redete unentwegt. »Mein Sohn hat gesagt, es sei zu früh, ich solle noch warten. Aber wie lange soll man damit warten? Es wird ja doch nicht angenehmer.« Sie zeigte einen Packen Briefe hervor, alle fein säuberlich im Umschlag aufgehoben. »Briefe von zufriedenen Kunden, von anno 1842 bis heute.« Sie blätterte durch, um Staben ausgewählte Stellen vorzulegen. Lob, dass Lübbe es stets verstünde, modischen Geschmack und zeitlose Eleganz miteinander zu verbinden. Dank eines Brautvaters, der seine Tochter mit Hilfe von Lübbes Schneiderkünsten schön geschmückt in die Ehe hatte übergeben können. Gratulationen anlässlich des 40. Geschäftsjubiläums von einem Londoner Tuchhändler, dessen Vater schon Lübbe & Sohn mit seinen Anzugstoffen beliefert hatte.

»Alle seine Tuchhändler hat er persönlich gekannt, nicht nur die in Berlin, auch die ausländischen. Vor zwei Jahren erst war er das letzte Mal in England und manche sind uns auch besuchen gekommen, wenn sie in Deutschland waren.« Sie zog ein Taschentuch hervor und drückte es sich an die geröteten Augen, dann legte sie die Briefe zusammen.

»Alles hat er aufgehoben! So sehr hat er an dem Geschäft gehangen. Jahrelang begrüßt man die gleichen Kunden und immer sind sie zufrieden und man kennt die Frau und die Kinder und feiert die Hochzeiten mit. Und dann gehen sie woanders hin, nur weil es da billiger ist. Unser Frankfurt ist so klein, da sieht man alles. Gegrüßt haben sie meinen Mann, wenn sie an den Schaufenstern vorbei sind, und sind dann doch zu einem dieser neuen Geschäfte gegangen. – Natürlich hat er nie etwas gesagt, aber ich weiß, es hat ihm wehgetan.«

Staben blickte betreten auf seine Hände.

»Nicht wegen dem Geld«, versicherte die Frau, »das Geld ist nicht die Hauptsache. Es ist das Persönliche.«

»Es ist das Persönliche«, bestätigte Staben. Schließlich war ihr Redefluss doch noch zu einem Ende gelangt. Das plötzliche Schweigen, ihr leises Weinen, das zerknautschte Taschentuch auf dem Stuhl daneben – Staben genierte sich.

Ihr ging es wohl ähnlich. Sie klingelte nach dem Mädchen, aber es kam nicht. Sie ging selbst in die Küche, goss einen Tee auf, hielt dem Mädchen die Tür auf, damit es das Tablett hereinbalancieren konnte. »Erst dem Herrn«, flüsterte sie. »Das Einschenken mache ich selbst.« Das Mädchen zog die Tür hinter sich zu, die Witwe erklärte entschuldigend: »Die Familie kommt vom Land.«

Staben begann mit seinen Fragen. Ob es häufiger vorgekommen sei, würde er zunächst gern wissen, dass Lübbe länger im Geschäft geblieben sei?

»O nein, nur ganz selten! Genau um acht ist er immer gegangen, die Leute gegenüber haben die Uhr danach gestellt und wir haben den Tisch schon fertig gehabt. Nur vielleicht ein-, zweimal im Jahr ist es später geworden. Dann hat er vorher immer angerufen oder er hat jemanden geschickt, als wir das Telefon noch nicht hatten.«

Ob ihr Mann auch am vergangenen Montag angerufen habe?

»Aber nein.« Sie nippte an ihrem Tee. »Davon wusste er doch schon lange.« Für Staben versprach das eine neue Entdeckung, zum Zuhören beugte er sich weit vor. »Von dem Treffen mit Herrn Peschmann, geschäftlich, und mit …« Sie stutzte, weil Staben so gebannt an ihren Lippen hing. »Wissen Sie das denn nicht?«

»Nein. Und mit wem noch?«

»Mit Herrn Kobisch. Herr Kobisch, das ist ein ganz alter Bekannter meines Mannes, auch ein Maßschneider. Er hat sein Geschäft am Rossmarkt. Neben der Hauptwache.« Wegen eines Treffens war Lübbe länger geblieben! Staben notierte es sich. So viel Zeit hatte er gestern mit den Formalitäten wegen Raders Verhaftung verbracht – hätte er die besser an jemand anderen abgegeben und wäre an Geringers Stelle selbst gleich zu Lübbes Witwe gegangen. »Und wer ist Herr Peschmann?«

Sie verzog das Gesicht. »Haben Sie seinen Laden nicht gesehen auf der Zeil, ein paar Häuser neben dem unseren? Nein? Ein Konfektionär, kein richtiger Schneider. Der Kobisch hingegen, das ist ein Gentleman, und unter seinen Kunden, da sind ganz hochgestellte Persönlichkeiten ...« Sie schaute etwas verträumt und erzählte von einer Prinzessin, die den Kobisch in Frankfurt aufgesucht hätte, und zufällig wäre sie, die Witwe, dieser Prinzessin sogar bei einer Abendgesellschaft vorgestellt worden.

Wenn aber dieses Treffen schon so lange feststand, wieso hatte der Sohn Staben gestern nicht davon erzählt?

»Hat er nicht?« Die Witwe schien peinlich berührt. »Ich befürchte, mein Mann hat es ihm gar nicht gesagt.«

»Aha«, sagte Staben wenig überzeugt.

Doch, beteuerte sie sofort, das könne schon sein. »Mein Mann wollte es geheim halten, auch mir hat er's nur widerwillig erzählt. Und unser Sohn hat ohnehin nie viel mit dem Geschäft zu tun gehabt.« Sie korrigierte sich hastig. »Natürlich, er hat mitgeholfen, die ganze Woche gearbeitet, er ist sehr tüchtig. Aber er und sein Vater – also über Geschäfte haben sie nicht miteinander geredet. Das ist alles eine schwere Last für meinen Jungen, so viel Verantwortung. Jetzt muss er

Lübbe & Sohn allein weiterführen, er ist ja der Erbe.« Sie rutschte ungemütlich auf ihrem Stuhl zurück. »Das glaube ich jedenfalls, denn vor ein paar Jahren hat mein Mann es so festgelegt und ich nehm nicht an, dass er's geändert hat.«

Aber ihr selbst habe ihr Mann doch sicher anvertraut, worüber die drei Herren sprechen wollten am Montagabend?

»Nein. Also, das müssen Sie Peschmann und Kobisch selber fragen. Ich versteh ja nichts vom Geschäft«, versicherte Frau Lübbe in aller Bescheidenheit.

»Nun gut«, seufzte Staben. »Hat er Ihnen wenigstens mitgeteilt, wie lange dieses Treffen dauern sollte?«

»Wie?« Sie schaute ihn verständnislos an. »Ach so. Spätestens um zehn wollte er wieder zurück sein.« Daher hatte sie allein zu Abend gegessen, ihr Sohn war nämlich auch nicht dagewesen, der wollte mit Freunden in die Oper. Jetzt sei die Sommerpause ja vorbei.

»Aber haben Sie sich nicht gewundert«, Staben bemühte sich redlich, den heiklen Punkt möglichst vorsichtig anzusprechen, »warum Ihr Mann so lange weggeblieben ist?« Die Witwe überlegte. »Oder hatten Sie angenommen, er habe sich kurzfristig umentschlossen und sei nach dem Treffen mit den beiden Herren noch ausgegangen?« Nein, so etwas Plötzliches machte ihr Mann nicht.

Staben war es ein Rätsel. »Wo also, dachten Sie, war er die Nacht über gewesen?«

Darüber hatte sie, offen gesagt, gar nicht nachgedacht. »Erst, als dieser andere Kommissar...« Sie schluckte unglücklich. »Ich hab noch geschlafen.«

Endlich gestand sie beschämt, dass sie bisweilen unter heftigen Anfällen eines Nervenleidens leide. Am

Montagabend sei es besonders schlimm gewesen. »Gleich nach dem Abendessen hat es mich angefallen, da hab ich die Luisa gerufen und zum Glück kam der Arzt ganz schnell und brachte die Tropfen.« Sie sagte ›anfallen‹, als wäre es ein Tier, ein Ungeziefer oder ein Gespenst, das ganz unberechenbar zwischen den Mauern hervorheulte. »Wenn man in solch einem Zustand ist und dann die Tropfen, die machen so müde.« Sie nickte mit dem Kopf zur Seite, wo ein kleines braunes Fläschchen stand. »Dann denkt man über nicht so viel nach.«

Staben verzichtete auf tröstende Kommentare zu Krankheiten, von denen er nichts verstand und die ihn nichts angingen. »Und daher haben Sie vor dem nächsten Morgen nicht gemerkt, dass Ihr Mann noch nicht zurück war?«

Die Witwe schien entsetzt. »Sie meinen, wenn man ihn gesucht hätte, hätte man etwas für ihn tun können?«

»Auf keinen Fall!«, beeilte sich Staben zu versichern.

Die Witwe war kurzfristig in Aufregung geraten, hatte sich aber wieder gefangen. »Manchmal denke ich, es war ein Zeichen. Wie eine Warnung.« Staben wollte jetzt doch etwas Tröstendes sagen, aber sie schüttelte den Kopf. »Nein, natürlich weiß ich, dass es nicht wahr ist. Es ist nur so etwas«, sie suchte nach den richtigen Worten, »so etwas, was man denkt, wenn einem jemand stirbt. Man denkt solche Sachen.«

Ich weiß genau, was Sie meinen, dachte Staben, aber das gehörte nicht hierher. Sie würde sich noch oft Vorwürfe machen. Sie würde *ihm* Vorwürfe machen, weil er nicht mehr da war. Es brauchte seine Zeit zu trauern. Alles altbackene Weisheiten, die sie selbst kannte. »Ich hoffe, ich muss Sie nicht ein zweites Mal belästigen.

Aber erlauben Sie, dass ich kurz mit Ihrem Mädchen spreche?«

»Mit der Luisa? Sie ist nicht sehr verständig, aber wenn Sie wünschen – dann fragen Sie sie«, erwiderte sie ohne jeden Arg und Staben beschloss, auf die Beteuerung, er werde den Mörder ihres Mannes finden, zu verzichten. Es sah nicht so aus, als hegte die Witwe an dem Mörder ein großes Interesse. Rache oder das Verlangen nach Gerechtigkeit gehörte wohl nicht zu ihrer Form des Abschiednehmens.

»Sie wünschen?«, fragte das Mädchen mit einer Stimme, die genauso gut Demut wie Aufsässigkeit bedeuten konnte. »Wie ist Ihr Name?«

»Luisa.«

»Luisa, und der Nachname?«

»Döll.«

Staben beschloss, ihrer unwirschen Miene mit etwas Höflichkeit entgegenzukommen. »Also, Fräulein Döll, wenn Sie einen Moment Zeit haben, ich würde Sie gerne zwei, drei Sachen fragen über den Verstorbenen.« Ihr Schulterzucken sollte wohl Einverständnis signalisieren. »Herr Lübbe ist am Montag nicht zum Abendessen nach Hause gekommen. Ist das schon häufiger der Fall gewesen?«

»Oh, ganz selten. Das heißt, manchmal ist er nach dem Abendessen noch mal weggegangen, wenn Sie das meinen?«

»Das auch. Aber dass er gar nicht hier zu Abend gegessen hat, war selten?«

Ihr Schweigen signalisierte, dass sie eine Antwort nicht für nötig fand. Schließlich hatte sie das ja schon gesagt.

»Hat er mit Ihnen darüber gesprochen, warum er

nicht zum Essen gekommen ist?« Eine dumme Frage eigentlich, so etwas würde man kaum mit dem Dienstmädchen besprechen.

»Warum sollte er ausgerechnet mit mir über so etwas reden?«, fragte sie prompt zurück.

»Nein, natürlich wussten Sie es nicht«, seufzte Staben entschuldigend.

»Oh, das wusste ich. Mit dem Peschmann und dem Kobisch hat er sich getroffen.«

»Ja, und woher wissen Sie das nun doch?«, fragte Staben verblüfft.

»Na, ich hab gehört, wie er das zu seiner Frau gesagt hat. Am Morgen, bevor er ins Geschäft gegangen ist. ›Herzchen, vergiss nicht, heut Abend musst du ohne mich essen ...‹ und so weiter.«

Staben senkte geniert den Blick. »Ist Ihnen sonst etwas an dem Herrn aufgefallen?«

Das Mädchen überlegte. »Ich hab ihn überhaupt nur im Flur gesehen, ganz kurz. Guten Morgen, Luisa, hat er gesagt und ich hab das Geschirr in der Küche gemacht. Was Besonderes hab ich nicht gesehen.«

»Die Kleidung? Hat er sich besonders angezogen?«

Ein fast herablassendes Grinsen: »Ich habe nicht darauf geachtet. Er hatte doch immer das gleiche an: ein Sakko wie so ein altmodischer Frack, dazu passende Hosen. Und einen Zylinder.«

»Ich habe bemerkt, dass die Kleider des Verstorbenen alle außerordentlich gepflegt waren. Frisch gebügelt, gestärkt, keine Löcher. So etwas müssen Sie doch mitbekommen, Sie helfen sicher tüchtig mit bei der Wäsche.«

Eine Luisa Döll ließ sich von billigen Komplimenten nicht beeindrucken. »O ja, das schon«, sagte sie nüchtern. »Er war immer sehr gut angezogen, hat jeden Tag frische Sachen angezogen.« Sie wollte nicht indiskret wirken und fügte hastig hinzu: »Das habe ich eben bei der Wäsche gesehen. Wir waschen ständig.«

»Häufiger als in anderen Haushalten, in denen Sie gearbeitet haben?«

Nicht ohne Würde erklärte sie: »Das ist meine erste Stelle.«

Meine Güte, so jung! dachte Staben. So jung sah sie nun auch wieder nicht aus. »Und seit wann sind Sie hier?«

Sie zählte es an den Fingern ab. »Sieben Monate.«

»Was für ein Mensch war denn der Herr Lübbe?«

Vermutlich war es ihr unangenehm, über ihren Arbeitgeber verhört zu werden, noch dazu, wo er nicht mehr lebte. Was sie sagte, klang ein wenig förmlich: »Er war ein guter Herr. Er hat mir die Stelle gegeben, mich pünktlich bezahlt. Und war immer zufrieden. Nie hat er mir Krach gemacht, wie andere Herren, was man so hört. Wenn mal etwas schief gegangen ist oder so.«

»Bei Ihnen geht sicher nicht so oft was schief«, sagte Staben freundlich.

»Ach doch, manchmal mache ich etwas nicht so ganz richtig. Wie man mit den Leuten redet, oder einmal habe ich serviert – na ja, die Reihenfolge war einfach schwer. Die Frau ist dann manchmal …« Sie brach ab.

»Ja?«

»Sie sagt manchmal, jetzt hätte ich alles verdorben und sie könnte es nicht länger mit mir aushalten. Aber der Herr Lübbe hat ihr gesagt, ich soll bleiben, weil ich noch so jung bin und es nicht besser wissen kann. Weil es doch meine erste Stelle ist.«

Staben schaute sie rätselnd an. »Ich bin jung und habe noch keine Erfahrung, deswegen mache ich manchmal Fehler.« Sie sagte das in aller Einfachheit, schlicht und bescheiden. Oder zeugte es nicht ganz im Gegenteil von einiger Selbstsicherheit, dass sie Fehler auf diese Weise zugab und gleichzeitig Lübbes Entschuldigung für sich in Anspruch nahm? »Nun, Frau Lübbe ist auch hin und wieder krank, hat sie gesagt.«

»Darf ich denn darüber reden?«, erkundigte sich Luisa zunächst.

»Natürlich dürfen Sie. Sie müssen sogar, es geht hier immerhin um einen Mordfall.«

Ja, Frau Lübbe sei häufiger krank gewesen. »Und an dem Abend, an dem Herr Lübbe, na, nicht mehr zurückkam, da hat sie allein zu Abend gegessen und da hat es schon angefangen. Nach dem Essen hat sie zu mir gesagt, es geht ihr schlecht und ich soll nachschauen, ob noch Tropfen da sind. Ich habe nachgeschaut und gesagt, nein, wollen Sie, dass ich den Arzt hole? Aber sie hat gesagt, vielleicht später. Dann ist sie im Wohnzimmer geblieben, aber es wurde bloß schlimmer und da hab ich gesagt, sie muss den Arzt anrufen. Der hat ihr dann Tropfen mitgebracht.« Sie zuckte mit den Schultern. »Wissen Sie, ich weiß nicht so ganz, was ich dann machen soll. Ich dachte, es ist besser, man ruft den Arzt.«

»Das haben Sie sicher richtig gemacht«, meinte Staben und fragte sich, wie oft dieses Mädchen es sich wohl leisten konnte, selbst zum Arzt zu gehen. »Kommt er denn häufig?«

»Na, wenn es schlimm ist, jeden Tag. Oder manchmal auch nicht für mehrere Wochen.«

»Wie viel Uhr war das, als sie den Arzt gerufen hat?«

»Oh, auf die Uhr habe ich nicht geschaut«, sagte sie und überlegte in aller Ruhe. »Aber es ist so, wir haben das Abendessen immer pünktlich um Viertel nach acht, aus Gewohnheit, und dann ess ich in der Küche und mach den Abwasch. Bloß an dem Abend hab ich gedacht, lässt du das Essen sein, bringst gleich die Küche in Ordnung und gehst früher ins Bett. Ich bin an dem Abend so schrecklich müde gewesen. Aber da hat sie auch schon nach mir gerufen, da wusste ich, mit dem Schlafen wird es so schnell nichts. Also das wird wohl so um neun gewesen sein … oder ein bisschen früher.«

»Aha«, sagte Staben. Er bekam immer mehr den Eindruck, dass dieses Mädchen seine fünf Sinne ziemlich gut beisammen hatte. Sie war blass, sie war dünn, ihr Kleid war geradezu ärmlich – etwas zu ärmlich für das Dienstmädchen einer so wohlhabenden Familie –, aber sie hatte einen klaren Verstand. Einen geradezu leidenschaftslosen klaren Verstand.

Jetzt hatte sie eine Idee: »Da fällt mir ein, der Arzt müsste es doch wissen! Der weiß sicher noch, wie viel Uhr das war, als er kam.«

»Da haben Sie Recht, ja, danke, ich hab mir den Namen notiert. Meinen Sie denn«, fragte Staben und hoffte, dass das Folgende nicht wie eine allzu indiskrete Unterstellung klang, auf die Luisa gar nicht erst eingehen würde, »meinen Sie, Frau Lübbe hat sich insgeheim Sorgen gemacht, weil ihr Gatte so lange nicht nach Hause kam?«

Luisa bemerkte anscheinend sein Unbehagen, aber sie antwortete sofort: »Also, das glaube ich nicht. Dass sie sich darüber aufgeregt hat und davon einen Anfall bekommen hat, so meinen Sie? Nein, bestimmt nicht. Denn sehen Sie, manchmal war der Herr Lübbe zu Hause und es ging ihr trotzdem schlecht. Oder im Sommer, wir waren weg bis vor kurzem, da wurde sie auch manchmal krank. Dabei hat sie immer gesagt, wie schön ruhig sie es fand da draußen in der Natur.«

Sie sagte es mit einem ganz zarten, nur angedeuteten

Lächeln. Für Frau Lübbe war die Sommerfrische Ruhe, Natur, Erholung – für ihr Mädchen sicherlich nicht. Erst recht nicht, wenn sie die Arbeit der Hausfrau noch mit übernehmen musste.

Aber vielleicht bildete sich Staben diese Doppeldeutigkeit auch nur ein, wies er sich selbst zurecht. Das Mädchen hatte nur eine ganz klare Aussage gemacht. »Frau Lübbe war also nicht aufgeregt oder besorgt«, notierte Staben murmelnd.

»Nein, *das* hab ich nicht gesagt«, widersprach Luisa ungerührt. »Ich hab nur gesagt, sie hat die Krankheit nicht wegen der Aufregung bekommen. Vielleicht war sie trotzdem aufgeregt, aber das kann man nicht sagen. Mir hätte sie's vermutlich auch nicht erzählt.«

Staben fügte sich umstandslos in ihre Belehrung und strich ›nicht aufgeregt oder besorgt‹ wieder durch. Jedenfalls war diese Luisa ein sorgfältig denkender Mensch, das gefiel ihm. »Und der Sohn? Der junge Lübbe, meine ich, wo war der?«

Schulterzucken. »Also, das weiß ich nicht. Der ist häufiger abends noch außer Haus, ich weiß auch nicht, wo, und ich bekomme es auch nicht mit, wenn er wiederkommt.«

Immerhin, dachte Staben, dass sie aufblieb, bis der Sohn endlich nach Hause fand, das erwartete man nicht. Und als er sich selbst jetzt verabschiedete, so bemerkte er mit stiller Belustigung, machte Luisa ebenfalls keinerlei Anstalten, ihn zur Tür zu begleiten. Er war sicher, dass diese elementare Form der Höflichkeit selbst das einfachste Mädchen vom Land kennen musste. Nur schien sie nicht zu wollen.

Peschmanns Konfektionshaus war in einem schmucken, fünfgeschossigen Neubau untergebracht. Hinter den großen Glasscheiben trugen Puppen Kleider nach der neuesten Mode zur Schau, auf den dunklen Fensterrahmen wurden mit weißen Buchstaben die Produkte des Hauses angepriesen: Damen-Konfektion, Hemden, Mode für den jungen Herrn. Im Inneren herrschte ein reges Treiben von Kunden. Sie wanderten durch die Regalreihen und prüften die Preisschilder. Sie ließen sich von den Verkäufern ein Stück herausgeben, um es in den Anproberäumen anzuziehen, sie stiegen über eine breite, zweiflügelige Treppe hinauf in das Obergeschoß.

Andächtig studierte Staben die mit weichem Teppich gepolsterten Stufen, die Lampen und Leuchter, die das Geländer zierten und den Raum jetzt, wo hinter den Häusern bereits die Sonne am Verschwinden war, mit einem ungewöhnlich hellen Licht erfüllten. Dieser Anblick erinnerte ihn an Berlin und an die Zeiten, in denen er Adele und ihre Mutter bei ihren Einkäufen hatte begleiten dürfen. Allerdings war das gewesen, bevor sie die Leere und Oberflächlichkeit solcher Unternehmungen zu beklagen begann. Er hätte diese Klagen ernster nehmen sollen, dachte er jetzt und vergaß Peschmann, vergaß Lübbe, hing seinen Erinnerungen nach.

Jemand stieß ihn an und ihm fiel ein: Für Grübeleien war jetzt keine Zeit. Er schnappte sich den kleinen Burschen neben ihm, der mit einem Päckchen weiter durch den Raum flitzen wollte. »Wie heißen Sie?«

»Möller.«

»Na gut, Möller, dann bringen Sie mich mal bitte zu Herrn Peschmann.«

Möller legte den Kopf schief und seine runden Ohren standen aufmerksam zur Seite.

»Ich bin von der Polizei«, erklärte Staben, »von der Kriminalpolizei – und ich muss dringend Herrn Peschmann sprechen.«

»Oh«, sagte Möller und setzte sich in Bewegung. Zielsicher steuerte er Staben durch die umherwuselnden Kunden hindurch zu einer kleinen Tür am hinteren Ende des Raums, von da in ein düsteres Treppenhaus und über steile Stufen in die höheren Stockwerke. Möller stapfte voran, Staben hinterher. Dabei fand er, dieser Knabe vor ihm sehe aber auch zu schmächtig aus. »Sie arbeiten als Verkäufer?«

»Nein, als Laufbursche. Aber ich bin fest angestellt.« Das sagte der Junge mit einem gewissen Stolz.

Es fiel zwar nicht in seine Zuständigkeiten, aber jetzt wollte Staben es doch wissen. »Aha. Sind Sie noch vor Ende des Deutsch-Französischen Krieges geboren?« Er fand, dies sei eine sehr höfliche Art, um einen möglicherweise Minderjährigen nach seinem Alter zu fragen. Möller aber bekam es in die falsche Kehle und fühlte sich als Bastard beschimpft. Er drehte sich auf dem Absatz um, nannte Stabens Unterstellung eine Frechheit und begann lautstark die Ehre seiner Mutter zu verteidigen.

»Ich bitte vielmals um Verzeihung«, rief Staben die Stufen hinauf, »ich habe nichts dergleichen andeuten wollen. Ich wollte mich lediglich erkundigen, ob Sie schon vierzehn Jahre alt sind.«

»Bin ich!«, erklärte Möller und nahm von nun an zwei Stufen auf einmal, womit er den Kommissar spielend hinter sich ließ. Als der schließlich leise keuchend im vierten Stock ankam, hatte Möller sich schon verdrückt und Peschmann höchstpersönlich kam mit ausgestreckten Armen auf ihn zugeeilt. »Herr Kommissar«, erklärte Peschmann gleich mehrmals und war in seiner Freundlichkeit kaum zu bremsen, »ich verstehe Ihr Anliegen durchaus, mit solchen Sachen darf man nicht scherzen. Aber ich versichere Ihnen, hier wird niemand eingestellt, der nicht schon mindestens vierzehn Jahre zählt, das kann man natürlich alles nachprüfen lassen und so weiter …« Peschmann führte Staben in sein Büro und wies eifrig zu einem großen Aktenschrank hinüber.

»Ich danke Ihnen, aber das ist nicht notwendig.« Staben signalisierte beschwichtigend, er vertraue auf Peschmanns Zusicherung. Außerdem sei er eigentlich in einer ganz anderen Angelegenheit hier. »Ich muss sagen, Ihr Haus ist wirklich beeindruckend. Die Zuschneidemaschinen laufen auf Hochtouren, Stoffe und Muster und fertige Waren sind bis zur Decke gestapelt. Aber in keinem der Stockwerke habe ich Schneider gesehen. Geben Sie die gesamte Arbeit an Heimarbeiter oder …?«

Peschmann merkte, dass ein sofortiges Geständnis alles erleichtern würde, und zeigte sich sehr betrübt. »Ja, dagegen kann ich leider gar nichts machen. Wie soll ich überprüfen, wie viele Stunden die Kinder da zu Hause mitarbeiten müssen?! Kinder haben geschickte Hände, was Knöpfe angeht zum Beispiel, aber natürlich ist es eine Schande und wenn ich je …«

»Nein, Herr Peschmann, ich bin *nicht* hier, um nach verbotener Kinderarbeit zu suchen …« Peschmann war verwirrt, »… sondern wegen des Mordes an Lübbe. Sie wissen doch, dass Herr Lübbe am Montagabend in den Anlagen …«

»Ich weiß«, unterbrach Peschmann mit leiser Stimme. »Ein grausamer Tod. – Mein Gott! Sie meinen doch nicht, dass das irgendwie mit Möller zu tun hat?«

»Nein!«, rief Staben zurück. »Mit Möller hat es nichts

zu tun, überhaupt gar nichts, dieser Bursche ist mir ganz gleichgültig!« Hier ging ihm kurzfristig die Luft aus und er holte tief Atem. »Ich wollte mich mit Ihnen über Lübbe unterhalten. Über Lübbe und über sein Geschäft.«

Die Lautstärke schien es geschafft zu haben. Peschmann setzte sich in seinen Sessel, faltete die Hände artig auf dem Tisch und erklärte, er stehe dem Herrn Kommissar für alle Auskünfte zur Verfügung.

»Schön«, seufzte Staben. »Sie haben den Lübbe doch am Montagabend noch gesehen?«

»Nein!« Peschmann schüttelte den Kopf. »Hab ich nicht.«

»Haben Sie nicht?« Das konnte ja gar nicht sein. »Aber seiner Gattin hat Lübbe noch am Montagmorgen von einem Treffen erzählt, mit Ihnen und Kobisch.«

Peschmann schüttelte entschieden den Kopf. »Es ist so: Eigentlich sollten wir uns treffen, aber dann, dann hat er uns abgesagt. Per Telefon.«

So schnell hatte seine neue Entdeckung wieder der Ungewissheit weichen müssen. Staben sah sämtliche Felle davonschwimmen, aber tapfer bat er um genauere Auskunft.

»Kurz vorher hat er sich's wohl anders überlegt, denn am Nachmittag hat er plötzlich angerufen und erklärt, es ging nicht. Es wär ihm was dazwischengekommen, es tät ihm schrecklich leid. Na, mir hat's nichts ausgemacht, ich hatte genug damit zu tun, die neuen Lieferungen zu sichten – aber der Kobisch! Dem Kobisch ist fast der Kragen geplatzt, weil er extra nach Frankfurt gekommen ist für unser Treffen. Dann ist er sofort wieder abgereist, glaub ich.«

Staben rutschte unruhig auf seinem Stuhl hin und her. »Hat Lübbe Ihnen mitgeteilt, warum er sich nicht treffen könne? Was wollte er denn stattdessen tun? Hat er sonst noch etwas gesagt?« Peschmann konnte diese Fragen nur mit einem Kopfschütteln verneinen. »Und worum sollte es ursprünglich gehen bei Ihrem Treffen?«

So genau wusste Peschmann das auch nicht. Etwas Geschäftliches sei es gewesen, erklärte er, denn auf der Zeil werde gerade so viel niedergerissen und neue Geschäfte kämen dazu und daher hätte der Lübbe gemeint, man müsse mal darüber reden. Er schaute Staben unsicher an, aber der fragte entschieden immer weiter nach – schließlich ließ sich Peschmann dazu bewegen zu enthüllen, was der Verstorbene vermutlich als Geschäftsgeheimnis hatte bewahren wollen. »Es ist wegen dem Metzler, der will doch so ein großes Kaufhaus bauen. Wir sind ja beide davon betroffen, keine fünfzig Schritte von dem Metzler-Grundstück entfernt. Und da hat Lübbe gedacht, vielleicht sollten wir uns zusammentun.«

»Zusammentun? Was soll das heißen?«

»Genauer weiß ich es auch nicht, das wollte er uns am Montag ja erst sagen. Das heißt, der Kobisch war eigentlich nur ein Vermittler. Ein Berater. Unter uns: Ich glaub nicht, dass der Lübbe schon einen ausgereiften Plan hatte. Der Ärmste!«

Staben dachte, diese letzte Bemerkung gelte Lübbes grausamem Tod, aber nach kurzem Nachdenken fuhr Peschmann fort: »Der Ärmste muss wohl das Schlimmste für sein Geschäft befürchtet haben. Sehen Sie, ich mach mir selbst Sorgen wegen dem Metzler – das bleibt unter uns. Aber solch eine Idee …«

»Sie wären nicht darauf eingegangen?«

Peschmann zögerte. »Das kommt natürlich drauf an, was ›zusammentun‹ überhaupt heißen sollte. Aber –

nein, ich kann mir nicht vorstellen, was das hätte werden können. Jeder hat sein eigenes Geschäft, oder? Ich jedenfalls werd versuchen, das Beste aus meinem zu machen.«

Staben blätterte die Notizen durch, die er sich bei dem Gespräch mit Lübbe junior gemacht hatte. »Also meinen Sie, es sind schwere Zeiten für ein Geschäft wie das von Lübbe? Ich hab mich selbst auf der Zeil umgesehen: Hier macht ein Hemdengeschäft auf, da Lingerie, dort Damenmoden – alles Konfektionshandel. Einen Maßschneider wie Lübbe findet man eher selten. Fast am Aussterben, könnte man sagen.« Kaum hatte er es ausgesprochen, bemerkte Staben selbst, dass diese Formulierung angesichts des Lübbeschen Todes nicht gerade passend war.

Der Konfektionär schaute ihn entsprechend betreten an und begann zögernd: »Nun, man muss mit der Zeit gehen. Dem technischen Fortschritt darf man sich nicht verschließen – die Maschinen wurden schließlich erfunden, damit sie den Menschen die Arbeit abnehmen, nicht wahr?« Stabens Zustimmung gab ihm Auftrieb, er ließ seinen Gedanken freien Lauf. Sie trieben sofort in Richtung Mechanik. Gründlich begann der Konfektionär bei der Erfindung der Schiffchennähmaschine durch Wheeler & Wilson, fuhr dann fort bei ihrer Weiterentwicklung durch Singer und erörterte die dadurch ermöglichte Massenfabrikation. »Die alte Wheeler & Wilson war nämlich für stärkere Stoffe überhaupt nicht zu gebrauchen. Aber die Singer A hat natürlich auch ihre Schwächen – der Verschleiß …«

»Danke«, ging Staben schnell dazwischen. »Der Sohn des Verstorbenen hat mir erzählt, im Kleidungsgeschäft gehe es nur nach unten oder nach oben. Damit wollte er sagen …«

»Ich weiß schon, was so etwas heißen soll«, unterbrach ihn der Konfektionär leicht gekränkt – und enttäuscht, denn er hätte noch einiges über das Nachfolgemodell der Singer A zu sagen gehabt. »Obwohl ich mich dem nicht anschließen kann. Was soll das heißen, nach unten? Von der Qualität her können sich unsere Sachen wirklich sehen lassen, das können Sie mir glauben. Stimmt gar nicht, dass die Passform schlechter ist, wir haben für alle was. Für die Untersetzten und die Gedrungenen, für die etwas Kleineren und die Hochgewachsenen. Im Prinzip ist für jeden etwas dabei. Gute Kleidung für den Alltag herzustellen, was sage ich, *hochwertige* Ware für die breite Bevölkerung, das finde ich nicht unehrenhaft.«

»So hat es Lübbe sicher nicht gemeint«, sagte Staben unaufrichtigerweise. »Sicher sprach er von den Preisen.«

»Wie ich schon sagte. Wer sich den Fortschritt zunutze macht, der kann die Kosten senken. Nicht bei den Stoffen, die sind ja für alle mehr oder weniger gleich teuer, aber bei den Lohnkosten, da kommen wir erheblich besser weg.« Staben hatte eine ungefähre Vorstellung davon, was dieses Besser-Wegkommen bedeutete: Die Heimarbeiter, die Peschmanns Kleider nähten, waren sicher größtenteils ungelernt, stellten ihre Nähmaschinen in der Küche auf, bekamen den Stücklohn vom Zwischenmeister ausgezahlt. Arglos sagte er daher: »Wenn man keine Schneider mehr beschäftigt …«

»Natürlich haben wir Schneider!«, empörte sich Peschmann. »Nur, es muss ja nicht jeder alles können. Das ist viel besser, wenn man sich spezialisiert. Die einen schneiden zu, die zweiten nähen, die anderen machen die Knopflöcher, wieder andere nähen die

Knöpfe an. Dann braucht's einen, der alles herrichtet und bügelt! Und das sage ich Ihnen: Gerade das Zuschneiden und das Bügeln, dafür braucht man gute Leute, erfahrene Leute! Ein Cul de Paris ist schnell zusammengenäht, aber bis er gebügelt ist! Haben Sie mal versucht, ein Kleid nach der neuesten Mode zu bügeln, mit allen Volants und Plissees?«

»Natürlich nicht!«, erklärte Staben ein wenig entrüstet.

»Sehen Sie.« Peschmann lehnte sich zufrieden zurück. Staben hatte den Faden verloren und musste feststellen, dass Peschmann seine Uniform fachmännisch musterte. »Berlin, hab ich recht? Ja, die Uniformen aus Berlin.« Er nickte wissend. »In Berlin ist die Konfektion zu Hause. Alles Juden, aber mir soll's recht sein. Uns sitzen eher die von Aschaffenburg im Nacken.« Er deutete mit dem Daumen hinter sich, in Richtung Südosten, wo Aschaffenburg lag, und ging zum Fenster. »Die sind schon ganz groß im Export. In die Schweiz, nach Skandinavien, nach Amerika. Solln sie ihr Zeug ruhig über den Ozean schaffen, Hauptsache, nicht nach Frankfurt! Hauptsache, Frankfurt überlassen sie mir!«

Peschmann trat ans Fenster, durch seine gerundete Leibesmitte bequem abgefedert, lehnte er sich hinaus. Der Ausblick schien ihn zu fesseln. »Ha, wenn das nicht die Frau Kommerzienrätin ist! – Schaun Sie doch bitte grad selber mal raus!«

Staben erblickte nichts, was zum Fortgang der Unterredung in irgendeiner Weise hätte beitragen können.

»Das sind alles Kundinnen von uns, die Mädchen tragen die Päckchen.« Peschmann grinste. »Bevor sie kaufen, schauen sie sich um, ob sie niemand sieht. ›Wickeln Sie es in neutrales Papier ein‹, heißt es dann.

›Neutral!‹ Soll niemand merken, dass es von uns ist. Ja, die Damen haben längst gemerkt, dass wir genauso gut sind. Hochwertige Kleider nach der neusten Mode.«

Staben beschloss, das Gespräch ein letztes Mal auf den Montagabend zurückzubringen. »Was haben Sie eigentlich gemacht, nachdem dieses Treffen nun einmal nicht stattgefunden hatte?«

»Ich bin im Geschäft geblieben, im Lager, mit den neuen Lieferungen ...« Ein verklärtes Lächeln zog über Peschmanns Gesicht, als er sich vom Fenster wegdrehte, und er hob an, sich genauer über diese Lieferungen auszulassen ...

»Bis wann sind Sie hier geblieben?«, fragte Staben hastig.

»Bis wann, bis wann?« Peschmann schloss die Augen und begann zu grübeln. »Vielleicht bis neun oder auch ein halbes Stündchen länger – ich weiß es nicht.«

»Und dann?«

»Bin ich nach Hause gegangen.«

Staben bedankte sich für die Auskünfte und erhob sich. –»Nein!«, rief Peschmann. »Da hab ich was Falsches gesagt! Ich bin gar nicht nach Hause. Das war ja der Montag, da bin ich zur Oper. Da wollten sie nämlich die ›Undine‹ aufführen – das heißt, sie haben's auch getan, aber ich hab die Pause verpasst und sie hatten schon mit dem dritten Akt angefangen.« Es folgten Erläuterungen über den unbedingt heilsamen Einfluss, den schon ein paar Takte Gesang auf Peschmanns geplagte geschäftsmännische Seele auszuüben pflegten. »Ich wär vielleicht noch reingekommen, aber dann habe ich mir's anders überlegt und hab mir eine Droschke gerufen.«

»Und sind von da nach Hause gefahren.« Schon hatte Staben es notiert.

»Bin ich nicht. Ich bin noch zum Haas gefahren, prächtige Villa, haben Sie die gesehen? Aber der Haas war nicht zu Hause, der war mit seinem Bankier bei irgendeinem Grundbesitzerverein – und *dann* bin ich nach Hause.« Bedauernd schüttelte Peschmann den Kopf. »Kaum sind wir über die Bockenheimer Landstraße, da ist die Droschke zusammengekracht!«

Staben überlegte. Wenn Peschmann um neun aus dem Geschäft gegangen war, war er frühestens um Viertel vor neun an der Oper, vielleicht um halb zehn bei den Haasens. – »Und von der Bockenheimer Landstraße sind Sie zu Fuß nach Hause – etwa über die Anlagen?«

»Wär ich bloß zu Fuß!« Peschmann schnaubte unwillig. »Ich hab aber dummerweise auf eine andere Droschke gewartet, dabei hat der Fahrer von der ersten was herumgeschrien wegen seiner Achsen und bis die zweite vorbeikam, das hat vielleicht gedauert! Wenigstens ist die nicht auch noch zusammengekracht, aber als ich dann endlich zu Hause war, konnt ich natürlich nicht schlafen« – Staben nickte mitfühlend, fühlte aber gleichzeitig eine leise Ungeduld in sich aufsteigen: Schließlich wollte er heute auch noch zu Kobisch –, »also bin ich noch mal in die Küche, da hab ich das Mädchen ertappt, wie es sich ein Glas Milch geholt hat« – an dieser Stelle kicherte Peschmann –, »aber ich hab versprochen, meiner Frau nichts zu sagen, wenn sie mir auch noch ein Glas warm macht. Meine Frau meint nämlich ohnehin schon, wir sollten die Vorräte absperren.«

Staben, der bereits zwei Seiten vollgeschrieben hatte,

rechnete sich aus, dass es zu dieser Zeit wohl mindestens zehn Uhr, wenn nicht später gewesen sein musste, folglich konnte Peschmann danach nicht mehr viel erlebt haben. Erleichtert packte er seinen Bleistift ein. Jetzt müsse er aber schnell aufbrechen, denn er wolle noch kurz bei Kobisch vorbeigehen, erwähnte er beiläufig …

»Glaub nicht, dass der da ist. Nein, der ist noch in Homburg oder irgendwo sonst bei seinen feinen Damen.« Peschmann lächelte andeutungsvoll, aber nicht böswillig. »Gehen Sie morgen hin, da wollte er wieder zurück sein.«

Nach Sterns Besuch am Morgen war Rader entfilzt und entlaust und vom Massenarrest in eine Einzelzelle gesteckt worden, wo er ausführlich über seine Untat nachdenken sollte. Dass er ein Mörder war, fanden die Wärter, merkte man ihm aber eigentlich gar nicht an. Zwar hatten sie noch keinen zu Gesicht bekommen – wenn man von dem armen Kerl einmal absah, der vor ein paar Jahren in Sachsenhausen den Liebhaber seiner Frau erstochen hatte –, aber man sollte doch meinen, dass einem solchen Mann seine bösartige Veranlagung irgendwie ins Gesicht geschrieben stünde.

Dieser Rader allerdings fiel höchstens dadurch auf, dass er mit großem Appetit die Mahlzeiten verzehrte und sich dann lauthals über deren mangelnde Qualität beschwerte. Ansonsten waren von ihm keine Klagen zu hören. Er schien den lieben langen Tag die Wände seiner Zelle zu studieren, als wüsste er nicht, dass sein Leben dem Ende entgegenging.

»Herr Rader«, sagte der Wärter nicht ohne Respekt vor seinem bereits stadtbekannten Häftling, »stehen Sie auf, Sie bekommen Besuch. Irgendwer vom Gericht.«

Der Wärter hatte sich diesen Passierschein nicht sehr sorgfältig vorgenommen. Jetzt schob er einen bärtigen Mann in die Zelle und Rader musste zweimal hinschauen, bevor er ihn erkannte. Dann konnte er sich ein Kichern kaum verkneifen. »Ja, aber warum kommen Sie denn …«

»Seht!« Sein Besucher hob die buschigen Augenbrauen und bedeutete Rader zu schweigen, bis er den Wärter außer Hörweite glaubte. »Schließlich will ich nicht, dass mich jemand erkennt.«

»Ach so.« Mit unverhohlener Belustigung musterte Rader sein Gegenüber und dessen künstliche Gesichtsbehaarung, die selbst im Halbdunkel wenig überzeugend wirkte.

»Viele Bärte sind von anderer Farbe als das Haupthaar«, verteidigte sich der Kostümierte ungefragt. »Und jetzt lassen Sie bitte davon ab, mich anzustarren. Hatten Sie Besuch?«

»Ja, der Anwalt natürlich«, antwortete Rader, »aber das wissen Sie sicher bereits. Und meine Frau …«

»Wegen dieses Anwalts bin ich hier. Es ist höchst unangenehm, wie er überall herumgefragt und heut Nachmittag beim Untersuchungsrichter vorgesprochen hat. Wie haben Sie den Mann bloß so auf Trab gebracht?«

Rader erzählte, wie er gleich gesehen habe, dass bei seinem Bericht über das Zeitungsaustragen diesem Herrn Stern geradezu das Herz überquoll vor Mitleid mit einem, der Opfer der eingeschränkten Pressefreiheit geworden war. »Und vor Ärger auf die preußische Polizei«, fügte er hinzu.

Die angeklebten Augenbrauen zogen sich zu einer Miene höchster Verärgerung zusammen. »Geben Sie bloß Acht, dass Sie mit diesem Stern nicht allzu vertraut werden. Hätten Sie nicht einfach den Mund halten können?«

»Ich hab halt gedacht, wenn einer in meiner Lage ist«, erklärte Rader bedächtig, »gerät nichtsahnend ins Gefängnis – der würde seinem Anwalt doch wohl so richtig das Herz ausschütten, damit der ihn bald rausbringt?«

»Sie sind aber nicht in dieser Lage«, erinnerte der andere heftig. Manchmal schien Raders Einbildung mit ihm durchzugehen. Andererseits war er ihm genau deswegen aufgefallen: Dieser Mann besaß einiges Talent zur Schauspielerei, was manch anderem fehlte. Etwas verstimmt würgte er die gute Nachricht hervor, die er hatte überbringen wollen: »Das wenigstens hat funktioniert. Ihr Anwalt hat dem Richter dermaßen zugesetzt, dass der sich wohl kaum trauen wird, Ihre Haft zu verlängern. Das heißt, am Dienstag spätestens sind Sie wieder frei.«

»Am Dienstag, was für ein tüchtiger Anwalt!«, rief Rader vergnügt. »Also von mir aus hätt's auch noch länger sein können. Ist ja alles im Preis inbegriffen, das war so abgemacht.«

Vielleicht, dachte der Bärtige nicht zum ersten Mal, war die ganze Abmachung keine ganz so gute Idee gewesen. Wessen Idee war es überhaupt gewesen? Zwar hatte er selbst Rader aufgesucht, um mit ihm über den Lübbe zu sprechen – aber wer dann im Einzelnen diesen Plan vorgeschlagen hatte, das wusste er selbst nicht mehr. Dieser Rader war eben sehr geschickt darin, Leute auf Gedanken zu bringen, die sie im Nachhinein für die eigenen hielten. Misstrauisch fragte er noch einmal nach: »Aber Ihrer Frau haben Sie nicht zufällig auch alles erzählt, weil ein aufrechter Ehemann in Ihrer Lage sicher sein Herz ausschütten wollte?«

»Ach was«, entgegnete Rader, »die weiß von gar nix.«

»Immerhin.« Ein wenig war der Mann besänftigt. »Und ansonsten hat Sie niemand hier aufgesucht, Sie haben mit keinem Außenstehenden gesprochen?«

»Mit keinem.« Rader schüttelte den Kopf. »Das wäre auch ein bisschen schwierig für so einen Außenstehenden, sich ungesehen an den vielen Wachleuten vorbeizuschmuggeln, die diese Bruchbude sichern. Nicht jeder hat diese falschen Haare.« Amüsiert blickte er seinem Besucher hinterher, als dieser sich wieder ins Freie führen ließ.

Knapp eine Woche war es her, dass das Dienstmädchen der Bischoffs die Einladung überbracht hatte. Eine ›kleine Abendgesellschaft im engeren Kreis‹ hatten die Bischoffs angekündigt, aber das konnte niemanden darüber hinwegtäuschen, dass es sich bei dieser Einladung um eine Ehre und eine seltene Gelegenheit handelte. Zum ersten Mal wurde Herr Stern in den Kreis dieser Bankiers und Grundbesitzer geladen, deren Aufmerksamkeit er sich erst kürzlich dadurch erworben hatte, dass er Herrn Westphal bei dem Verkauf seines Grundstücks mit so gutem Rat und vor allem so enormer Hartnäckigkeit zur Seite gestanden hatte.

»Fanny?«, rief Herr Stern in entsprechender Stimmung nach seiner Frau, kaum hatte er die Wohnung betreten. »Fanny, du denkst doch an heute Abend?«

»Was ist heute Abend?«, fragte Frau Stern zurück.

Mit Pinsel und Palette in der Hand lugte sie durch den Türrahmen ihres Malzimmers und erweckte nicht den Eindruck, als wollte sie sich in absehbarer Zeit von diesem Ort entfernen.

»Das Abendessen bei den Bischoffs«, grunzte Herr Stern nicht unzufrieden. Das hatte er doch gewusst, dass sie das wieder vergessen hatte. »Hast du die Einladung nicht angenommen?«

»Daran würde ich mich ja wohl erinnern«, murmelte Frau Stern unwillig und ließ die Tür hinter sich zufallen.

Im vollen Vertrauen darauf, dass seine Frau sich den Tatsachen in wenigen Minuten auf die eine oder andere Weise stellen würde, schlenderte Herr Stern in das Wohnzimmer, bat seine Tochter um ein wenig Gesellschaft und ließ sich währenddessen geduldig ausfragen. Auf dem Nachhauseweg war er nochmals kurz beim Präsidium vorbeigegangen und hatte sich nach dem Fortgang der Ermittlungen erkundigt und dieser Kommissar – »Macht auf mich einen ganz ehrlichen Eindruck, auch wenn er ein Preuße ist« – hatte ihm von einem Treffen erzählt, das Lübbe mit zwei Geschäftsleuten ausgemacht, dann aber kurzfristig abgesagt hätte.

»Der Rader ist also nicht der Einzige, der etwas mit dem Lübbe zu tun gehabt hat am Montag«, folgerte Stern zufrieden. »Freilassen wollen sie ihn natürlich nicht, aber immerhin – wenn sie dieser Sache nachgehen, wer weiß, was dann noch alles rauskommt. Der Lübbe hätte ein lang ausgemachtes Treffen wohl kaum abgesagt, wenn etwas anderes nicht noch wichtiger gewesen wäre. Da sollte dieser Kommissar …« Stern brach ab, denn jetzt kam seine Frau ins Wohnzimmer getreten, ohne ihre Malutensilien, aber blass wie im

Krankenbett. »Ich glaube«, sagte sie und fasste sich unsicher an die linke Schläfe, »ich glaube, ich habe Migräne.« Karoline verfolgte die Szene mit zurückhaltendem Interesse, aber wie immer blieb ihr Vater die Ruhe selbst, führte seine Frau zu einem Fauteuil und fragte sanft: »*Glaubst* du oder *hast* du Migräne?«

Frau Stern rollte die Augen nach oben, als könnte sie auf diese Weise sehen, ob der Schmerz bereits über ihrem Kopf schwebte oder nicht. »Ich merke, wenn ich jetzt beginne, mich für die Einladung zurechtzumachen, dann *bekomme* ich Migräne.«

Karoline waren diese plötzlich auftretenden Schmerzattacken schon immer ein Rätsel gewesen. Sie kamen stets passend, wenn Frau Stern eine derjenigen gesellschaftlichen Verpflichtungen auf sich zukommen sah, die sie so scheute. Andererseits war weder an der Echtheit noch an der Heftigkeit dieser Schmerzen zu zweifeln.

Karolines Vater nahm sich einen Stuhl und setzte sich neben seine Frau und gemeinsam erörterten sie die Gefahr der Migräne und die Möglichkeiten, sie zu umgehen. Die Gefahr war größer als die Möglichkeiten. »Immerhin ist es ein Fortschritt, dass du es diesmal vorher schon merkst.« Ehre und Gelegenheit waren in den Hintergrund getreten und Herr Stern klopfte seiner Frau freundlich die Hand. »Du gehst einfach nicht hin, dann bekommst du auch keine Schmerzen. Ich sage, du seist unpässlich.«

»Was wird Frau Bischoff da denken?«

»Gar nichts wird sie denken.«

»Aber es klingt doch wie eine Lüge.«

»Höflichkeitslügen sind keine Lügen.«

»Sind sie doch!«

Das Für und Wider der Konventionen und ihrer moralischen Konsequenzen – ein endloses Thema zwischen Frau Stern, die (im Prinzip) an rückhaltlose Ehrlichkeit glaubte, und Herrn Stern, der davon lebte, dass die Leute ihn achteten. Wenn sie bei der Diskussion hängenbleiben, dachte Karoline, kann es noch lange dauern – aber nein, sie schafften es. »Nun, es ist aber nicht gelogen«, fiel ihrem Vater nämlich ein. »Du bist ja wirklich unpässlich. Du bleibst hier. Ich verbiete dir hinzugehen!«

Frau Stern belohnte diese Anweisung mit einem Lächeln. »Aber die Tischordnung. Die Tischordnung steht doch schon fest.«

»Sollen sie doch die Tischordnung wieder ändern. Ich wette, das tun sie sowieso schon den ganzen Nachmittag. – Hast du nicht gehört …«

»Aber es fehlt eine weibliche Person!«

»… dass ich gesagt habe, ich verbiete es dir? Tust du etwa nicht, was dein Mann dir sagt?«

»Natürlich.« Frau Stern lächelte wieder. Sie sahen rührend aus, wie sie da nebeneinander saßen und den Kampf gegen zwei Gegner gleichzeitig zu gewinnen suchten: die Kopfschmerzen hier, die Abendgesellschaft dort.

Auch Karoline wusste, dass die Bischoffs genau jene Leute zu ihren Bekannten zählten, die Lübbes engste Bekannte – und teilweise seine politischen Widersacher waren. »Ich kann ja an deiner Stelle gehen«, schlug sie daher nicht ganz uneigennützig vor. »Immerhin bin ich auch eine weibliche Person.«

»Du interessierst dich doch nicht für dieses Geschwätz«, meinte ihre Mutter.

Im Gegenteil, sie interessiere sich brennend für die Bischoffs und ihre Bekannten, entgegnete Karoline wahrheitsgemäß.

»Aber du bist doch zu jung und gar nicht eingeladen«, sagte ihr Vater und zog hoffnungsvoll die Augenbrauen hoch.

»Und dann müssten sie trotzdem die Tischordnung umschreiben.«

»Hast du überhaupt etwas Passendes?« Es wurden noch so lange weitere berechtigte Einwände vorgebracht, bis alle drei mit der Lösung hoch zufrieden waren. »Wenn du wüsstest, was du mir da für einen Gefallen mit tust!« Frau Stern schwang sich von ihrem Sessel und eilte zur Tür. »Jetzt suchen wir dir etwas zum Anziehen.«

»Du sollst dich doch nicht so schnell bewegen mit dem Kopfschmerz«, rief ihr Mann noch hinterher. Aber die Gefahr schien gebannt. Er faltete zufrieden seine Hände zusammen und überlegte sich, wie er Frau Bischoff den Tausch Mutter-gegen-Tochter würde erklären können.

Ein erster Blick in Karolines Kleiderschrank war entmutigend. Die Kleider waren entweder nur für die Straße oder für einen Nachmittagstee geeignet. Oder sie stammten noch aus früheren Jahren und waren ›zum Umnähen‹ aufgehoben worden, wie Tochter und Mutter offiziell voreinander behaupteten. Aber es war ein schlechtes Jahr für aus der Mode gekommene Kleider. Am verlängerten Rücken der Damen hatte der Cul de Paris inzwischen das Format eines Teetisches übertrumpft und verschlang endlose Stoffbahnen. Höchstens eine Schürze konnte man aus den alten Kleidern noch machen.

Ein hellblaues Kleid war der aussichtsreichste Anwärter für den heutigen Anlass. Karoline schlüpfte hinein und trat vor den Spiegel: »Wie sehe ich aus?«

»Etwas zerknittert«, sagte ihre Mutter. Im Sternschen Haushalt wurden Kleider grundsätzlich nicht gebügelt, bevor sie in den Schrank gehängt wurden. »Letztes Mal hast du das zu diesem Sommerfest angehabt. Blumenschau im Palmengarten oder was weiß ich.«

»Nachmittagskonzert«, stellte Karoline richtig. »Aber jetzt ist mir etwas eingefallen!« Sie lief in den Flur, packte die Vase und zog ein paar Wicken heraus. »Wenn man die auf das Kleid aufsetzt«, sagte sie, »dann macht es doch wieder was her.«

»Meinst du?«, fragte ihre Mutter nachdenklich. Die altrosa Blüten passten gut zu dem hellblauen Stoff. Aber ihre tropfenden Stiele hinterließen unschöne Flecken.

»Bei der Sophie Wertheimer habe ich so etwas auch schon gesehen«, argumentierte Karoline.

»Wenn das so ist…« An Mutter Wertheimers Kompetenz in Kleiderfragen konnte nicht gezweifelt werden. »Ich bereite das Kleid vor, kümmer du dich um den Rest.«

Mutter und Tochter stoben in verschiedene Richtungen auseinander. Karoline zwängte sich in ein passendes Korsett, löste Borax in Wasser und tupfte ihr Gesicht damit ab, um den Teint zu bleichen. Ihre Mutter verteilte die Blumen großzügig über das Kleid, fand sogar noch ein Band Spitze und wollte es vorn an den Ärmeln annähen. Karolines Gesicht war zwar immer noch nicht weiß, aber sie puderte es trotzdem, stieg in die Turnüre und begann, die Haare in eine möglichst beeindruckende Architektur zu fügen. Frau Stern verzichtete auf die Spitze, weil diese sich als zu widerspenstig erwies, und bereitete das Bügeleisen vor.

»Es war natürlich falsch, zuerst die Blumen einzusetzen und danach erst zu bügeln«, fiel der Hausfrau hellsichtig auf, als sie mit dem Eisen um die Blüten herumfuhrwerkte. »Aber das macht nichts. Wenn die Blumen drüberfallen, sieht man die Falten ja gar nicht.«

Mutter und Tochter begutachteten das Werk und je länger sie hinsahen, desto mehr waren sie sich einig, dass man die Falten im Grunde überhaupt nicht sah. Das Gesamtkunstwerk konnte seinem ersten Bewunderer vorgeführt werden. »Na, Papa, wie findest du das?«

»Das Kleid kommt mir irgendwie bekannt vor«, meinte Herr Stern und runzelte die Stirn.

»Es ist nicht das Kleid, es sind die Blumen«, klärte seine Frau ihn auf. »Die hat uns der Westphal gestern mitgegeben.«

»Ach ja.« Das Gesicht des Vaters glättete sich wieder. Ansonsten hatte er nichts auszusetzen. Sie war schön anzusehen, seine Tochter, und stolz bot er ihr den Arm. Dass die Gastgeberin vielleicht weniger entzückt wäre, kam ihm nicht in den Sinn.

Diese Möglichkeit fiel ihm erst wieder ein, als Frau Bischoff ihn willkommen hieß und seine Begleiterin fassungslos anstarrte. »Meine Frau bedauert sehr, dass sie selbst verhindert ist«, erklärte Stern und murmelte die Zauberformel von der Unpässlichkeit. »Ich hoffe inständig, es macht Ihnen keine Mühe …«

»Nein, überhaupt nicht«, meinte die Gastgeberin und schaute hilfesuchend ihren Mann an. Wenn sie wenigstens Töchter gehabt hätten, die sie schnell hätten dazusetzen können! Aber die Bischoffs waren kinderlos und das wussten die Sterns, überhaupt wussten es *alle,* deswegen brachte *niemand* seine erwachsenen Töchter mit und selbst wenn die Frau krank war, dann konnte er doch nicht eine Tochter mitbringen, als Einzige und unverheiratet. Wie sah denn das aus vor den anderen Gästen? Mit einer Mischung aus Unsicherheit und Verärgerung geleitete Frau Bischoff das unpassende Paar in den Salon.

Die anderen Gäste saßen unbequem und erhoben sich gern ein wenig zur Begrüßung. Zur Linken die Elberts (ein Bankierehepaar, soweit Karoline wusste), zur Rechten Herr und Frau Haas (lebten von nichts, wie sie behaupteten, also von ihren Grundstücken und Aktien, und schmückten sich zum Ausgleich mit betont liberalem Gedankengut). Dazwischen Westphal (Tabakwarenhändler und seit neuestem Klient der Sternschen Kanzlei) samt Gattin.

Das Kleid kommt mir irgendwie bekannt vor, dachte der Tabakwarenhändler, diese junge Dame geht wohl zum gleichen Schneider wie meine Tochter. Die Gedanken seiner Frau liefen etwas schneller in die richtigen Bahnen, aber Frau Westphal behielt sie für sich. Als ihr Mann schon drauf und dran war, sein Grundstück für einen Appel und ein Ei an diesen Kaufhausbesitzer zu verscherbeln, war Herr Stern gerade im rechten Moment zu Hilfe gekommen, ihm würde sie jede Eigenwilligkeit verzeihen. Also lächelte sie herzlich und lief zielstrebig auf Karoline zu. »Das ist eine wunderbare Idee, dass Sie heute anstelle Ihrer Mutter gekommen sind. – Richten Sie meine besten Wünsche an Ihre Gattin aus. – Einmal eine junge Dame mitten unter uns, was für eine entzückende Überraschung.«

Die Gastgeberin war über diese neue Wendung der Dinge ganz erleichtert, ließ die Gäste kurz miteinander plaudern und dann zu Tisch führen. Karoline, die sich gerade dazu gratuliert hatte, die ersten Minuten dank der Frau Westphal beherztem Eingreifen gemeistert zu haben, verlor in einem Moment all ihre Selbstsicherheit. Der Anblick der Tafel verschlug ihr schlicht den Atem.

Der blütenweiße Damast blitzte unter zahlreichen bunten Papierstreifen hervor, die die Gastgeberin in mühevoller Kleinstarbeit um die Teller gewunden hatte. Silberne Leuchter trugen Kerzen, die die ohnehin hochsommerliche Raumtemperatur schon jetzt, am Anfang des Abends, zu tropischer Hitze gesteigert hatten. Karoline fand sich am hinteren Ende des Tisches wieder, ihr Vater war auf der gegenüberliegenden Seite eines riesigen Blumenarrangements unerreichbar. Herr Elbert direkt neben ihr ließ sich breit und seufzend nieder. Um nicht mit seinem Knie zusammenzustoßen, wählte Karoline die äußerste linke Ecke ihres Stuhls und machte dabei die schmerzhafte Bekanntschaft mit einem Tischbein.

»Nein, das haben Sie aber hübsch dekoriert«, seufzte Frau Haas behaglich und stöberte in ihrer Serviette. Karoline tat es ihr nach, fand die Speisefolge auf handgeschöpftem Papier mit getrockneten Sommerrosen und fasste sich unwillkürlich an die Taille. Suppe, Pastete, Frikassee, Lendenbraten, gesulzene Forellen, eine Reihe von süßen Nachspeisen – ob sie dafür wohl Platz hatte? Ob sie richtig mit dem schönen Besteck umgehen konnte? Sie warf ihrem Vater einen kurzen, verzweifelten Blick zu – lass uns heimgehen! –, aber der plauderte artig mit Frau Elbert über deren Sommerreise.

Die Suppe war köstlich, ebenso wie die Pastete. Karoline schaute zu ihrem Tischnachbarn hinüber, allerdings verstellte er ihr mit seinem Kreuz den Blick zum Rest der Gesellschaft und gab mit voller Stimme Anekdoten des letzten Theaterbesuchs wieder. Sobald das höfliche Lachen der Gastgeberin ertönte, schloss Karoline sich an, um nichts falsch zu machen.

Beim Frikassee erinnerte sich Herr Elbert seiner jungen Sitznachbarin und drehte sich gönnerhaft zu ihr um: Was sie von der neuen Wagner-Inszenierung in der Oper halte? In der neuen Oper sei sie noch nicht gewesen, gestand Karoline mit Bedauern ein und entwirrte nebenher ihre Finger aus der Tischdekoration. Der Lendenbraten wurde aufgetragen. Herr Elbert hatte den Eindruck, der Dame neben ihm ihre Chance gegeben zu haben, und drehte sich wieder zur anderen Seite.

Als die Forellen kamen, beschwor Karoline den Diener unauffällig, ihr doch bitte die allerallerkleinstmögliche Portion zu reichen. Beim Obstauflauf war sie kurz davor aufzugeben, als das Eistörtchen kam, roch es nach verkohltem Eiweiß. »Ja, Fräulein Stern, geben Sie doch Acht!«, rief Frau Westphal entsetzt. Auf der Suche nach dem Dessertlöffelchen hatte Karoline mit einer ihrer Haarsträhnen die Kerzenflamme gestreift.

Bei der gestürzten Creme war es ihr gleichgültig, wohin ihr Magen all das verteilte. Sie kaute mechanisch und betrachtete dabei die Blumen. Auch um sie herum war es still geworden. Wagner hatte so einiges komponiert, das Ehepaar Elbert auf seinen Reisen so manches gesehen. Aber mit den unzähligen Gängen konnten sie nicht mithalten. Die Gastgeberin, glücklich, dass das Essen gut angekommen war und der Diener nichts verpatzt hatte, sah den Anbruch des großen Schweigens mit Entsetzen.

Sie beschloss, die Tafel aufzuheben, bugsierte die Elberts zum Ehrenplatz Sofa und verkündete gut gelaunt, gleich werde der Kaffee gereicht. Gleichzeitig stupste sie ihren Mann an, er solle einen Likör anbieten. »Wenn Sie einen Likör möchten?«, fragte ihr Mann und blickte misstrauisch nach dem Diener, den zu mieten ihn ein halbes Vermögen gekostet hatte. Hoffentlich ließ er nicht die Karaffe fallen, die gehörte nämlich seiner Schwester.

Karoline fand sich auf einem weichgepolsterten Sessel wieder, der zum Schlafen einlud, und hielt ein Glas gelber, süßlich duftender Flüssigkeit in der Hand. Stundenlang, so schien es ihr, rang der Rest der Gesellschaft nun schon um ein Gesprächsthema. Jetzt hatten die Herren sich, da immerhin eine exorbitante Anzahl von Stadtverordneten anwesend war, bei den städtischen Finanzen eingependelt. Die Damen nippten am Likör und lauschten ergeben. Herrn Sterns Kieferknochen machten merkwürdige Verrenkungen und Karoline warf ihm einen warnenden Blick zu: Papa, nicht gähnen!

Endlich, endlich näherten sie sich dem Thema, das ihnen allen auf der Seele brannte, das aber möglicherweise, wie sie alle insgeheim befürchteten, zu einer geselligen Runde nicht ganz passte. »Der Lübbe wird uns schon fehlen«, wagte der Tabakwarenhändler den Anfang und der Erfolg gab ihm Recht.

»Es ist einfach entsetzlich, wie der arme Mann umgekommen ist«, rief Frau Elbert freudig.

»Erst vor der Sommerreise habe ich ein Kleid bei ihm bestellt«, berichtete die Gastgeberin. »Er hatte so einen sicheren Geschmack!«

Karoline stellte ihr Gläschen auf etwas Gedrechseltem ab und beschloss, wieder munter zu werden.

»Und die Witwe«, überlegte Stern. »Wir sollten morgen bei unsrer Versammlung bereden, was wir für die Witwe tun sollten. Zumindest ein Kranz für die Beerdigung!«

»Wie umsichtig von Ihnen!«, rief Frau Elbert und widmete sich gemeinsam mit Frau Haas der Erörterung näherer Details. Ihren Mann schien das zu langweilen und er dröhnte mit voller Stimme dazwischen: »Der Mann war ein großer Redner!«

»O ja«, kicherte Bischoff wie ein junges Mädchen. »Und worüber der immer geredet hat!«

»Worüber denn?«, fragte Karoline nach.

Sofort ergriffen die Stadtverordneten die Gelegenheit, die anwesenden Damen über die Härten der Lokalpolitik aufzuklären. »Das konnte man ja nie wissen. Immer wieder hat er irgendwas ausgegraben.«

»Morgen wollte er auch reden – kein Mensch weiß, worüber.«

»Vielleicht wieder die Bauordnung oder eine neue Trambahn.«

»Ein Enthusiast war das. Wissen Sie noch, wie er uns letzten Sommer einen Vortrag gehalten hat über die gefährlichen Ausdünstungen der Sielschwemmkanäle?«

»Da haben wir gelost, wer zwischendurch rausgehen darf, damit nicht alle Sitze leer bleiben.«

»Und was hat der Lübbe gemacht? Seine Rede noch mal wiederholt, als wir wieder hereinkamen.«

Die Stadtverordneten wälzten sich japsend auf ihren Sitzgelegenheiten, als sie die verschiedenen Aktivitäten des Maßschneiders so vor sich Revue passieren ließen. »Manchmal wünschte man sich«, lachte Herr Elbert aus voller Brust, »Lübbe senior wäre auf seiner Wanderschaft nicht ausgerechnet in Frankfurt hängengeblieben.«

»Hängengeblieben?«, fragte seine Frau irritiert. »Was soll das heißen?«

»Sag bloß«, entgegnete Elbert, »er hat dir nicht die Geschichte erzählt. Da wärst du nämlich die Einzige. Von Hamburg zuerst nach Westen, Bremerhaven, dann runter nach Hannover, Frankfurt, Stuttgart ...«

»Freiburg«, korrigierte Herr Haas. »Vor Stuttgart war er in Freiburg.«

»Richtig. Dann von München in die Schweiz und dann wieder zurück nach Frankfurt. Wie er sein Nähzeug in altes Tuch eingeschlagen hatte und dann ist er einmal des Diebstahls verdächtigt worden ...«

Die anderen Anwesenden ließen es sich nicht nehmen, die Geschichte fortzuführen. »Fast wär's zur Anklage gekommen ...«

»... aber dann war's sein Wandergenosse, der ... wie hieß er noch?«

Hier mussten sie eine Pause einlegen, daran konnte sich im Augenblick niemand erinnern. »Ich hab das Gefühl, der hieß jedes Mal anders«, überlegte Bischoff. »Egal, der andere Geselle war's gewesen und dann hatte der arme Lübbe keinen Kreuzer mehr in der Tasche.«

»Aber dann, weil er im rechten Moment ...«, langsam erinnerte auch Frau Elbert sich der Geschichte, die der Schneider ihr während des Maßnehmens erzählt hatte, und reihte sich in die Erzählenden ein, »... bei seinem Frankfurter Schneider vorbeikam ...«

»Der Schneidermeister war krank, aber der Lübbe hat ...« (Frau Westphal).

»... noch nachts und von Hand ...« (Herr Westphal).

Frau und Herr Haas im Chor: *»Es gab nämlich noch keine Nähmaschine!«*

»... das Kleid pünktlich zur Hochzeit fertiggestellt, den Ruf des Meisters gerettet. Und da hat der ihn zum Dank in sein Geschäft aufgenommen«, vollendete Frau Elbert zufrieden die Geschichte der Wanderschaft des Herrn Lübbe senior, die ja letztlich zur Firmengründung Lübbe & Sohn geführt und damit die Karriere des Verstorbenen begründet hatte.

»Der ist aber weit herumgekommen«, murmelte Herr Stern.

»Die Hälfte war sicher frei erfunden«, grinste Herr Westphal. »Das heißt, die erste Hälfte schon vom Alten, die zweite hat der Lübbe noch dazugegeben.«

»Man spricht nicht schlecht von Toten«, erinnerte Frau Bischoff, was Karoline ermutigte zu sagen: »Und sicher hat er sich in der Stadtverordnetenversammlung viel Achtung erworben. Wenn man bedenkt, was er für die neue Armenordnung getan hat« – ihr Vater schaute entsetzt zu ihr herüber – »und insbesondere für die Bewohner der Altstadt.«

Ausgerechnet jetzt kam der Diener wieder herein. Vor den Türen hatte er schon selbst etwas von dem Wein genossen und gebannt schaute ihm die Gesellschaft zu, wie er den Flaschenhals auf die Gläser richtete – aber er traf.

Leider schien über diesem Zwischenspiel die Unterhaltung abzubrechen. »Kann es nicht sein, der Lübbe wollte morgen reden?«, erkundigte sich Karoline.

»Was weiß ich«, überlegte Bischoff. »Vor dem war kein Thema sicher.«

»Er hatte das Herz auf dem rechten Fleck!«, ermahnte Stern in der Hoffnung, das Gesprächsthema damit beenden zu können.

»Aber natürlich!«

»Nur ein bisschen verdreht!«

»Ein Idealist, ein Weltverbesserer war er.«

»Er wird uns fehlen. Wir werden auch alle zur Beerdigung gehen«, fasste Herr Elbert zusammen und drehte sein Glas sinnierend in den Händen. Frau Haas und Frau Elbert wanderten wieder in die Kranzfrage ab und Karoline musste einsehen, dass hier nichts mehr zu erfahren war. Der gute Wein hatte sie alle versöhnlich gestimmt.

Alle bis auf einen. »*Uns allen* wird er fehlen?«, fragte Herr Westphal spitz zurück, in Erinnerung an seine jüngst überstandenen Grundstücksstreitigkeiten. Seit mehr als einem Jahrhundert gehörte das Tabakwarenhäuschen seiner Familie und jetzt hatte er es verkaufen müssen, so sehr war seine wirtschaftliche Lage durch Abriss- und Neubebauungspläne, an denen Herr Elbert nicht ganz unbeteiligt gewesen war, in die Bredouille geraten. »Ein bisschen erleichtert sind Sie aber schon auch, dass der Lübbe Ihnen nicht mehr dazwischenkommen kann.«

Und da sich die Gesellschaft bereits in angetrunkenem Zustand befand, geriet die versöhnliche Stimmung sogleich ins Wanken. »Was soll denn das heißen?«, fragte Herr Elbert gereizt nach.

»Nun, wenn ich mich recht erinnere, gab es da Differenzen wegen der Bauordnung.« Die ›Differenzen‹ verließen Westphals angesäuselten Mund erst beim zweiten Anlauf. »Sie haben doch auch ein Grundstück auf der Zeil.«

»Ach, soll sich mein Architekt mit dieser Bauordnung herumschlagen.« Was heißen sollte, dass Herr Elbert mit seinem Einkommen und seiner schönen Villa über derartige Kleinigkeiten erhaben war. Im Gegensatz zu Westphal, der vom Verkauf von Rauchwaren lebte, womit doch längst kein Staat mehr zu machen war. »In *Ihrem* Interesse habe ich dafür gestimmt. Mit dem Geld, das Sie uns für Ihr winziges Häuschen abgeluchst haben, können Sie sich drüben am Rossmarkt was Richtiges aufbauen.«

»Jetzt tun Sie aber nicht so, als hätten Sie mein ›Häuschen‹, wie Sie es nennen, aus eigener Tasche bezahlen müssen«, empörte sich Herr Westphal ganz lautstark, ohne dass seine Frau ihn daran hindern konnte. »Bloß die Zinsen, die Sie vom Metzler bekommen, die gehen ja wohl doch in Ihre Tasche.«

Eigentlich war es absolut unter seiner Würde, auf derartige finanzielle Anspielungen auch nur mit einem Wimpernzucken zu reagieren – aber Elbert musste doch kurz korrigieren. »Die stecke nicht ich ein, mein Lieber, die fließen zur Bank. Und das ist ganz gesetzlich, dass wir Geld dafür nehmen, dass wir jemandem ermöglichen, mit unserem Geld ein neues Geschäft aufzubauen.«

»Also ist es doch Ihr Geld. *Wir,* haben Sie gesagt«, triumphierte Westphal, »und *unser* Geld.« Herr Elbert, an dessen Ärmel seine Gattin bereits lebhaft zupfte, enthielt sich einer weiteren Richtigstellung und schweigend funkelten sie einander böse an.

»Ja, ja«, warf Herr Haas genüsslich in die entstandene Pause ein, »die Herren von der nationalliberalen Partei.«

Damit zog er sich deren geballten Zorn zu. »Das hat mit Parteipolitik nichts zu tun«, empörte sich Westphal und Herr Elbert ergänzte nicht ganz widerspruchsfrei: »Da geht es um Grundsatzfragen. Außerdem« – ein listiger Blick in die Runde –, »als der Lübbe seinen Antrag zur Verhütung der Spekulation gestellt hat, hat sogar einer von den Demokraten dagegen gestimmt.«

»Ich war's nicht«, donnerte Haas los, dem jedes zehnte Haus in der Altstadt gehörte, wie böse Zungen behaupteten. Er sei's auch nicht gewesen, fühlte Stern sich zur Scham seiner Tochter gezwungen hinterherzusagen.

»Da hab ich etwas ganz anderes gehört«, knurrte Elbert.

»Ach ja?«, fragte Stern imitiert. »Ich soll dagegen ...«

»Sie doch nicht.« Mit einer energischen Handbewegung wischte Elbert diesen kleinen jüdischen Advokaten an den Platz, der ihm zustand. »Der da.«

Alles blickte auf den errötenden Herrn Haas. »Aber Heinrich«, fand Frau Elbert als erste die Sprache wieder und versuchte sich mit Frau Haas zu einem Friedenskomitee zu verbünden, die aber ihrerseits unsicher war, ob sie nicht erst noch ihrem Mann ein paar Worte zur Ehrenrettung erlauben sollte.

»Wer will das denn wissen?«, verteidigte der Beschuldigte sich und zog ungeschickterweise neuen Verdacht auf sich, indem er sagte: »Es war doch eine geheime Abstimmung. Geheim ist geheim und das ist gut so.«

Frau Haas sah ein, dass ihr Mann zu viel Alkohol konsumiert hatte, um eine gute Figur abzugeben. »Das ist jetzt doch gar nicht die Frage. Wir wollen nicht streiten.« Die Gastgeberin ergänzte versöhnlich: »Bleibt nur zu hoffen, dass wir uns an Lübbe ein gutes Beispiel nehmen. Es gibt ja noch so viel zu tun.«

»Mmh?«, brummte Herr Elbert.

»Nun«, erklärte Frau Bischoff schnell, »was die weiteren Sozialreformen angeht.«

Prompt ergriff Herr Haas die Gelegenheit beim

Schopfe. »Wenn ich da an die Arbeitssicherheit denke ...«, sinnierte er wie nebenher.

»Oder die Frauenarbeit ...«, ergänzte seine Frau geistesgegenwärtig.

»Es ist ein böses Gerücht, dass meine Zigarrenwicklerinnen sich andauernd an den Maschinen verletzen!«, fühlte sich der Tabakwarenhändler angesprochen.

»Richtig«, schien sich Frau Haas erst jetzt zu erinnern, »bei Ihnen arbeiten ja so viele Frauen.«

»In meinen Räumen arbeiten beide Geschlechter stets getrennt.«

»Aber, Herr Westphal«, brachte sich nun die praktisch denkende Frau Elbert ein, »was soll das denn wieder bringen?«

»Weib«, rief Herr Elbert ganz gegen die Konventionen, »wegen der Sittlichkeit. Wo soll denn das hinführen, wenn Männlein und Weiblein den ganzen Tag in einem Raum zusammen ...?« Er schüttelte sich.

»Dabei geht es doch viel eher«, stellte Karoline richtig, »um die Löhne. Herr Westphal, verdienen Ihre Zigarrendreherinnen genauso viel wie die männlichen Arbeiter?«

»Ha, also«, rief Westphal, zog empört die Augenbrauen hoch und starrte mit den darunterliegenden Augen in die Runde. Konnte mal jemand dieser Person den Mund verbieten?

Herr Haas kam ihm zu Hilfe und höhnte: »Die Löhne? Was verstehen Sie denn schon von den Löhnen?«

»Eine Frage der Ökonomie«, steuerte Elbert bei und glaubte damit geklärt zu haben, warum das Fräulein Stern von der Lohnfrage nichts verstehen konnte.

»Und der Sittlichkeit!«, warf Haas ein.

»Und der Sittlichkeit«, stimmte Elbert freudig zu. »Äh, wieso Sittlichkeit?«

Herr Haas erläuterte den unbedingt schlechten Einfluss, den die Arbeit außer Haus auf die Frauen und ihre Familien haben müssten, und dass es kein Wunder sei, dass die Kinder so verwahrlost in den Straßen herumhockten, wenn die Mütter sich nicht recht um sie kümmerten, und dass man es diesen sogenannten Müttern selbst anlasten müsse, wenn da später Verbrecher und Vagabunden draus würden, und ob man diese völlige Vernachlässigung der Mutterpflichten auch noch mit teurem Geld belohnen müsse?

»Eigentlich sollte man sie gar nicht bezahlen«, sah Herr Bischoff jetzt gänzlich ein, erntete aber von seiner eigenen Frau das Kontra: »Aber, Georg, die Frauen brauchen doch das Geld. Der Mann ist arbeitslos oder er verdient nicht genug für die vielen Kinder.« Es war Frau Bischoff stets ein Rätsel geblieben, warum die Arbeiter sich vermehren mussten wie die Karnickel.

»Also hängt doch alles an den Löhnen«, nutzte Karoline die Gelegenheit, um ihre Kompetenz unter Beweis zu stellen.

»Ich finde auch«, sagte Frau Haas, denn anscheinend übernahmen jetzt die Damen langsam das Ruder, »wenn man die Männer richtig bezahlte, dann müssten die Frauen gar nicht arbeiten. So ist es nämlich!«

»Ökonomie«, brummelte Elbert und verdrehte die Augen, aber seine Frau erinnerte ihn: »Ökonomie ist auch nicht alles. Sittlichkeit, du hast es selbst gesagt. Es ist eine Frage des Anstands, dass man dafür sorgt, dass jeder Mann seine Familie ernähren kann. Natürlich meine ich damit nicht Sie persönlich«, an die Adresse des Tabakwarenhändlers, »aber dann blieben nämlich die Arbeiterfrauen zu Hause und kümmerten sich endlich mal um die Kinder.«

»So wie wir es ihnen längst vormachen«, äußerte Frau Westphal zufrieden. Es war ein stadtbekanntes Geheimnis, dass Frau Westphal die häuslichen Finanzen mit Stickarbeiten aufbesserte. »Das muss einen Mann ja auch kränken, wenn er nicht allein für die Familie sorgen kann. Kein Wunder, wenn die sich alle betrinken.«

Karoline fühlte in sich ketzerische Gedanken auflodern. »Was ist mit den Dienstmädchen? Dürfen die auch nicht mehr arbeiten?«

Das brachte Frau Westphal kurz aus dem Konzept, aber nur kurz. »Ja, das sind unverheiratete Frauen. Da ist das etwas anderes.«

Wobei manch eine Frau unverheiratet blieb, eben weil sie als Dienstmädchen nicht heiraten durfte, dachte Karoline boshaft, fand aber, es sei an der Zeit, sich zurückzuhalten. ›Kein Mucks‹ waren die Worte, die ihres Vaters Lippen seit geraumer Zeit mahnend, wenn auch lautlos wiederholten.

»Ja, für die ist es gut«, meinte Frau Elbert. »Bevor sie selbst heiraten, lernen sie erst einmal, wie es in einem Haushalt so zugeht. Kochen und Haushaltung und Umgangsformen und so weiter, das ist wie eine Art Schule.« Frau Haas stimmte ihr gänzlich zu: »Und tausendmal besser als in einer Fabrik.«

Bei dem Stichwort ›Fabrik‹ fühlte der Tabakwarenhändler sich wieder angesprochen, sodass das Gespräch zurücklief über die Löhne in der Tabakindustrie und die Bauordnung bis hin zur morgigen Stadtverordnetenversammlung und den städtischen Finanzen. Irgendwann verkündete Frau Elbert, es sei Zeit zum Heimgehen, sie suchten ihre Mäntel auseinander, warfen ein paar Münzen in eine silberne Schale neben der Garderobe und schleppten sich zu ihren Droschken.

Erschöpft ließ sich das zurückgelassene Gastgeberpaar auf das Sofa sinken und verharrte in verwirrtem Schweigen. »Immerhin war es ein anregender Abend«, erklärte Frau Bischoff schließlich und hielt nach der Karaffe ihrer Schwägerin Ausschau. »Ein bisschen bewegt, aber anregend.«

»Völlig missraten. Man darf nie, nie, nie über Politik diskutieren, das geht immer schief«, widersprach ihr Mann, stand seufzend auf und zählte das Kleingeld. »Alles Geizkragen. Schau mal, was sie den Dienstboten dagelassen haben. Wie sollen die das denn durch drei teilen?«

»Gib noch was dazu«, entschied Frau Bischoff. »Also, ich fand es anregend.«

Die Schlaflosigkeit schien sich zu Stabens ständiger Begleiterin zu entwickeln. Er fügte sich leise klagend, stand auf, spähte in den Flur. Die Elberts waren noch auf ihrer Gesellschaft, die beiden Mädchen schliefen schon. Die Luft war rein. Er warf sich einen Morgenmantel über und nutzte den leeren Flur in seiner vollen Länge, um unruhig auf und ab zu tigern.

Seine Gedanken kreisten um Rader, um Sorgfalt, Unvoreingenommenheit und wieder um Rader. Zwar war es nicht er selbst, sondern der Kollege Rauch gewesen, der auf die Festnahme gedrängt hatte, mit voller Unterstützung des Polizeipräsidenten natürlich. Aber wenn sich am Ende herausstellte, dass dies eine verfrühte und unbegründete Festnahme war, dann würde der Fehler ja doch auf ihn zurückfallen, auf Staben, den Neuling. Vielleicht hatte Rader den Montagabend tatsächlich mit einer gänzlich harmlosen Beschäftigung verbracht und würde diese nach einigen Tagen auch enthüllen – wieso hatte sein Anwalt ihn dann aber nicht davon überzeugen können, dies gleich zu tun, statt mehrere Tage im Gefängnis zu bleiben? Die Erinnerung, wie energisch und überzeugt dieser Herr Stern heute bei ihm aufgetreten war, brachte Staben ein wenig aus der Ruhe. Und dann diese *Person* … – Unten hörte er die Haustür aufgehen.

»Das kann doch nicht gutgehen, wenn man ein so junges Mädchen auf eine Gesellschaft mitnimmt«, hörte er Herrn Elbert mit kräftiger Stimme, aber etwas undeutlicher Aussprache.

Ein bisschen vorlaut sei sie wirklich gewesen, gab seine Gattin eifrig zu, und habe dann so eine Missstimmung herbeigeführt mit all ihren Fragen. Als ob es nicht schlimm genug wäre, dass der Lübbe eines so scheußlichen Todes gestorben sei.

»Jetzt tu aber nicht so, als wäre er unser Freund gewesen. Mit dem hatten wir nichts zu schaffen. Aber dieses Mädchen hat sich ja geradezu gesuhlt in all dem politischen Gezänk, als ob sie gradwegs seinen Platz übernehmen wollte. Wer weiß, was den Frauen als nächstes noch einfällt.«

Auch Frau Elbert fand, die Politik solle man lieber den Männern überlassen, die etwas davon verstünden, und sie sei stolz, dass ihr Mann ein Stadtverordneter sei, und sie habe ein gutes Gefühl dabei, dass Frankfurt von Männern wie ihm gelenkt werde.

Elberts Gedanken waren noch bei dem Abendessen. »Höhere-Töchter-Geschwätz, das haben die doch alles aus so Romanen. Wissen gar nicht, wie es zugeht im richtigen Leben.«

Frau Elbert pflichtete ihm bei, sie hätten Glück gehabt mit ihrem Jungen und dass er als Mann vor solchen Sachen gefeit sei und sich ja auch im Großen und Ganzen recht tüchtig mache.

Grunzen aus Elberts trockener Kehle. »Auf den Abend brauche ich jetzt erst mal einen Schnaps, geh rüber ins Wohnzimmer und hol mir die Flasche aus dem Bücherschrank.«

Er habe doch bereits etwas getrunken, meinte Frau Elbert vorsichtig und ihre Stimme wurde dünner, ob es nicht genug sei? Es folgte ein herzhafter Ausdruck, der anzeigen sollte, dass Elbert noch ganz nüchtern sei und immer noch am besten selbst wisse, wie viel er getrunken habe. »Den Schnaps!«

»Ruhe, sonst weckst du unseren Gast und die Mädchen«, konterte Frau Elbert mit gedämpfter Stimme, aber entschieden, sie werde ihm den Schnaps jedenfalls nicht holen und überhaupt gehe sie jetzt ins Bett. – Ja, was denn, jetzt werde sie auch noch ungehörig, das habe sie von dieser jüdischen Göre wohl abgeguckt? Na, er könne sich seinen Schnaps ja allemal selbst holen.

Gut, dann solle er das eben tun, sie könne jedenfalls nichts dafür, wenn er morgen wieder über einen schweren Schädel klage. Außerdem: »So schlimm war sie nun auch wieder nicht, die kleine Stern, junge Mädchen sind eben so.« Es folgten Laute, ein Gepolter, aus dem der Lauschende im oberen Stock schließen konnte, dass ein angetrunkener Herr Elbert sich selbst auf die Suche nach der Schnapsflasche gemacht und dabei einige unvermutete Hindernisse in Form von Wohnzimmermöbeln vorgefunden hatte.

Staben nutzte die Gelegenheit, um leise in sein Zimmer zu treten und die Tür hinter sich zu schließen. Ein paar Minuten lag er regungslos im Bett, horchte, ob weitere Wortwechsel oder weiteres Poltern folgte. Als es aber still blieb, außer Frau Elberts Tritten auf den knarrenden Stufen, schlummerte er endlich ein.

Mit einem dicken, in Zeitungspapier eingewickelten Kloß unter dem Arm betrat Staben sein Büro und musste feststellen, dass er nicht der Erste war. Kommissar Rauch hatte bereits seinen Schreibtischsessel belegt, blätterte in einer aufgeschlagenen Akte und gab sich völlig ungeniert, dabei ertappt zu werden. »Was haben Sie denn da?«, fragte er nach der obligatorischen knappen Begrüßung.

»Etwas für das Büro«, antwortete Staben kurz angebunden. Der Kloß enthielt eine Uhr, die er sich von Frau Elbert ausgeliehen hatte, um sie auf seinem Schreibtisch aufzustellen.

In aller Seelenruhe erhob sich Rauch und schob die Akte beiseite, um für das unförmige Paket Platz zu machen. Das sei ja sehr interessant, meinte er, dass Lübbe sich an dem Abend vor seinem gewaltsamen Tod noch mit zwei anderen Schneidern hatte treffen wollen. Ob Staben schon mit diesen Schneidern gesprochen habe? Ob er wisse, weshalb Lübbe das Treffen habe ausfallen lassen? Ob er einen Zeugen gefunden habe, der Rader auf seinem Weg zu den Wallanlagen gesehen habe oder ob er in anderer Hinsicht mit seinem Fall weitergekommen sei? Er, Rauch, habe nämlich ein ganz natürliches polizeiliches Interesse an der Aufklärung eines solch brutalen Verbrechens, berufliche Neugier gewissermaßen, und zudem sei Staben ja neu hier in Frankfurt und er wolle sich zwar nicht aufdrängen, aber wenn er irgendwie von Nutzen …

»Danke«, antwortete Staben verärgert. »Nein, weiter bin ich noch nicht.« Verbissen fing er an, seine Uhr auszuwickeln. »Und was für einen Fall bearbeiten Sie gerade?«

Rauch reckte sich zur vollständigen Größe eines Kommissars der politischen Abteilung und rasselte eine längere Liste zu observierender Personen, aufzulösender Versammlungen und zu beschlagnahmender Zeitungen herunter. »Nichts Besonderes. Man muss stets ein Auge auf diese Personen haben. Ist der eine Brand gelöscht, schwelt es woanders.«

Dann *haben* Sie mal ein Auge darauf, signalisierte Staben seinem Kollegen durch längeres Schweigen und nachdem dieser noch einen skeptischen Blick auf die Uhr geworfen hatte, deren Form langsam unter dem Zeitungspapier sichtbar wurde, ließ er Staben endlich allein.

So! Er rückte die Uhr neben den hirschförmigen Stiftehalter und fing einen missgünstigen Blick von der Halskrause auf, die sein Tun von ihrem Ölgemälde her zu beobachten schien. »Sie ist nicht grazil«, räumte Staben ein, »aber immerhin ist sie eine Uhr.« Und sie war sein erstes richtiges Büroinventar. Dann öffnete er die kleine Dachluke, um ein wenig warme Luft hinauszulassen, und dachte an Kommissar Rauch, der diesen kleinen Backofen immer wieder seinem eigenen großen, kühlen Büro vorzog. Fast könnte man den Eindruck gewinnen, der Polizeipräsident habe Rauch gebeten, dem neuen Kollegen auf die Finger zu schauen – aber nein, schalt sich Staben dann, das war ja ganz abwegig.

Er hob den Kopf. Auf dem Flur hörte er Stimmen, die lauter wurden. Mal die von Geringer, der in kräftigem Frankfurterisch vermutlich eine seiner Alltagsgeschichten zum Besten gab. Dann eine hohe Stimme, eine Frauenstimme. Kurze Sätze wechselten einander ab, der Tonfall war freundlich: Die beiden schienen sich einig zu sein.

Sehr viele Frauen pflegten sich nicht in den Clesernhof zu verirren, überlegte Staben.

»Das sagt meine Frau auch immer«, hörte er Geringers letzten Halbsatz, als die Tür aufging. »Und meistens hat sie Recht damit.«

Er hatte es ja geahnt, dachte Staben und erhob sich seufzend.

»Ich wünsche eine gute Genesung!«, rief Fräulein Stern dem Wachtmeister noch hinterher, bevor sie den Kommissar begrüßte.

Staben seinerseits hatte zwar weder gewusst, dass Geringer verheiratet, noch, dass seine Frau erkrankt war, beschloss aber, freundlich zu schauen und seiner Besucherin zumindest im Nachhinein den Stuhl anzubieten, auf dem sie soeben Platz genommen hatte. »Guten Tag, Fräulein Anwaltsgehilfe«, sagte er etwas steif und spürte sofort, dass diese Art von Humor keine Aussicht auf Erfolg haben würde. »Was macht die Kanzlei?«

»Sie erinnern sich?« Förmlich lächelnd verzog sie das Gesicht. »Das zeigt immerhin, dass Sie ein gewisses Vertrauen in meinen Sachverstand setzen.«

»Genau so habe ich es gemeint.« Er klappte demonstrativ seinen Aktendeckel zu, damit sie wusste, dass er jetzt seine momentane, unendlich wichtige Arbeit unterbrechen musste, um sich ihr zu widmen. »Womit kann ich dienen?«

»Ganz im Gegenteil«, erwiderte sie liebenswürdig, »ich hoffe, ich kann *Ihnen* mit etwas dienen.«

Wenn sie geglaubt hatte, er würde nachfragen, hatte sie sich getäuscht.

»Wir hatten doch gestern bereits davon gesprochen, dass Lübbe ein Stadtverordneter gewesen ist«, holte sie geduldig aus. »Anscheinend hat er sich sehr für die Sozialreformen eingesetzt und für die Rechte der armen Leute in der Altstadt. Und da könnte es doch sein, dass jemand mit einem seiner Vorhaben nicht einverstanden war und dass darin auch ein Motiv für einen Mord liegt, wie Sie es nennen.«

»Könnte«, wiederholte Staben prononciert.

»Oder glauben Sie etwa immer noch, dass Sie mit Rader Ihren Mörder schon gefunden haben?«

»Ich bin davon überzeugt«, erklärte Staben ein für alle Mal und erinnerte sich mit Schrecken an den kommenden Montag, wenn er dem Richter gegenüber auf Verlängerung der Untersuchungshaft drängen sollte.

Sie fuchtelte ungeduldig mit den Händen, was seiner Meinung nach etwas lächerlich aussah, aber immerhin den Eindruck höchster Entschiedenheit machte. »Ach, sein Sie doch ehrlich, ganz unter uns: Sie haben doch auch Ihre Zweifel?«

»Wir sind hier nicht unter uns, sondern in einem Polizeirevier«, erinnerte Staben trotzig und wunderte sich selbst, woher er diesen Drang hatte, ständig zu widersprechen.

Seine Besucherin seufzte leise, als hätte sie es mit einem widerspenstigen Kind zu tun, bei dem man es zum letzten Mal im Guten versuchen will, bevor man es auf sein Zimmer schickt. »Wie viel verliert ein Schneidergeselle, wenn er entlassen wird? Vielleicht zwanzig

Mark Wochenlohn. Und wie viel verliert ein Hausbesitzer, wenn er einen halben Straßenzug in der Altstadt besitzt und ihn abreißen lassen will und da kommt ihm jemand wie Lübbe dazwischen?«

Staben fand zwar, dass diese Rechnung nicht ganz stimmig sei, beschloss aber, sich zusammenzunehmen und mit dieser Anwaltstochter ein vernünftiges Gespräch zu führen. »Wie kommen Sie darauf, dass jemand solche Verluste zu befürchten hätte?«

Diese direkte Nachfrage schien sie ein wenig verlegen zu machen und etwas umständlich erzählte sie ihm, dass sie gestern auf einer Abendgesellschaft gewesen sei, zu der zahlreiche Stadtverordnete und Bankiers geladen gewesen seien und deren Gespräch habe sie auf diesen Gedanken gebracht. Zwar hätten die anwesenden Herren durch die Bank weg ihre Achtung vor dem Verstorbenen zum Ausdruck gebracht, aber es sei doch nicht zu übersehen gewesen, dass sie einige von Lübbes politischen Aktivitäten mit einem gewissen Unmut beobachtet hätten, wenn sie das so sagen dürfe.

»Unmut?« Staben musste grinsen, denn Unmut war ein recht harmloses Wort für die Kommentare, die der heimkommende Elbert über Karoline Sterns eigenes Betragen während ebendieser Abendgesellschaft gemacht hatte.

»Wieso schauen Sie denn so, das ist doch nicht schwer verständlich«, meinte sie misstrauisch. »Und außerdem haben sie erzählt, dass Lübbe auf der Versammlung der Stadtverordneten heute eine Rede halten wollte – bloß wusste niemand, worüber. Wenn Sie das herausfinden könnten: Vielleicht hat er darum länger im Geschäft bleiben müssen. Vielleicht finden Sie da Ihr Motiv.« Umständlich faltete sie ein Blatt Papier auseinander. Wenn er sich das bitte ansehen möchte? Sie brauche es aber auf jeden Fall zurück.

Es war eine Einladung zur Sitzung der Stadtverordneten für den heutigen Mittag, auf denen Punkt für Punkt die zur Beratung stehenden Themen aufgelistet waren. An erster Stelle stand der Fortgang der Restaurationsbemühungen im Versammlungssaal der Stadtverordneten selbst. Zweiter Punkt: Beschwerden über die städtischen Fuhrwerke, Krach und üble Gerüche am frühen Morgen. Vorschlag: Ob sie abwechselnd in verschiedenen Vierteln anfangen könnten? Womit sich eine Stadtverordnetenversammlung so alles herumschlägt, dachte Staben. Drittens: Neue Sicherheitsbestimmungen für Pferdedroschken mit Sitzflächen für mehr als sechs Personen. Aber an vierter Stelle ...

»Hier, vielleicht wollte er darüber reden«, meinte Staben, denn da stand ›Fortsetzung der Diskussion zur Friedhofsschlacht‹. Er hatte gar nicht gewusst, dass die Frankfurter das Ereignis so nannten.

»Aber bei diesem Thema sind sich alle einig.« Karoline schüttelte den Kopf. »Und hätte er zu diesem Thema sprechen wollen, wieso hat er sich dann einen eigenen Punkt eintragen lassen?« Denn ganz unten auf der Einladung stand als letztes: ›Fünftens: Anfrage von Karl Lübbe, Abgeordneter der Demokratischen Partei.‹

»Aber wenn doch gar niemand wusste, worüber er reden wollte?«, fragte Staben skeptisch.

»Wenn es nur niemand sagen wollte?«, fragte seine Besucherin zurück, schien aber etwas gekränkt und verlangte den Zettel zurück.

»Woher haben Sie dieses Programm überhaupt?«, fragte Staben.

»Mein Vater ist auch ein Stadtverordneter«, erklärte sie ausweichend.

»Und wieso hat Ihr Vater mir das nicht selber vorbeigebracht?«

»Er weiß überhaupt nichts davon – wenn Sie bitte für sich behalten wollen, dass ich Ihnen das Blatt mitgebracht habe ... Natürlich ist es kein Geheimnis«, versicherte sie rasch und erhob sich, »Sie können beim Magistrat jederzeit Einsicht in die Tagesordnung nehmen.«

Vermutlich hat sie das Papier heimlich entwendet, dachte Staben, was für ein großes Interesse sie an der Angelegenheit haben musste. »Kennen Sie Rader persönlich?«

»Nein.«

»Aber Sie haben mit Ihrem Vater über ihn gesprochen.«

»Ja.«

»Dann könnten Sie mir einen großen Gefallen tun. Und dem inhaftierten Rader auch. Dürfte ich Sie kurz etwas fragen?«

»Bitte.« Sie verschränkte geduldig die Arme vor der Brust, was ihr in Stabens Augen noch schlechter stand als das Herumfuchteln.

»Wissen Sie, wo sich Rader zwischen acht und zehn aufgehalten hat?«

Sie war so empört, dass sie ihn zunächst nur offenen Mundes anstarrte. Dann riss sie die Arme wieder auseinander und rief lauthals: »Nein! Und wenn, dann dürfte ich es Ihnen auch gar nicht sagen! Darüber hinaus finde ich es eine Unverschämtheit, dass Sie mich überhaupt danach fragen. Aushorchen, so nennt man das wohl!«

»Aber nein!«, widersprach er und versuchte seinen Fauxpas mit einem komplizierten, nahezu unverständlichen Satz wiedergutzumachen. »Wenn Sie mir nicht gesagt hätten, wo er war, aber es wenigstens gewusst und mir versichert hätten, dass sein Tun nichts mit dem Mord zu tun hat, dann hätte ich Ihnen geglaubt, dass er unschuldig ist!«

Ich glaube Ihnen kein Wort! wollte sie anscheinend sagen, aber dann rannte sie ohne jeden weiteren Kommentar aus dem Raum und warf die Tür hinter sich zu.

Im Übrigen war er sich selbst nicht ganz sicher, was er mit seiner Frage hatte bezwecken wollen.

Ein verschnörkeltes Schild an der Eingangstür verkündete, dass Kobisch wieder nach Frankfurt zurückgekehrt sei und der geschätzten Kundschaft jederzeit zur Verfügung stehe. Im Inneren allerdings verriet nichts, dass es sich um das Geschäft eines Maßschneiders handelte. Es gab keinen Tresen, keine Kasse. Weder Stoffballen noch Papierstreifen zeugten von handwerklichen Aktivitäten. Üppige Lambrequins verhüllten die Türen zu den Werkräumen und gaben den eindrucksvollen Hintergrund für überbordende Blumenvasen, für ein Pianino, für Sessel und Sofas ab, auf denen die Kundschaft platziert und bewirtet wurde, während sie sich die neuen Modelle vorführen ließ. Wer hier eintrat, sollte sich fühlen, als würde er in den Privaträumen eines wohlmeinenden Bekannten empfangen.

Auf Staben hatte dieses vornehme Ambiente jedoch den gegenteiligen Effekt. Plötzlich wurde er sich seiner abgetragenen Umformjacke bewusst und der Schlammspritzer auf seinen Hosen, die noch aus Berlin stammen mussten. Als Kobischs grazile Gestalt höchstpersönlich auf ihn zueilte, verhaspelte er sich bei seiner Vorstellung, überreichte dem Schneider dann mit linkischen Bewegungen seinen großen, ja riesigen preußischen Helm und stolperte fast über den Fuß eines Marmortischchens, während er in das angrenzende Kontor geleitet wurde.

»Traurig, sehr traurig«, kommentierte der Schneider von sich aus den Tod seines Handwerkskollegen und bei näherem Hinsehen sah Staben, dass der Mann ein Stück Trauerflor am Ärmel trug – nichts Übertriebenes, nichts Auffälliges, nur ein schmaler Streifen über der Manschette, der sich vollendet dem Ärmel anpasste. »Hinterrücks ermordet von seinem eigenen Gesellen, diesem Sozi – es war doch ein Sozi?«

Staben murmelte etwas Unverbindliches und Kobisch nahm das zum Anlass, sich über die Ausbreitung sozialistischer Gedanken unter den Schneidern auszulassen, die natürlich um so mehr Fuß fassen mussten, als die Situation der Gesellen immer schwieriger wurde. »Er hätte da härter durchgreifen müssen, aber das war nicht seine Art. Er war einfach zu gutmütig, wissen Sie?«

Staben stimmte zu, er hätte schon einiges in dieser Richtung über den Verstorbenen gehört.

»Fast hätte ich ihn noch gesehn am Montagabend. Und *hätte* ich ihn noch gesehn, dann hätte meine Anwesenheit ihn vielleicht bewahren können vor seinem elenden Mörder – eigentlich hatten wir nämlich ein Treffen vereinbart.«

Staben gestand, das wisse er bereits und genau deswegen sei er hier.

»Aber dann hat er plötzlich doch keine Zeit mehr gehabt, erst am späten Nachmittag hat er mich angerufen und abgesagt. Ich gestehe, ich hab mich auch dementsprechend echauffiert, ich war nämlich eigens für dieses Treffen hergekommen. Also bin ich umstandslos wieder zurückgefahren, weil ich am Montagabend noch einiges erledigen konnte in Homburg.«

»Um wie viel Uhr war das?«

»Na, das weiß ich nun nicht. Wie ich schon sagte: umstandslos. Direkt nachdem Lübbe mich angerufen hatte.«

»Und da sind Sie auch den ganzen Abend geblieben – verzeihen Sie die Frage, aber in einem Mordfall muss man ganz sorgfältig …«

»Das verstehe ich doch.« Solche Fragen machten ihm überhaupt nichts aus, er habe volles Verständnis und ihm sei natürlich gerade in diesem Fall sehr daran gelegen, dass der Polizei ihre Arbeit erleichtert werde. »Natürlich bin ich dageblieben. Ich habe diniert, mit zwei Kundinnen. Anspruchsvolle Kundinnen, exklusive Kundinnen.« Er erzählte Staben mehr über die exklusive Homburger Kundschaft, als der hatte wissen wollen, und besann sich dann wieder auf den Montagabend. »Als er mich anrief, habe ich mit ihm zu zanken angefangen. Weil er mir solche Mühe gemacht hätte, das hätte er mir doch vorher sagen können – nein, das war nicht schön. So lange kennen wir uns, und dann waren die letzten Worte im Streit.«

Staben brachte sein Bedauern zum Ausdruck und erkundigte sich, ob Lübbe ihm den Grund für die Absage mitgeteilt habe.

»Nein, das hat er nicht. Überhaupt hat er kaum etwas gesagt und klang, wie wenn er mit seinen Gedanken ganz woanders wäre, das ist mir damals schon aufgefallen.« Vom bedauernden wechselte Kobisch in einen leicht mahnenden Tonfall und belehrte seinen Besucher: »Da muss irgendwas vorgefallen sein – wenn ich Sie wäre, würde ich mich da mal drum kümmern!«

Bin gerade dabei, dachte Staben verärgert und fragte, ob Kobisch denn wenigstens wisse, welchem

Zweck das Treffen am Montagabend denn ursprünglich habe dienen sollen.

»Ja, das weiß ich schon«, antwortete der gedehnt und überlegte, ob er diesen fremden Kommissar wirklich in die Geschäftsgeheimnisse eines Verstorbenen einweihen sollte, die dieser so sorgsam hatte hüten wollen. Schließlich entschied er sich dafür. »Der Lübbe hat nie geglaubt, dass aus diesem Metzler-Kaufhaus was wird. ›Ach, der Westphal macht da sowieso nicht mit‹, hat er gesagt, ›der Familie gehört das Geschäft schon seit hundertundzehn Jahren.‹ Ich persönlich vermute, nicht mal der Westphal selber weiß genau, wie lange, aber der Lübbe glaubte an so was. Aber hundertundzehn Jahre sind schnell vergessen, wenn's um viel Geld geht. Ruckzuck war der Tabakladen verkauft und dann hat der Lübbe gemerkt, dass er jetzt mal endlich was unternehmen muss.«

»Und was wollte er dann unternehmen«, fragte Staben, »gemeinsam mit Ihnen und Herrn Peschmann?«

Also, mit ihm selber hätte das nicht so viel zu tun gehabt, er wäre nur als Vermittler dazugeladen gewesen, erklärte Kobisch entschieden. »Obwohl ich da auch nicht viel hätte ausrichten können. Dem Peschmann, dem galt sein Interesse, mit dem wollte er sich zusammentun. Dass sie das Haus dazwischen kaufen und dann selber so eine Art Kaufhaus machen, nein, Kaufhaus hat er's nicht genannt, aber irgendwie sollten sie ›ihre Kräfte zusammentun‹. Natürlich war alles höchst geheim, eine Schnapsidee in letzter Minute. – Pardon. Meiner persönlichen Meinung nach …«

Es war nur allzu deutlich, dass Kobisch unbedingt seine persönliche Meinung darlegen wollte. Aber Stabens Aufmerksamkeit galt etwas ganz anderem: »Jetzt, wo Lübbe verstorben ist, wird wohl der Sohn mit Peschmann weiter darüber verhandeln …«

»Wo denken Sie hin! Dieser Sohn – ach.«

»Was ist mit dem Sohn – der wird doch sicherlich der neue Geschäftsführer?«

»Er hat ja schon angefangen.« Kobisch bat Staben eindringlich, das Folgende für sich zu behalten. »Und ich erzähl's Ihnen nur, damit Sie sich ein bisschen ein Bild machen können. Aber auf diesen Jungen kommt so einiges zu in der nächsten Zeit. Der übernimmt ein Geschäft, in dem nichts mehr seinen geraden Gang geht – nein, Entschuldigung, so sollte ich das nicht sagen. Aber die Zeiten sind hart und der junge Lübbe – also der hat keine Ahnung.«

Wovon, wollte Staben wissen.

»Vom Geschäft. Sein Vater hat ihn nicht mal zum Teilhaber gemacht, in nichts eingewiesen.« Heute Morgen, Kobisch hatte kaum sein Geschäft aufgemacht, da war Lübbe junior hereingekommen. Übernächtigt, niedergedrückt – und vor allem ratlos. Hatte Kobisch im Namen der guten alten Freundschaft mit seinem Vater beschworen, ihm zur Seite zu stehen. Hatte gestanden, die Buchführung sei ihm ein Rätsel und mit den Erläuterungen des Buchhalters käme er auch nicht zurecht. – Natürlich hatte Kobisch ihm jede erdenkliche Hilfe zugesagt, aber er wollte Lübbes Sohn nicht bloßstellen und beschränkte sich auf: »Das interessiert den Jungen auch gar nicht. Gut, früher, wo er neu anfing im Geschäft, da hat er noch ein bisschen mehr Elan mitgebracht und ab und zu einen eigenen Vorschlag gemacht fürs Geschäft. Aber – das sag ich jetzt bloß Ihnen – ganz so ein schlauer Rechner ist der Sohn sowieso nicht und der alte Lübbe wollte sich nie reinreden lassen, so hat er gesagt.«

Ob es deswegen Streit zwischen den beiden gegeben habe?

»Kein Streit«, wehrte Kobisch entschieden ab – fast zu entschieden für Stabens Geschmack. »Bloß war der alte Herr etwas …«

»Starrsinnig«, bot Staben an.

»Genau das!« Kobisch war erleichtert, dass er das nicht selbst hatte sagen müssen.

»Also hat Lübbe junior wohl noch keine Pläne für die kommenden Monate, außer er versucht weiter mit Herrn Peschmann zu verhandeln …«

»Vergessen Sie die Sache mit diesem ›Kräfte-Zusammentun‹, da hätte der Peschmann ohnehin nicht mitgemacht. Nie und nimmer! Klar, für den Peschmann wird es jetzt auch ganz schön knapp, aber vielleicht wird's ja noch was mit seinen Herrenanzügen.« Kobisch kicherte.

Was es bitte auf sich habe, fragte Staben, mit diesen Anzügen?

»Na, Herrenkonfektion wollte der Peschmann so gerne machen. Anzüge von der Stange. Das hat er vor zwei Jahren schon mal probiert, aber da ist er gescheitert. Grandios gescheitert, kann man wohl schon sagen. Hat er selbst zugegeben und seitdem hat's in Frankfurt auch kein anderer mehr probiert. In Berlin geht so was zwar ganz gut, aber in Frankfurt?« Er überlegte. »Liegt vielleicht da dran, dass die Menschen doch zu unterschiedlich sind, von den Maßen.«

Stabens Gefühl nach machte Kobisch es sich allzu einfach. Er glaube nicht, widersprach er, dass Berliner und Frankfurter so unterschiedlich gebaut seien.

»Aber irgendeinen Grund muss es doch geben, wenn sich das Zeug hier nicht verkaufen lässt.« Er überlegte nochmals und glaubte, des Rätsels Lösung gefunden zu haben. »Vermutlich, weil die Leute hier anspruchsvoller sind. In diesen Konfektionshäusern hab ich ja schon so manches verpfuschte Stück gesehn, das war so schief, wie wenn's für 'nen Buckligen wär. Meine persönliche Meinung ist ja immer noch, auch die kleinen Leute haben das Recht auf einen gutsitzenden Anzug, der nicht zwickt und nicht unter den Achseln aufgeht, wenn man das erste Mal hineinfährt«, erklärte der Modekönig großzügig. »Wieso sollte jemand so einen Murks kaufen?«

Staben dachte mit Unbehagen an seine eigenen Anzüge, die ebenfalls von der Stange gekauft waren. »Weil es billiger ist«, warf er tapfer ein.

»Es wird aber nicht immer billiger«, belehrte ihn Kobisch, »irgendwo kommt auch ein Konfektionär an die Preisgrenze. Ja, die Lohnkosten können sie drücken und drücken. Aber irgendwann geht's ans Material. Gute Anzugstoffe sind teuer.« Kobisch grinste. »Wenn Sie hochwertige Materialien wollen – Peschmann sagt immer ›hochwertig‹, hat er das auch zu Ihnen gesagt?«

Staben wollte Kobisch den Triumph nicht gönnen und schüttelte den Kopf.

»Also, wenn Sie ›hochwertige‹ Stoffe wollen, da müssen Sie zahlen. Die besten Sachen kommen ja immer noch aus England, grad für Anzüge. Und da kommen die Einfuhrzölle noch dazu, das hebt wieder den Preis. Qualität hat eben ihren Preis.« Kobisch zupfte einen unsichtbaren Flusen von seiner Anzughose. »Oder sagen wir so: Wenn man auf Qualität hält, darf man nicht immer auf den Preis schielen.« Diese Formulierung gefiel ihm anscheinend noch besser als die erste. »Nur mit Qualität kann man sich behaupten, mit Veränderungen *und* Qualität. Leider hat das der Lübbe nicht sehen wollen, so ist es. Ich hab ihm ja längst gesagt, er muss was tun – aber das ist nur meine persönliche Meinung …«

Diesmal kam Staben ihm freundlich entgegen: »Was hätten Sie an seiner Stelle getan?«

Kobisch reckte und streckte sich und verkündete seinen Plan, wie er dem Lübbe neue Kunden hatte verschaffen wollen, Gesellschafterinnen und Dienstboten seiner eigenen Klientel. Hier geriet er kurzfristig vom Thema ab und erzählte Staben, wie er erst vor kurzem eine Prinzessin aus dem norddeutschen Raum seinem Kundenstamm hatte einverleiben können, fand dann aber wieder zu Lübbe zurück. »Aber der hat ja meine Ratschläge immer in den Wind geschlagen, hat sich nie helfen lassen wollen. Dabei wär es so praktisch gewesen: Er fertigt für die Bürger an und für die Dienstboten und ich – nun, mein Geschäft ist mehr was für die exklusive Kundschaft. Kein Grund für Neid, würd ich meinen, das ist Arbeitsteilung.« Er könne nur hoffen, wenigstens werde sich jetzt Lübbes ratloser Sohn zugänglich zeigen und erlauben, dass Kobisch dem Geschäft ein wenig unter die Arme greife.

»Sie scheinen ja viel Anteil zu nehmen am Geschäft Ihres verstorbenen Konkurrenten«, sagte Staben und merkte, es klang ironisch, was er gar nicht beabsichtigt hatte.

Kobisch hingegen hatte es nicht bemerkt. »Natürlich nehme ich Anteil. Sehr sogar. Wie gesagt, wir waren ja gar keine Konkurrenten, jahrelang haben wir in Eintracht nebeneinander gelebt. Und ich kann doch nicht tatenlos zusehen, wie so ein traditionsreiches Geschäft, so ein tadelloses Geschäft zugrunde geht – nicht nach so langer Bekanntschaft, also von Freundschaft muss man da schon eher sprechen. Da hat man Verantwortung, auch für seine Witwe und den Sohn.«

»Der Sohn hat mir erzählt, bis vor kurzem hätten Sie und sein Vater sich eine Loge in der Oper geteilt?«

Kobisch nickte.

»Jetzt aber nicht mehr?«

»Ha, Sie sind nicht von hier«, lachte Kobisch. »Das war in der *alten* Oper. Jetzt haben wir eine *neue.*« Er begann die Vorzüge dieses Baus zu erörtern, der, wie er andeutete, zu einem nicht unwesentlichen Teil von ihm selbst gestiftet worden sei. »Steht erst seit 1880.«

Und warum hätten sie sich in der neuen Oper denn nicht wieder eine Loge geteilt?

»Ich bedaure, aber das hat ja mit dieser Sache gar nichts zu tun, ist schon so lange her«, erklärte Kobisch milde und ließ sich stattdessen lang und breit über die Schönheiten des neuen Operngebäudes aus. »Haben Sie den Pegasus auf dem Giebel gesehen? Also, das ist mein Liebling, mit Haut und Sehnen einem echten Gaul nachgestaltet, bis ins kleinste Detail. Die ganzen anderen Figuren – Goethe und Kleist und Mozart –, na ja. Wir haben genug Denkmäler von den ganzen Schreiberlingen und so weiter. Aber der Pegasus, der ist die Krönung!«

Ja, der Pegasus sei ihm auch gleich aufgefallen, antwortete Staben. Wenn es einmal ein richtiges Unwetter gab, so seine eigene Einschätzung, würde der direkt heruntergesegelt kommen, aber das behielt er für sich. Bevor Kobischs Lokalpatriotismus noch weitere Kreise ziehen konnte, bedankte er sich artig für das Gespräch und hatte, alles in allem, das Gefühl, sich trotz anfänglicher Unsicherheit gut behauptet zu haben. Aus der Nähe besehen, war dieser Gentleman, wie die Witwe Lübbe ihn genannt hatte, doch gar nicht so einschüchternd, trotz Pianino, Marmortischchen und norddeutscher Prinzessinnen, und Staben fand, er hätte das Gespräch mit dem Experten fürs ›Exklusive‹ sehr gut auf die wesentlichen Fragen und jetzt souverän zum Ende hingesteuert.

Das war ein Trugschluss: Kobisch war der Steuermann gewesen. Im Ladenraum reichte der Angestellte einer Dame Tee, die anscheinend kürzlich erst eingetreten war und etwas von einem Termin murmelte, den sie für halb zwölf Uhr ausgemacht hatten. Die Übergabe der Kundin klappte wie am Schnürchen. Ja, er hätte sie schon erwartet, rief Kobisch, eilte auf die Dame zu, verbeugte sich, küsste die Hand, verehrte ihr eine Rose. Der Angestellte hielt Staben höflich die Tür auf. Er trat auf die Zeil und schaute auf die Uhr: exakt halb zwölf.

Seitdem August und Anna Zeller das Wirtshaus ›Zum Eber‹ übernommen hatten, war es bei der Polizei ebenso bekannt geworden wie bei den Genossen im Umland und im Ausland: Hinter der Theke kursierten sozialdemokratische Pamphlete, im Kollegzimmer wurden Pläne für die Landagitation der nordhessischen Bauern geschmiedet. Und der Eber, den das Wirtshaus im Namen trug, war ursprünglich ein roter Eber gewesen mit einem entsprechend bemalten Holzschild.

Im ersten Eifer der Sozialistengesetze hatten Schutzleute das Schild misstrauisch beäugt und dann den Wirt zur Rede gestellt. Rot, das sei verboten. Er solle das Tier in einer anderen Farbe anstreichen. Wenn das so sei, hatte Zeller erwidert, werde er das Schild einstweilen abnehmen. Aber ummalen werde er seinen Eber ganz gewiss nicht, bloß wegen diesem Bismarck! Daraufhin hatte er das Holzschild im Keller verstaut, wo es nun seit gut sechs Jahren lagerte, mit der Zeit seine rote Farbe ganz von alleine verlor und immer noch hoffnungsvoll auf das Ende der Bismarckschen Ära wartete.

Kurz nach Mittag waren die meisten Gäste bereits gegangen. Sie hatten den Raum mit Rauch gefüllt, die Theke quoll über vor schmutzigen Gläsern, mit denen das Wirtspaar zu kämpfen hatte. Ein Übriggebliebener bestellte sein letztes Bier und erkundigte sich, ob es irgendetwas Neues gäbe vom Otto Rader.

»Nichts.« Der Wirt schüttelte den Kopf. »Der sitzt immer noch in der Konstablerwache, wir haben keine Nachricht, nicht mal das kleinste Zettelchen. Und besuchen können wir den schon gar nicht. Aber immerhin hat er jetzt einen Anwalt, vielleicht kann der diesen Preußen mal auf die Finger gucken. Ausgerechnet der Otto! Dass es gerade den erwischt hat, wo er doch erst seit so kurzem hier ist …«

»Ich fand aber, der war die ganze Zeit schon so übereifrig«, meinte der Gast. »Das musste doch schief gehen, früher oder später.«

»Das eine hat mit dem anderen doch nichts zu tun«, wandte Anna Zeller ein. »Schließlich haben sie ihn ja nicht festgenommen, weil er so übereifrig war, wie du's nennst, sondern weil er jemand erschossen haben soll.«

»Hat doch eins mit dem anderen zu tun«, verteidigte sich der Zurechtgewiesene. »Wenn er nicht immer so große Töne gespuckt hätte, dann wär er auch nicht entlassen worden. Und dann hätte man ihn auch nicht verdächtigt, den Mann erschossen zu haben.«

»Du solltest froh sein, wenn ein Neuer kommt und so viel Überzeugung entwickelt für unsere Sache«, fand der Wirt. »Dafür, dass er im Odenwald von einer sozialistischen Gesellschaft noch nicht mal gehört hat, hat der Otto schon so einiges gelernt und auch viel getan in den letzten paar Monaten.«

»Viel getan«, wiederholte der Gast aufgebracht. »Zu viel, möcht ich meinen, aber nix begriffen. Der meint doch grade, er müsste nur ein paar Flugblätter unter den Leuten verteilen und dann erheben sie sich und schon ist die Revolution da. Was versteht der schon? Produktionsmittel, das sind für den doch bloß Nähmaschinen.«

»Nähmaschinen *sind* Produktionsmittel«, erinnerte Frau Zeller. »Und wenn alle Frankfurter Schneider streiken würden, wenn sie sich gar mit den Berlinern zusammentäten – da könnten sie sicher den Zehn-Stunden-Tag durchsetzen und eine richtige Krankenversicherung bekämen sie auch.«

»Aber keine Revolution«, beharrte der Gast.

»Hat ja auch keiner behauptet!«, zischte Anna Zeller.

»Aber der Otto sagt immer ...«

»Die vom Land sprechen halt manchmal eine andere Sprache«, ging der Wirt freundlich dazwischen, »und viel Erfahrung hat er auch nicht. Das hätten wir dem schon beigebogen.«

»Na, vielleicht«, sagte sein Gegenüber ein wenig versöhnt und begann sich zu genieren. Immerhin sprachen sie hier über einen, der mit einem Bein schon im Grab stand. »Mein Gott, das ist ja jetzt auch unwichtig. Hauptsache, sie lassen ihn erst mal wieder frei.«

»Das ist die Hauptsache«, bestätigte Zeller und seufzte tief.

»Du hast gut seufzen«, rief ihn seine Frau, deren

Empörung in der Zwischenzeit auf ihren Mann umgeschwenkt war. »Willst du einfach herumstehn und deine Gläser trockenreiben und zuschauen, wie sie den Otto erhängen? Oder wie sie ihm den Kopf abschlagen?«

»Natürlich nicht«, brummte Zeller.

»Sondern?«, bohrte seine Frau nach. »Was willst du tun? Gehst du endlich zur Polizei und erzählst denen alles?«

»Aber das geht doch nicht!«, entgegnete ihr Mann und rieb energisch ein Bierglas blank. »Jeden Montag kommen sie her und wollen uns endlich dabei erwischen, wie wir hier die Zeitung verteilen. Die würden mich doch selber verhaften. Schau mal«, schlug er einen versöhnlichen Ton an, »wenn sie den richtigen Mörder nicht finden und wenn es zum Prozess kommt, dann gehen wir natürlich allesamt zur Polizei und machen unsere Aussage. Das hat der Otto seinem Anwalt so gesagt und wir haben's dem auch versprochen. Aber eben nur im Notfall! Am End würden sie uns sogar ausweisen!«

»Besser, einer ist ausgewiesen, als der andere ist tot«, fand Frau Zeller.

»Du kannst es wohl gar nicht mehr erwarten«, versetzte Zeller beleidigt. Wie konnte sie auch nur einen Moment lang glauben, er wolle Raders Leben aufs Spiel setzen? »Früher oder später weisen sie mich eh aus und den Otto dazu. Dann wirst du schon sehen, wie das ist.«

»Das seh ich ja dann«, stimmte Frau Zeller zu. »Und stell endlich das Glas weg, das ist doch kein Ruderpokal!«

Es folgte eine Pause, die von dem Gast benutzt wurde, um sich unauffällig mit seinem Bier davonzustehlen. Und von den Eheleuten, einander möglichst unnachgiebig zu fixieren.

Plötzlich schwenkte Zellers Blick um in den Schankraum. »Was wird das denn?«

»Was?«, fragte seine Frau unwirsch und hielt es für ein Ablenkungsmanöver.

Die Tür war aufgegangen und gab den Blick frei auf eine gut gekleidete junge Dame, die in voller Montur zwischen den Tischen hindurchraschelte und sichtlich mit der dicken Luft kämpfte. Tabakrauch, Bier und der Geruch verschwitzter Männer machten ihr anscheinend zu schaffen – aber sie zwängte sich vor bis zur Theke.

»Ein Glas Wasser bitte«, sagte das Fräulein unsicher, erklärte, sie fühle sich ein wenig schwach und stützte sich auf die Theke.

Kein Wunder bei der Taille, dachte Anna Zeller und betrachtete den ungewöhnlichen Gast doch mit Interesse. Mühsam besann sich ihr Mann seiner Wirtspflichten, bewahrte Karolines linken Ärmel vor einer Bierlache und stellte ein Glas Wasser vor sie hin. Aber dann nahm sie nur einen einzigen Schluck, holte tief Luft und nahm Anlauf zu einer längeren, umständlichen Erklärung. Sie sei eine Bekannte von Frau Rader, deren Mann seit dem Dienstag verdächtigt werde, seinen Meister umgebracht zu haben. »Haben Sie davon gehört?«

»Hab ich.«

»Und jetzt bin ich gekommen, weil Sie den Rader doch am Montagabend …« Mit diskreten Blicken zu den wenigen noch anwesenden Gästen deutete Karoline an, dass sie momentan nicht ausführlicher darüber reden könne.

Zwei, drei Nachfragen und der Wirt hatte sie durchschaut. »Sie wissen überhaupt nichts über den Rader«, lachte er, »und Sie sind auch nicht seine Bekannte.« Er rettete Karolines Ärmel zum zweiten Mal vor der Bierlache und nahm seine Schürze zu Hilfe, um die Theke abzuwischen. »Also, wer sind Sie dann?«

»Na ja.« Karoline nahm noch einen Schluck Wasser und entschied sich für die Wahrheit. Sie sei die Tochter desjenigen Anwalts, der es übernommen habe, den Otto Rader zu verteidigen. Sicher erinnere er sich, ihr Vater sei gestern erst hiergewesen, Stern sei der Name. Der Wirt stimmte weder zu, sich zu erinnern, noch stritt er es ab. Er schaute Karoline mit einer Mischung aus Misstrauen und Belustigung zu, während sie eine geraume Zeit lang versuchte, ihm klarzumachen, dass sie gekommen sei, weil sie an Raders Unschuld glaube und das Ihre tun wolle, um diese Unschuld zu beweisen. Dann blinzelte er ungläubig. »So. Und Sie sind also die Tochter, aha.« Was die ganze Unterhaltung wieder an den Anfang zurückwarf.

»Meine Güte, August, stell dich doch nicht dümmer, als du bist!« Jetzt hatte Anna Zeller aber genug von den beiden. Sie warf ihr Handtuch auf die Theke und zog Karoline in die sich anschließende Küche. »Also, was wollen Sie denn nun von uns?«

»Ich mache mir Sorgen, weil Rader nicht sagen will, wo er um diese Zeit gewesen ist.«

»Wenn er es selbst nicht sagen will, wieso machen *Sie* sich dann Sorgen?«

»Vielleicht *würde* er es ja gern sagen, aber er traut sich nicht. Vielleicht nimmt er Rücksicht auf jemand anderen«, erwiderte Karoline. »Und diesem anderen ist anscheinend nicht klar, dass Rader unschuldig verurteilt wird, wenn er nicht endlich mit der Wahrheit herausrückt.«

»Was Sie wollen?!«, erinnerte die Wirtsfrau energisch.

Sie wolle die Person, die bezeugen könne, dass Rader zu der fraglichen Zeit nicht den Mord begangen haben konnte, noch einmal bitten, sich dies noch einmal genauestens zu überlegen. Denn immerhin stehe auf einen Mord die Todesstrafe, und es sei geradezu leichtsinnig …

»Soll diese Person etwa ich sein?«, fragte Frau Zeller.

Karoline zögerte. Bloß der Name der Kneipe hatte in den Notizen ihres Vaters gestanden, nicht derjenige von Anna Zeller. »Vielleicht«, sagte sie daher vage.

»Na, so was!«, rief Frau Zeller. »Als ob es mir gleichgültig wäre, wenn sie einen Unschuldigen hinrichten. *Wenn* ich Rader am Montagabend hier sein Bier hätte trinken sehen, dann wäre ich auch zur Polizei gegangen und hätte es gesagt. Mein Mann ebenso.«

»Aber Sie kennen ihn doch?«

Statt einer Antwort stellte Frau Zeller eine Gegenfrage. »Wieso interessiert Sie das überhaupt?«

»Immerhin sitzt der Rader im Gefängnis, während der Mörder frei draußen herumläuft.«

»Ist aber eigentlich nicht Ihre Aufgabe, sich darum zu kümmern«, sagte die Frau, »sondern Aufgabe der Polizei.«

»Schon«, räumte Karoline ein, »aber ich habe nicht den Eindruck, dass die sich viel Mühe geben. Wo sie jetzt schon mal einen Verdächtigen haben, lassen sie ihn nicht mehr frei. Und seine Frau sitzt derweil mit den Kindern zu Hause und flickt Hemden und hat kein Geld für gar nichts.«

Frau Zeller runzelte die Stirn. »Woher kennen Sie denn seine Frau? Arbeitet sie für Sie?«

»Nein. Ich kenne sie aus der Israelitischen Suppenanstalt, da ist sie mir begegnet. Sie war ganz aufgelöst, weil ihr Mann seine Arbeit verloren hatte, und nach der Suppenanstalt habe ich sie zu Hause besucht.«

»Die Israelitische Suppenanstalt«, wiederholte Frau Zeller langsam und Karoline wusste nicht, ob die Betonung auf der ersten oder der zweiten Hälfte lag. In den höchsten Tönen – und damit etwas begeisterter, als sie wirklich war – begann sie die Vorzüge der Einrichtung zu schildern.

»Sie brauchen mir nichts zu erzählen«, schnitt Frau Zeller ihr das Wort ab. »Ich weiß schon. Wohlhabende Damen in seidenen Gewändern tauchen die Kelle in einen Kessel, um ›ihren Teil dazu beizutragen‹.«

Karoline verzichtete darauf, diese Frau darüber aufzuklären, dass die Straßenkleider der fleißigen Suppenköchinnen nicht aus Seide genäht waren, sondern fragte nur empört, was bitte daran falsch sein könne, wenn man versuche, einen Teil dazu beizutragen, dass Kranke und Wöchnerinnen nicht hungerten.

»Das machen diese Frauen doch nur, um ihr Gewissen zu beruhigen«, erklärte Frau Zeller, »weil sie sehen, dass es den anderen um sie herum so viel schlechter geht als ihnen selbst.«

»Möglicherweise«, antwortete Karoline, aber wenn man ein solch schlechtes Gewissen habe, sei es doch besser, sich in Wohltätigkeit zu üben, als gleich die Hände in den Schoß zu legen.

»Das mit der Wohltätigkeit ist doch alles leeres Gerede«, versetzte Anna Zeller kategorisch, »auf diese Weise ändert sich nichts.« Ihrer Meinung nach liege die Wurzel des Übels ganz woanders und die bürgerliche Gesellschaft und ihre Gesetze sanktionierten es auch noch. Solange sich die Produktionsmittel in den Händen einiger weniger und nicht in der Hand der arbeitenden Allgemeinheit befänden, könnten diese wenigen die anderen nach Strich und Faden ausbeuten.

»Wenn Sie mir bitte erläutern würden, was Produktionsmittel sind«, unterbrach Karoline gereizt.

Das erläutere sie nur zu gern, erwiderte Anna Zeller und sprach von Kapital, Maschinen und Fabriken.

»Nun«, Karoline geriet ein wenig in Rage, »ich finde es zwar auch nicht richtig, dass die einen Fabriken besitzen und die anderen Tag und Nacht arbeiten müssen für einen Hungerlohn. Allerdings sehe ich nicht, was ich persönlich dagegen tun kann, denn *meine* Familie zum Beispiel besitzt keine Fabrik, selbst wenn Sie dies vielleicht vermuten, und daher kann ich auch keine Arbeiter an diesen ›Produktionsmitteln‹ teilhaben lassen. Und so lange werde ich wenigstens das tun, was in meiner Macht steht.«

Auf diese Weise wogen sie noch eine Weile lang das Für und Wider privater Almosen gegeneinander ab und kamen schließlich in einer Art höflichem Kompromiss überein, dass auf diese Weise nicht die Not aller geändert werden könne. »Damit das mal ein gutes Ende findet, braucht es schon mehr als Almosen und einen Teller Suppe«, resümierte Frau Zeller und Karoline beschloss, es dabei bewenden zu lassen. »Deswegen interessiert mich ja auch der Lübbe, der war nämlich ein Abgeordneter von der Demokratischen Partei und hat sich sehr für die neue Armenordnung eingesetzt. ›Nie hat er Ruhe gegeben, wenn irgendwo Unrecht war‹«, zitierte sie Lübbes Witwe und sah, wie Frau Zeller schon wieder missbilligend die Stirn in Falten zog. »Kannten Sie ihn?«

»Nicht persönlich«, sagte Frau Zeller. Als Letztes habe sie vor zwei Monaten von ihm in der Zeitung gelesen, da sei es um Abrisspläne in der Altstadt gegangen. »Er fand es anscheinend gefährlich, all die alten Häuser abzureißen und die Bewohner dann nach draußen umzusiedeln. Da würden dann Elendsviertel entstehen wie in Berlin und stattdessen sollte man dafür sorgen, dass jeder, der Wohnungen abreißt, mindestens genauso viele wieder hinbaut. Das war wohl seine neueste Idee.«

»Aber es ist doch eine *gute* Idee?«, beharrte Karoline.

»Sehr edel, jawohl«, meinte Frau Zeller. »Leider hätte er nie genug Verbündete dafür gefunden, nicht mal in seiner eigenen Partei. Und irgendwann hätte er auch das wieder aufgegeben, so wie er sich vorher schon bei der Armenordnung auf einen billigen Kompromiss eingelassen hat und wie er bei der Krankenversicherung irgendwann einen Rückzieher gemacht hat. Der Lübbe war so ein richtiger Hü-und-hott-Politiker.«

»Was, bitte sehr, ist ein Hü-und-hott-Politiker?«, fragte Karoline ungehalten.

»Einer, der andauernd die Richtung wechselt«, erläuterte Anna Zeller. »Aber eins versteh ich nicht: Ist es jetzt der Lübbe, wegen dem Sie hergekommen sind, oder ist es der Rader?«

Karoline musste selbst kurz überlegen, wie das eine mit dem anderen zusammenhing. Zunächst hatte sie sich über den Lübbe gar keine Gedanken gemacht: Dass er den Rader entlassen hatte, sprach nicht gerade für ihn. Aber inzwischen hatte sie so viel über Lübbes politische Ideen erfahren, sie hatte Leute vom Schlage Elberts gegen ihn wettern gehört. »Wegen beiden«, meinte sie schließlich. »Beides gehört doch zusammen: Die Polizei verdächtigt Rader, weil für sie alle armen Leute grundsätzlich verdächtig sind. Und Lübbe wurde vielleicht umgebracht, weil er sich für die armen Leute eingesetzt hat.«

»*Die armen Leute*«, wiederholte Frau Zeller gedehnt. »An Ihrer Stelle würde ich mal diejenigen besuchen, für die der Lübbe zuständig war. Gehen Sie zu denen nach Hause und fragen Sie die mal.«

»Meinen Sie etwa, einer von den Armen hat ihn umgebracht?« Allein schon der Tonfall der Wirtsfrau entsetzte Karoline. »Wieso soll denn ausgerechnet einer von denen ausgerechnet – wo der Lübbe doch so viel für sie getan hat …«

»Vielleicht sehen die das anders. Könnte doch sein, dass einer mehr Unterstützung von dem Lübbe verlangt hat und als der Lübbe abgelehnt hat, seine Bitte vor dem Armenamt zu vertreten, hat er sich rächen wollen.« Die Wirtsfrau lächelte, wie Karoline fand, fast schadenfroh und setzte noch einen Satz drauf. »Daran wollen Sie wohl lieber nicht glauben, was? Das passt mit Ihrem Mitleid wohl nicht zusammen? Für die Polizei sind alle Armen grundsätzlich verdächtig und für Sie sind sie grundsätzlich unschuldig.«

»Mir würde es jedenfalls reichen zu wissen, dass der Rader unschuldig ist«, meinte Karoline diplomatisch. »Wenn es einer von den armen Leuten war, will ich es jedenfalls lieber nicht wissen.«

»Wieso denn nicht?«, bohrte Frau Zeller nach, »Sie haben doch selbst gesagt, dass man beim Unrecht keine Ruhe geben soll. Dann muss jeder für seine Verbrechen zur Rechenschaft gezogen werden, egal ob er nun reich oder arm ist.«

Das war ja die Höhe! Karoline fand es an der Zeit, den Spieß wieder umzudrehen. »Es wundert mich, dass ausgerechnet Sie so viel Vertrauen in die Polizei setzen und in die Notwendigkeit, alles Ungesetzliche aufzuklären. Sie gehen ja nicht mal zur Polizei, obwohl Sie etwas über den Rader wissen!«

Frau Zeller begann bloß, lauthals zu lachen. »Sie sind wirklich gewitzt«, sagte sie. »Viel zu schade für eine Suppenanstalt. Um so mehr empfehle ich Ihnen, mal die Armen zu besuchen.«

Diese Frau ist unverschämt, dachte Karoline wütend und bahnte sich zwischen Tischen und Stühlen ihren Weg zurück nach draußen. Wie sie die Suppenanstalt ins Lächerliche gezogen hatte, dieses großspurige Gerede über die ›Produktionsmittel‹. Manches davon schien zwar einigermaßen vernünftig zu sein – aber hatten die Worte nicht ein wenig aufrührerisch geklungen?

Die trägt den Kopf so hoch oben und ist eine Idealistin durch und durch, fand Anna Zeller, sitzt den ganzen Tag zu Hause und hat keine Ahnung von dem Leben der Menschen um sie herum. Armes Mädchen, dachte sie sogar und schalt sich dann selber: Jetzt hat sie mich schon angesteckt mit diesem Mitleid.

Dieser Herr Kobisch schien ja außerordentlich gut Bescheid zu wissen, dachte Staben zufrieden, sowohl, was das Schneiderwesen im Allgemeinen, als auch, was Lübbes Geschäfts- und Familienverhältnisse im Besonderen anlangte. Und eines war neu: Nicht nur Lübbe & Sohn drohte von den Konfektionären überrannt zu werden, nein, auch Peschmann biss sich bisweilen vergebens die Zähne an seinem Konkurrenten aus. Hatte Anzüge von der Stange herstellen wollen, die aber mit den maßgeschneiderten nicht hatten mithalten können.

Das ist neu, wiederholte Staben bei sich und wusste dann gar nicht, was genau er aus dieser Entdeckung eigentlich folgern konnte. Denn an der Unbeliebtheit von Peschmanns Herrenanzügen, an den Preisen des ›hochwertigen‹ Tuchs würde sich ja durch Lübbes Tod nicht viel ändern. Ein geschäftlicher Misserfolg vor zwei Jahren war nicht gerade das, was man ein überzeugendes Motiv nennen konnte. Aber trotzdem, sie waren Konkurrenten, hielt Staben fest und beschloss, er würde Peschmanns verwinkelte Wege überpüfen lassen.

Über Lübbe junior hingegen hatte Kobisch zwar kaum Neues zu enthüllen gewusst: Kein Streit, hatte er betont. Und der Tod seines Vaters brachte den Sohn sogar in die höchst unangenehme Situation, geschäftliche Entscheidungen zu treffen, für die er nicht vorbereitet war. Aber je genauer Staben sich ein Bild machen konnte von diesem Verhältnis zwischen Vater und Sohn, desto beklemmender schien es ihm. Zielstrebig steuerte er vom Rossmarkt auf die Zeil und legte sich währenddessen eine, wie er selbst fand, höchst raffinierte Strategie für die Befragung des Bürgermeisters zurecht. Ohne sich bei dem neuen Geschäftsführer zu melden, wand er sich unbemerkt durch die Herrenschneiderabteilung und tippte Merkel, der sich über eine Nähmaschine beugte, auf die Schulter.

»Oh, Sie sind es wieder. – Aber ich weiß gar nicht, ob ich Ihnen was Neues sagen kann«, entschuldigte sich der schon im Vorhinein, wippte unsicher mit dem Oberkörper hin und her und ähnelte damit mehr denn je einer Zitterespe.

»Bestimmt«, tröstete Staben und verpflanzte den Mann zum zweiten Mal in den dunklen Korridor. »Ich habe nämlich noch eine Frage zu dieser, sagen wir vorläufig, *Meinungsverschiedenheit* zwischen Lübbe senior und seinem Sohn.«

Der Mann schien verunsichert. »Habe ich Ihnen davon erzählt?«, fragte er vorsichtig.

»Nein.« Niemand hatte Staben etwas Derartiges erzählt.

Aber es gehörte zu seiner neuen Strategie. »Es war niemand aus dem Geschäft. Trotzdem hat es unser Interesse geweckt.« Wieso habe ich eigentlich ›wir‹ gesagt, dachte Staben erschrocken und fühlte sich an seinen Hausherrn Elbert erinnert. Denn auch der verwendete für seine großzügigen Belehrungen über Gott, die Welt und den Rest seines beschränkten Horizonts gern den Pluralis majestatis. Obwohl er diesen lateinischen Fachausdruck sicher nicht kannte – ganz im Gegensatz zu Staben selbst, der ein Musterschüler gewesen war und sich immer wieder gern an dieser Erinnerung erfreute. Er beschloss, für eine Weile bei dem Plural zu bleiben. »Sie verstehen sicher, wir müssen alles, was auch nur im weitesten mit den Auseinandersetzungen zwischen Lübbe und Rader zu tun hat, genau rekonstruieren.«

Der Mann schien zu verstehen.

»Deswegen wäre mir an einer zweiten Schilderung gelegen.« Uns, dachte Staben verärgert. Natürlich hätte es ›uns‹ heißen müssen!

»Sie meinen, neulich, als die sich gestritten haben?«

Staben nickte unbestimmt.

»Oder meinen Sie etwas wegen dem Geschäft?«

»Wir dachten, das hinge zusammen«, behauptete Staben kühn.

»Ja, das tut es wohl.« Der Mann seufzte leise. »Es geht mich ja überhaupt nichts an, ich weiß auch gar nichts über den jungen Lübbe, ich meine, ein junger Mann will auch seinen Spaß haben, heißt nicht, dass er nicht zuverlässig ist. Er arbeitet den ganzen Tag hart und wenn einer noch keine Familie hat, wieso soll er dann nicht?«

Soll er nicht – was?, dachte Staben und durfte nicht direkt nachfragen. »Was hat sein Vater denn dagegen gehabt?«

»Also, ich weiß es ja nicht genau, wie gesagt, ich kenne die Familie auch nicht persönlich, deswegen weiß ich nicht genau …« Staben winkte ihn weiter. »Aber schließlich hat er kein eigenes Geld gehabt und dann hat der Vater die Rechnungen gesehen …«

»Deswegen haben sie sich gestritten? Laut?«

Der Bürgermeister nickte bekümmert. »Es ist nicht schön, so vor allen Leuten. Das sollten doch die Angestellten eigentlich nicht mitbekommen, wenn Vater und Sohn sich in die Wolle bekommen. Aber in einem Familienbetrieb geht's nun mal so, manchmal.«

»Und wie hängt das mit den Auseinandersetzungen um das Geschäft zusammen?«

»Na, das haben *Sie* doch gesagt, dass es zusammenhängt«, erinnerte der Schneider treuherzig.

Womit er Recht hatte. »Ja, aber Sie haben zugestimmt. Außerdem, irgendwie hängt ja alles immer zusammen.«

Die Lübbeschen Angestellten waren Allgemeinplätze gewöhnt. »Das muss es wohl«, bestätigte Merkel zunächst und überlegte dann länger, bis er diesen Zusammenhang herstellen konnte. »Der Vater wollt ihm halt nicht so viel eigenes Geld einräumen, weil er gemeint hat, zuerst muss er an das Geschäft denken, das es schwer hat in diesen Zeiten. Und wenn der Sohn nicht so viel ausgeben würde für Theater und Amüsemang, dann würde es auch reichen. So hängt's wohl zusammen.«

Sohn und Vater im Streit um den Profit und Luxus – na, das hätte Staben sich denken können. »Hatte der Verstorbene denn keinerlei Pläne, an seiner geschäftlichen Situation etwas zu verändern?«, fragte er vorsichtig.

»Nein«, erklärte Merkel entschieden.

Ob er vielleicht versucht habe, sich mit anderen Schneidern zusammenzutun – gerade angesichts des Kaufhauses, das in nächster Zeit gebaut zu werden drohte.

»O nein«, wiederholte der andere. »Wie kommen Sie denn darauf?« Gekränkt blickte er hoch. »Hat dieser andere Ihnen davon erzählt? Also, ich muss schon sagen, mir hat man nichts erzählt.« Er schluckte. »Das ist aber doch etwas, das ganz unmittelbar mit dem Geschäft zusammenhängt. Nicht, dass ich mit dem Lübbe so vertraut gewesen bin, aber das hätte ich doch gerne gewusst.«

Staben versuchte zu trösten: Es sei reine Spekulation gewesen.

»Das hätte mich auch sehr gewundert.« Erleichtert wiegte der Bürgermeister seine Krone hin und her wie in einem milden Augustwind. »Was hätte das auch heißen sollen, ›mit anderen Schneidern zusammentun‹?«

Eben, dachte Staben bei sich, so genau konnte sich das anscheinend niemand vorstellen. Außer dem Verstorbenen selbst.

»Und hat der Sohn denn nun eigene Pläne, wie es weitergehen soll?«

»Na ja.« Merkel kratzte sich am Kopf und schaute den Kommissar betreten an. »Pläne – aufräumen will er, hat er gesagt und heut Morgen gleich noch zwei Schneider rausgeworfen. Und dann – also er sitzt immer mit dem Buchhalter zusammen und heut Morgen war er bei Kobisch, um sich ein bisschen zu beraten …«

»Er war bei Kobisch?«

Eine ganz vernünftige Idee, fand Merkel. »Jetzt hat er die ganze Verantwortung, dabei kennt er sich doch gar nicht so gut aus.« Dann fiel ihm wohl ein, dass er gerade von seinem neuen Arbeitgeber sprach und erschrocken fuhr er mit der Hand zum Mund. »Pardon.«

Das mit der Verantwortung, dachte Staben, das hatte die Witwe nun auch schon gesagt und Kobisch ganz ähnlich. Dabei musste Lübbe junior doch mindestens um die Dreißig sein, der einzige Sohn, immer noch nicht auf dem Firmenschild dieser traditionsbewussten Familie eingetragen und von dem Vater nicht ganz für voll genommen. In solch einer Situation mochte dem einen oder anderen das Warten auf den natürlichen Wechsel der Generationen lang werden. Und ob er wirklich so unvorbereitet war, was das Antreten seines Erbes anging, das würde sich erst in den nächsten Monaten herausstellen.

Schon als Karoline sich der Wohnungstür näherte, merkte sie an dem Geräuschpegel, dass etwas anders war als sonst. »Was ist denn hier …?«, begann sie, aber ihr Vater kam sogleich aus dem Wohnzimmer und schaute sie warnend an. »Deine Großmutter ist da!«, flüsterte er ihr zu. Tatsächlich konnte Karoline jetzt den

Wechsel zweier weiblicher Stimmen erkennen: die ihrer eigenen Mutter, in merkwürdig hoher Tonlage, und die von deren Mutter.

Der Gesichtsausdruck ihres Vaters wiederum schwankte zwischen Ärger und Sorge. »Ich muss schon sagen, Karoline, sie hat da Sachen erzählt! – Achtung, sie kommt!« Die Tür des Malzimmers öffnete sich und Karolines eindrucksvolle Ahnin stürmte heraus. »Da bist du ja, Karoline!« Sie schob Vater und Tochter ins Wohnzimmer, und zwar mit einer Miene, die die Frage nach dem werten Befinden gar nicht erst zuließ. »Wo bist du heute gewesen?«

»Ich bin am Main entlanggelaufen.« Das war nicht gelogen, denn nach ihrem Besuch in der Kneipe hatte Karoline wieder einmal das dringende Bedürfnis nach Licht, Luft und Nachdenken in freien Räumen gehabt. Der Spaziergang zum Main, so musste sie selbst spöttisch feststellen, entwickelte sich anscheinend zu einer Art Kur nach der Begegnung mit den unteren Klassen.

»Allein?!«, rief Frau Cramer vielsagend.

»Großmama, das ist heute nichts Ungewöhnliches mehr. Alle junge Frauen gehen längst allein durch die Straßen, da ist überhaupt nichts dabei.«

Ihre Großmutter erklärte ihr, dass, wenn alle Mädchen etwas machten, das noch lange kein Grund sei, dass Karoline es auch machen solle. »Und wo warst du sonst noch?«

»Davor? Davor war ich in der Suppenanstalt!« Auch das stimmte. Nachdem sie zum Präsidium gegangen war, hatte sie im Röderbergweg Kartoffeln geschält.

»Ja, diese Suppenanstalt, das ist auch so ein Kapitel für sich. Das ist doch nichts für ein Mädchen in deinem Alter!« Womit Frau Cramer sagen wollte, dass junge Frauen Anfang Zwanzig ihre Zeit vielleicht besser mit der Suche nach einem Ehemann verbringen sollten. Herr Stern schaltete sich ein und erklärte, dass Frau Oswald und Frau Rosenblum immerhin auch da seien und insofern die Schicklichkeit trotz allem nicht bezweifelt werden könne.

»Und außer im Röderbergweg warst du wohl nirgends?«

Karoline zog es vor, zu schweigen und gleich ein beschämtes Gesicht zu machen. Ihre Großmutter sah es mit Befriedigung. »Ja, das ist mir wohl zu Ohren gekommen, dass du in dieser schrecklichen Kneipe gewesen bist. Ein Wirtshaus, Karoline, ein Wirtshaus! Oder willst du mir erzählen, dass heutzutage alle jungen Mädchen in Wirtshäuser gehen?« Das konnte Karoline nun nicht guten Gewissens behaupten, musste eine längere Strafpredigt über sich ergehen lassen und mit Entsetzen feststellen, dass ihre Großmutter über ihr Tun und Treiben erstaunlich gut informiert war. Woher konnte sie das nur wieder wissen?

Ungefragt und mit Empörung legte ihre Großmutter die Kette derjenigen offen, mit deren Hilfe sich die Nachricht wie ein Lauffeuer unter den älteren Damen des Viertels verbreitet hatte – bis sie schließlich den Fleischerladen und dort auch Frau Cramer erreicht hatte. »Ja, daran hast du nicht gedacht, dass in dieser Stadt die Wände Augen und Ohren haben. So etwas spricht sich schnell herum.«

Das fand Karoline allerdings auch, denn es war kaum eine Stunde her, dass sie die Kneipe verlassen hatte. »Mir war ein wenig übel, ich wollte ein Glas Wasser …«

»Kein Wunder, wenn dir zwischen diesen Leuten übel wird«, sagte die Großmutter. »Und eine richtige Entschuldigung ist es auch nicht. Wenn einem übel ist, hält man das Taschentuch vor den Mund und zählt bis zwanzig.« Dennoch war Frau Cramer, im Grunde eine liebevolle, nur momentan eben sehr besorgte Großmutter, ein wenig besänftigt. »Na, ich werde es den anderen trotzdem erzählen, das wird sie vielleicht beruhigen. Du kannst mir glauben, sie sprechen über nichts anderes mehr! Ist auch für deinen Vater schlecht, wenn sich so etwas unter seinen Klienten herumspricht!« Dann gab sie Herrn Stern noch einige Ratschläge zur Bändigung seiner weiblichen Angehörigen und Karoline solche zur Pflege der Inneneinrichtung und erhob sich schließlich von ihrem Richterstuhl. »So etwas fällt auf uns alle zurück«, sagte sie noch an der Wohnungstür, »und denk dran: In ein paar Jahren wirst du es bereuen, wenn die Leute so über dich sprechen. Sie werden sagen, du hast dich herumgetrieben. Und wer will eine Herumtreiberin zur Frau?!«

Vater und Tochter ließen sich in die Sessel sinken. »Großmama ist immer so besorgt, wie die Leute über sie sprechen«, murmelte Karoline, die, wenn es um Bewegungs- und andere Freiheiten ging, in ihrem Vater einen treuen Verbündeten vermutete.

Fälschlicherweise, denn immer noch schwankte Stern zwischen Ärger und Sorge. Jetzt aber, wo seine Tochter sich ob ihres Vergehens so gänzlich unbekümmert gab, gewann der Ärger überhand. »Vielleicht solltest du dich auch ein wenig darum sorgen, wie man über dich spricht!«, meinte er böse. Die Sache mit seinen Klienten hatte ihn etwas aus der Ruhe gebracht. Ebenso war es völlig zutreffend, dass die Familien junger Männer sehr auf den Ruf möglicher Bräute achteten. Nicht, dass eine Heirat sofort stattzufinden hatte, ein paar Jahre hatten sie noch Zeit. Aber als Herumtreiberin sollte seine Tochter trotzdem nicht gelten.

»Was hast du aber auch in einer Kneipe zu suchen gehabt, das ist doch wirklich kein Ort! Wo war das denn überhaupt? Zum Eber? Na, das ist ja was, woher hattest du denn die Adresse?« Karoline gestand, in ihres Vaters Notizen geschaut zu haben, und weitere Strafreden prasselten auf sie nieder. »Und alles wegen diesem Rader, was geht dich der Rader an? Ein Mord ist Sache der Polizei und wenn du die Frau auch hast weinen sehen, tausend Frauen weinen wegen ihren Männern, du kannst nicht zu allen hingehen und kannst auch gar nichts machen.«

Nach kurzer Zeit hatte Herr Stern sich freigeschimpft und lehnte sich in seinem Sessel zurück.

Bloß war sein Wohlbehagen nur von kurzer Dauer. Mit Unbehagen vermutete er erste Tränen in den Augen seiner Tochter, traute sich nicht mehr, sie anzublicken, und wurde von schlechtem Gewissen und Mitleid gepackt. »Na, jetzt lass den Kopf nicht hängen, ich hab es doch nicht böse gemeint.«

Karoline gab keinen Laut.

»So schlimm ist es nun auch wieder nicht.«

Karoline bekam Schluckauf und gab einen kleinen Schluchzer von sich und Herr Stern schmolz dahin. Schwierig seien diese Zeiten für junge Mädchen, räumte er ein, vor allem für solche, die so gescheit und modern seien wie seine Tochter, auf die er trotz allem sehr stolz sei. Fehler gehörten eben dazu. Er verstehe das ja, aber von der Großmutter könne man das nicht verlangen, sie hätte wohl ein bisschen übertrieben. Etwas ratlos, wie sie mit diesem Stimmungsumschwung umzugehen habe, blickte seine Tochter ihn an und Herr Stern befand bei sich, nachdem er seine Position deutlich gemacht habe, sei der Rest wohl Frauensache. »Geh mal zu deiner Mutter. Mal sehen, was die dazu zu sagen hat.«

Er klopfte seiner Tochter aufmunternd auf den Rücken, schnappte sich die Zeitung und konnte sich nicht konzentrieren. Was wusste er denn schon, was sie hinter seinem Rücken alles machte? Es gab ja genug Töchter, die ihren Eltern im Erwachsenenalter davonliefen, ohne dass die es überhaupt merkten. Brannten mit irgendwem durch oder nahmen heimlich eine Stellung an. Hatten eine Tante in ihre jugendlichen Schwärmereien eingeweiht und überredet, mit ihnen eine Weltreise zu unternehmen. Alles hinter dem Rücken der Eltern.

Aber doch nicht seine Tochter, oder? Nicht seine Tochter! Stern beschloss, zumindest den Leitartikel gründlich zu studieren.

Mit der einen Hand hielt sie sich die Nase zu, mit der anderen versuchte sie ihr Korsett zu lockern, um den Schluckauf wieder loszuwerden. Sie ging ins Malzimmer ihrer Mutter. »Es tut mir leid, Mama«, sagte Karoline gleich als Einleitung.

Ihre Mutter hatte sich aus diversen Büchern und Gegenständen eine Art Tischchen gebaut und ihre Skizzen vom sonntäglichen Ausflug darauf positioniert. Anscheinend versuchte sie sich am Altkönig. Auf Bestellung.

»Das habe ich deiner Großmutter versprochen. Sie will ein Bild vom Taunus, aber wie soll ich den Taunus zeichnen, wenn ich mitten in der Stadt bin?« Ihre Mutter hatte anscheinend Karolines Entschuldigung vollständig überhört. »Außerdem wird sie's sowieso nicht aufhängen. Sie hat noch nie etwas aufgehängt, was ich ihr gemalt habe. Nicht mal, als ich sie selbst porträtiert habe.« Frau Stern hielt inne und drehte sich um. »Was tut dir leid?«

»Dass ich in die Kneipe gegangen bin«, erklärte Karoline freimütig. »Ich weiß, es gehört sich nicht, aber ich wollte einmal direkt mit Leuten reden, die den Rader kennen. Der Rader ist doch der Mann, der unschuldig im Gefängnis sitzt.«

»Das gehört sich wirklich nicht«, stimmte ihre Mutter leidenschaftslos zu und brachte ein paar unmotivierte Tupfer auf die Leinwand.

»Sie war völlig aufgeregt, hat sogar Papa zurechtgewiesen, dass er mich überhaupt so frei herumlaufen lässt. – Hat sie etwa nicht mit dir darüber geredet?«

»Kann schon sein. Doch, ich meine mich zu erinnern. Sie hat irgendetwas von schmutzigen Gassen erzählt. Und dass unser Haushalt völlig verwahrlost. Aber ich kann mich beim besten Willen nicht mehr erinnern, wie beides zusammenhängt. Weißt du, Karoline, alles, was sie sagt, geht da rein«, ihre Mutter deutete mit der einen Hand auf ihr rechtes Ohr, »und da wieder raus.« In der anderen Hand hatte sie noch den Pinsel gehabt und ein blauer Farbklecks zierte jetzt ihre Haare hinter der linken Schläfe.

»Jetzt hast du Farbe im Haar. Nein, nicht daran ziehen, du musst es auswaschen!«

»Das ist Ölfarbe, das kann man nicht auswaschen.« Frau Stern schielte nach dem blauen Fleck am Rand ihres Gesichtskreises. »Das kriegt man höchstens mit Terpentin wieder heraus.« Sie reichte ihrer Tochter einen verschmierten Lappen. »Hier, da ist noch ein bisschen Terpentin drauf. Versuch mal, es wegzureiben.«

Karoline verteilte mit dem Lappen die Farbe über

die ganze Haarlänge. »Was ich dir erzähle, geht auch oft da rein und da raus.«

»Aber, Karoline«, erwiderte ihre Mutter leicht gekränkt. »Das ist doch gar nicht zu vergleichen, dir höre ich immer zu. – Was machst du denn da?«

»Ich suche eine Schere.« Karoline schnitt die blaue Strähne aus den Haaren, dann sah sie zu, wie ihre Mutter sich wieder vor ihrer Staffelei aufbaute, den Pinsel wie eine Waffe in der Hand, als wollte sie den Altkönig damit aufspießen. Das Porträt, das sich die Großmutter zum letzten Geburtstag gewünscht hatte, hatte diese im Übrigen nicht nur nicht aufgehängt, sondern sogar auf dem Speicher weggeschlossen, was Karoline vor ihrer Mutter aber geheim hielt. Und für dieses Taunus-Bild, so befürchtete Karoline, standen die Chancen auf einen Ehrenplatz im Cramerschen Wohnzimmer auch nicht besser. Ihre Mutter malte einfach zu modern.

»Ehrlich gesagt, war ich heute Morgen noch beim Polizeipräsidium. Also, dieser Kommissar ...« Karoline gab kurz ihren Eindruck von Stabens halbherzigem Engagement in Sachen Lübbe wieder, das sich vermutlich seiner preußischen Sturheit verdanke. »Da rührt sich nix! Einerseits glaubt er nicht wirklich, dass es der Rader gewesen ist, aber dann traut er sich nicht, den Mann freizulassen und nach dem richtigen Mörder zu suchen. Ich glaube, der steht vollkommen unter der Fuchtel von seinem Polizeipräsidenten. Und was der so alles anordnet, das wissen wir ja.«

»Ja.« Auch Frau Stern wusste davon.

»Ich persönlich glaube ja viel eher, dass der Lübbe sich politische Feinde gemacht hat. Na, Feinde ist vielleicht ein großes Wort, aber andererseits: Einen Mörder kann man ja wohl einen Feind nennen, oder nicht? Der Lübbe war doch auch ein Stadtverordneter von den

Demokraten und er hat sich sehr eingesetzt für die armen Leute. Seine Witwe hat etwas über ihn gesagt, was mir sehr gefallen hat: Nie hätte er Ruhe gegeben, wenn irgendwo Unrecht war. Das ist doch schön gesagt, oder?«

»Ja«, fand auch Frau Stern.

»Manche waren über seine Vorschläge gar nicht so glücklich, das hat die Witwe gesagt, und so klang es auch bei der Abendgesellschaft von den Bischoffs. Immerzu hat er Verbesserungsvorschläge gemacht, die Gesetze wollte er nämlich ändern. Die Gesetze, verstehst du? Und da könnte es doch sein, dass der eine oder andere nicht damit einverstanden war. Es gibt doch bestimmt einige, die Angst haben, man nimmt ihnen etwas weg, wenn man für mehr Gerechtigkeit sorgt. Das könnte doch auch ein Grund sein – ein Motiv, so sagt der Kommissar immer –, ein Motiv für einen Mord. Oder ist das etwa übertrieben, was meinst du?«

»Ja«, meinte Frau Stern.

»*Ja?* Du kannst doch nicht ›ja‹ sagen, wenn ich frage, findest du es eher so oder so?«

Frau Stern runzelte die Stirn in einer Form von Zerknirschung, die Karoline sofort richtig zu deuten wusste. »Du hörst mir überhaupt nicht zu!«

»Natürlich höre ich dir zu!«, erklärte ihre Mutter und stellte mit Erleichterung fest, dass sie sich erinnerte. »Du hast gesagt, du willst morgen ins Polizeipräsidium, weil der Lübbe ermordet wurde.«

An dieser Stelle gab Karoline die Unterhaltung auf und beschränkte sich lieber darauf, ihre Mutter bei ihrem künstlerischen Tun zu beobachten. Dies wiederum tat sie mit kritischer Distanz, denn mit Frau Sterns Malweise stimmte in ihren Augen etwas nicht. Von fern sahen die Dinge in etwa so aus, wie man es gewohnt war, aber wenn man näher herantrat, sah man es: Sie hatten keine klaren Konturen, bestanden aus Tupfern und Schwüngen und unpassenden Farben. »Den inneren Eindruck auf die Leinwand bringen«, nannte Frau Stern es und behauptete, es sei eine französische Methode. »Violett, wo gar keines hingehört«, nannte Karoline es bei sich. Kein Wunder, wenn die Großmutter solche Bilder nicht aufhängen wollte.

»Hat Großmama wieder ein Buch mitgebracht?«

»Ja, das hat sie. Sie hat es hier hereingebracht, dann hat sie es mir gegeben, dann habe ich es genommen, und dann? Irgendwo muss es hier herumliegen.«

Karoline machte sich seufzend auf die Suche. »Preiswert kochen?«

»Nein.« Frau Stern legte Palette und Pinsel beiseite und schaute auf den Stühlen nach.

»Sauber stopfen?« Karoline ging das Regal entlang.

»Nein.« Frau Stern lugte hinter die Staffelei.

»Gründlich reinemachen?« Auf der Fensterbank war es auch nicht.

»Nein! Es war irgendetwas Nützliches, hat sie gesagt, etwas Praktisches. Meine Güte, ich weiß!« Frau Stern lief auf ihr selbstmontiertes Abstelltischchen zu, lüpfte die Skizzenblätter und enthüllte die Tischplatte. Es war ein Buch mit dem Titel ›Preiswerte Möbel, selbst angefertigt‹. »Na, so praktisch ist es auch wieder nicht. Da hab ich mich wohl getäuscht«, meinte sie nachdenklich und überreichte das Buch ihrer Tochter.

Karoline ließ sich auf einem der Stühle nieder und fing an zu blättern. Zahlreiche Skizzen zeigten die Gegenstände, die fleißige Hausfrauen von eigener Hand angefertigt hatten, ohne ihre Geldbörse über Gebühr zu belasten. »Unglaublich, Mama, man kann hier ein Sofa für zwanzig Mark selber machen.« – »Wie denn?« – »Aus einer Gartenbank und Pferdehaarkissen. Und hier: ein Staubtuchhalter aus altem Filz mit selbstgefertigten Bändern, für neunzig Pfennig. Ein orientalisches Podest aus Teppichklopfern, für acht Mark. Eine Fensterverzierung aus Papier, für …«

»Was ist ein orientalisches Podest?«

Nun, das wusste Karoline auch nicht so genau. Sie sah nur drei Teppichklopfer innig ineinander verschlungen, die ein Stück alten Kelims trugen und mit üppig bestickten Borten und Bommeln einen wahrhaft orientalischen Eindruck machten.

»So etwas haben wir noch nicht«, überlegte Frau Stern hoffnungsvoll. »Vielleicht ist es doch praktisch. Dein Vater könnte abends die Füße drauflegen.«

»Nein«, entschied Karoline. Es stand zu befürchten, dass die Teppichklopfer sich bei der ersten Berührung ihres eigentlichen Auftrags entsinnen und flach auf dem Boden zusammenfallen würden.

Dies Buch sehnte sich nach seinesgleichen, befand Karoline, ging in die Küche und steckte es hoch oben auf dem Küchenschrank zwischen all die anderen großmütterlichen Mitbringsel, deren Titel unter anderem lauteten: ›Die kleine Hausfrau‹, ›Der sparsame Haushalt der kleinen Hausfrau‹ und ›Warum wahre Höflichkeit aus dem Herzen kommt‹. Die preiswerten Möbel, selbst angefertigt, fügten sich da nahtlos ein.

So viel hatte Geringer schon lange nicht mehr zu tun bekommen. Kaum war er aus der Mittagspause zurückgekehrt – es war zugegebenermaßen eine längere Mittagspause gewesen –, da hatte der Kommissar ihm eine Adresse in die Hand gedrückt und gemeint, diesen Herrn solle er befragen, ob und wann er sich am Montagabend mit Lübbe junior getroffen habe.

Zweifelnd hatte Geringer den Zettel eingesteckt. »Soll ich heute noch hingehen?«

»Heute«, hatte Staben geantwortet. »Jetzt.«

»Jetzt sofort oder bis morgen?« Geringer hatte die Hoffnung auf ein Missverständnis noch nicht aufgegeben.

»Jetzt sofort, auf der Stelle«, hatte Staben kommandiert. Denn morgen müssten auch die Wege des Herrn Peschmann überprüft werden. Geringer nickte wissend und Staben bekam seine Zweifel. »So etwas können Sie doch, Zeugen verhören, oder?«

»Aber sicher«, sagte Geringer und taumelte zur Tür hinaus. Und tatsächlich, er konnte es. Kurz vor Dienstschluss erschien er stolz in Stabens Büro und präsentierte ein paar in seiner ureigenen Handschrift verschmierte und mit vielen dem Frankfurterischen geschuldeten Schreibfehlern versehene Zettel.

Staben warf einen Blick darauf und bat Geringer, er möge mündlich Bericht erstatten.

Ob er sich mit Lübbe junior am Montagabend getroffen habe, hatte Geringer Peschmanns Bekannten befragt. Jawohl, hatte die Antwort gelautet. Und wo? »In einem Haus in Sachsenhausen, halb Wirtshaus, halb Theater.«

»Der hat ganz komisch geguckt«, erläuterte Geringer seinem Vorgesetzten unsicher, »also hab ich auch komisch geguckt und so getan, wie wenn ich ihn rügen wollte, aber dann hab ich gesagt, des ging mich nix an und es wär auch nicht meine Angelegenheit, und dann hab ich nur nach der Uhrzeit gefragt.«

»Sehr gut«, sagte Staben aufmunternd. »Also, wann hat dieses Theater angefangen?«

Um acht hatte es begonnen, dann vielleicht bis neun oder halb zehn gedauert, das habe der Mann nicht genau sagen können, denn danach hätten Lübbe und er noch einen Bembel Ebbelwei getrunken bis vielleicht zehn. »Und was der Lübbe danach gemacht hat, das hat er nicht gewusst«, berichtete Geringer. Vage habe der Mann sich zu erinnern geglaubt, Lübbe habe noch etwas von der Harmonie gesagt, das sei so ein Tanzlokal in Sachsenhausen, aber ob er da auch hingegangen sei, das müsse Geringer den Lübbe schon selber fragen. Also, das gefalle ihm sowieso nicht, dass er hier über einen Freund ausgehorcht werde.

»Aber es ist für einen Mordfall«, hatte ihn der wackere Geringer daraufhin ermahnt und diverse Katastrophen geschildert, die der Bevölkerung Frankfurts widerfahren konnten, wenn der Lübbesche Mörder nicht alsbald gefunden würde. Damit hatte er gehofft, den Befragten zu präziseren Erinnerungen zu bewegen.

»Und?«, fragte Staben jetzt ungeduldig. »*Haben* Sie ihn dazu bewegen können?«

»Nein«, gestand Geringer. Der Mann hatte dem Wachtmeister einen Vogel gezeigt und ihn einen kleinen Wichtigtuer genannt.

»Einen was?«, fragte Staben, denn Geringers letzte Worte waren zu undeutlichen Lauten verflossen.

»Wischdischduer«, nuschelte Geringer. »Aber so viel ist sicher: Der Mann weiß nix. Dadrauf können Sie sich verlassen.«

»Wenn Sie es sagen«, murmelte Staben. Ohnehin war alles, was nach halb zehn, zehn geschehen war, von nicht allzu großer Bedeutung. »Und jetzt …«, er schaute auf die Uhr und korrigierte sich, »... und morgen früh, das haben Sie hoffentlich nicht vergessen, werden Sie Peschmanns Aussagen überprüfen, hier ist das Protokoll. Sie müssen das Personal in der Oper befragen, den Droschkenfahrer suchen, kurz mit dem Dienstmädchen reden – alle, die Peschmann erwähnt hat.«

»Morgen früh *vor* dem Mittagessen oder morgen früh *nach* dem Mittagessen«, fragte Geringer bekümmert. »Eigentlich wollte ich nämlich zuerst ...« Er hatte ein paar Regalbretter anbringen wollen für den Kommissar als Überraschung.

»Morgen früh direkt nach Dienstbeginn, so früh«, versetzte Staben streng und appellierte an Geringers Pflichtgefühl als Polizeibeamter im Dienst der bürgerlichen Ordnung.

»Jawohl«, sagte Geringer in einem Tonfall, den er wohl für sehr polizeilich hielt, und schritt würdevoll zur Tür hinaus.

Wenig später saß Staben im Elbertschen Esszimmer und fühlte sich geborgen wie im Schoß der eigenen Familie. Herrn Elberts Gesicht verschwand hin und wieder hinter einer Zeitung. Frau Elbert nahm Staben als Ersatz, plauderte von den Ereignissen ihres Alltags und trug zwischendurch einen Gang nach dem anderen auf. Staben selbst übernahm freudig die Rolle des Sohnes, der nach längerer Abwesenheit wieder einmal kräftig durchgefüttert werden musste. Es gab einen Hasenrücken, viel zu früh im Jahr, nicht ganz die rechte Zeit, aber sie wollte ihm doch etwas Besonderes machen, erklärte Frau Elbert.

»Du immer mit diesem Besonderen«, brummte Elbert und raschelte mit den Seiten. »Aha! Da ist ja endlich die Ankündigung von der Beerdigung. Ich dachte schon, Sie wollen ihn noch ewig behalten. Wollen ihn aufschneiden oder so etwas.«

Staben verneinte. »Nicht beim Essen!«, sagte Frau Elbert und seufzte. »Ein netter Mann. Viel zu früh ist er gestorben.«

Ihr Gatte sah sie belehrend an. »Natürlich ist es zu früh. Wenn einer erschossen wird, ist es immer zu früh! Früher, wie wenn er normal gestorben wäre. – Wieso wird er denn in Sachsenhausen beigesetzt?«

Wie alle Fundleichen hätten sie auch die von Lübbe nach Sachsenhausen überführen müssen, erklärte Staben, und da sei es der Familie so lieber gewesen.

»Versteh schon«, sagte Elbert und rümpfte die Nase. »Also haben Sie ihn doch aufgeschnitten. Waren Sie dabei?«

»Wir haben ihn *nicht* aufgeschnitten«, erklärte Staben empört.

Elbert nahm das Tranchiermesser und widmete sich dem Hasen. Möglicherweise zum ersten Mal in seinem Leben, denn bald standen die Fetzen in alle Richtungen ab. »Dem hatte sein letztes Stündlein schon lange geschlagen.«

»Ist er zäh?«, fragte Frau Elbert besorgt.

»Nein, das Messer ist nix. Gib mal das andere.« Mit dem zweiten Messer kam er etwas besser zurecht. »Außerdem meinte ich den Lübbe. Dem sein letztes Stündlein hat mit der Geburt der Nähmaschine geschlagen.«

Staben wollte die Geschichte des Schneiderhandwerks nicht nochmals hören, aber Herrn Elbert störte es nicht. »Ein Maßschneider, ich bitte Sie! Die Zeiten sind vorbei. Das von dem Peschmann damals, das war nur das erste Gekitzel.« Er warf Staben ein zerrissenes Stück auf den Teller.

»Gekitzel?«, fragte Frau Elbert irritiert.

»Das weißt du doch, der Peschmann. Vor zwei Jahren hat der Peschmann plötzlich in Anzügen gemacht. Und wenn er dabei geblieben wäre, hätte Lübbe & Sohn schon längst zumachen können. Gute Anzüge waren das – ich hab doch meinen noch, oder?«

Ja, kürzlich erst habe Paula ihn ausgebürstet, antwortete Frau Elbert dienstfertig.

Elbert war zufrieden. »Guter Schnitt und gute Stoffe, genau wie von dem Lübbe. Der war immer so stolz auf sein ›englisches Tuch‹, wie wenn's das Einzige wär. Aber dann hat der Peschmann normalen Stoff aus Berlin genommen und mit der Maschine geschnitten und kein Mensch hat einen Unterschied gesehen. Nicht mal der Lübbe selber. Ich hab gleich zwei Stück gekauft, aber den einen …« Den einen hatte er ruiniert, bei einer Sauftour. Brauchte er jetzt nicht zu erzählen. »Der Peschmann hat bloß zu früh aufgegeben. In Berlin kam die Herrenmode auch erst als Letztes an bei den Kunden, der Markt ist erst neu. Aber da darf man nicht locker lassen.« Er verriet Staben ein Geheimnis. »Unter uns: Lang wird's nicht mehr dauern, da versucht's der Peschmann noch mal. Aber von *mir* haben Sie das nicht!«

Staben versicherte, er wisse Geheimnisse zu wahren, und war tatsächlich überrascht, dass Elbert so gut Bescheid wusste. Elbert bemerkte es und signalisierte sogleich, dass er über so ziemlich alles Bescheid wusste, was im Frankfurter Gewerbe so vorging. »Die Wirtschaft, das ist mein Beruf. Kennen Sie den Westphal?«

»Nein.«

»Tabakhändler. Ein kleines Licht. Mit Tabak ist heute kein Geld mehr zu machen …« Herr Elbert ließ sich kurz über Import und Export aus, um deutlich zu machen, dass er auch auf diesem Gebiet beschlagen war.

»Jetzt hat er sein Grundstück verkauft, da wollen wir ein Kaufhaus hinstellen. Damen- und Herrenkonfektion, Wäsche, Hemden, Lingerie …« Mit diesen Einzelheiten kannte Herr Elbert sich jetzt weniger gut aus. »Wenn der Metzler steht, dann beginnt eine neue Ära. Dann ist es aus mit Lübbe & Sohn und dem Peschmann geht's auch an den Kragen, wenn er nicht Acht gibt, und dem Kobisch – nein, dem Kobisch vielleicht nicht, der hat seine Prinzessinnen. Die Leute werden staunen – dann gibt es alles in einem Haus, verstehen Sie? Die Schaufenster machen wir elektrisch.« Elbert sah es schon genau vor sich. Nur die Strompreise seien noch ein Hindernis, aber dafür werde er sich schon einsetzen, dass Frankfurt endlich ein eigenes Elektrizitätswerk bekam. »Das wird leuchten und glitzern – waren Sie schon mal in Berlin?«

»Er kommt doch aus Berlin«, raunte Frau Elbert und schaute Staben abbittend an.

Herr Elbert war um seinen Fauxpas ganz unbekümmert. »Na, dann wissen Sie ja, wie so etwas aussieht. So machen wir es jetzt auch.«

»Wir?«, fragte Staben nach.

»*Er.* Der Metzler.« Elbert selbst sei ja gar nicht beteiligt, nur indirekt, nur über die Bank. Die finanziere die Unternehmung. »Da interessiert man sich natürlich. Einen horrenden Preis hat uns der Stern da abgeluchst …«

»Herr Stern?«, fragte Staben diesmal.

Der hätte den Westphal vertreten. »Ein Fuchs! Ein ganz gewiefter.« Elbert lachte, denn es freute ihn, wenn Anwälte gewiefte Füchse waren. Sogar wenn es die von der Gegenseite waren. »Außerdem kommt es uns auf die paar Tausender gar nicht an. Wenn das Haus erst mal steht …«

Staben erinnerte sich, gesehen zu haben, dass neben dem Tabakgeschäft noch ein weiteres Häuschen stand sowie ein altes Hotel, die für den Metzlerschen Prachtbau erst abgerissen werden mussten. »Bis da ist aber noch lang hin.«

»Visionen«, erklärte Elbert. Als Bankier müsse man eben weit vorausdenken. »Und der Lübbe hat das natürlich auch genau gewusst. Wie wir die neue Bauordnung gemacht haben, hat er sich schon gewehrt. Zwar hat er behauptet, es gehe ihm um das ›Antlitz der Zeil‹. Aber in Wirklichkeit wusste der einfach, das wird dem sein Ende. Politik und die privaten Sachen, das ging bei dem Lübbe immer Hand in Hand. – Ich will noch ein Stück!«

Dieser letzte Satz galt dem Nachtisch: Frau Elbert hatte einen Kuchen mit Kirschen aufgetischt. »Köstlich«, sagte Staben.

»Das ist ein Kirschemischel. Besteht im Grund nur aus alten Brötchen«, erklärte Frau Elbert bescheiden und machte sich daran, Staben das Rezept zu erzählen.

»Das interessiert ihn doch nicht«, rügte sie Herr Elbert, kaum hatte sie das Einweichen der Brötchen geschildert. »Schau den Mann doch mal an: Der denkt nur an seinen Mord.« Gefiel ihm, wenn jemand seinen Dienst so ernst nahm. Preuße hin oder her.

Staben versuchte Frau Elbert zu ignorieren, die mit offenem Mund darauf wartete, mit ihrem Bericht fortzufahren. Denn diese Gelegenheit durfte er nicht versäumen. »Auf der gestrigen Stadtverordnetenversammlung hat der Lübbe auch eine Rede halten wollen, aber der Tod ist ihm zuvorgekommen. Wahrscheinlich auch wieder so eine Reformsache.«

»Weiß nicht, was«, knurrte Herr Elbert abwehrend.

Ob er ein klein wenig nachdenken könne, bat Staben,

vielleicht habe ein anderer Abgeordneter etwas erwähnt?

»Nicht dass ich wüsste.«

»Aber ich weiß es«, schaltete sich Frau Elbert freudig ein.

»Du?«, fragte Herr Elbert alarmiert und legte die Zeitung beiseite. »Woher willst du denn das wissen?«

»Ich hab ihn letzte Woche getroffen«, erklärte Frau Elbert gekränkt, »wie er am Morgen in sein Geschäft gegangen ist. Da haben wir ein bisschen geredet. Über die Friedhofsschlacht und über die Stadtverordneten. Über Politik haben wir geredet …«

»Ach, über Politik!« Herr Elbert blinzelte Staben zu. »Davon versteht sie nichts.«

»… und über den Palmengarten und was wir sonntags so machen …«

»Davon versteht sie schon eher was«, brummte Elbert beschwichtigt.

»… und da hat er mir gesagt, er will in der Versammlung darüber reden. Über die Wege zu den Kettenhöfen, dass die endlich mal ordentlich gemacht würden. Und wo jetzt der Herbst kommt …«

Herr Elbert starrte sie ungläubig an. »Über den Kettenhofweg wollte er reden?«

»Genau.« Frau Elbert genoss es sichtlich.

»Weil jetzt der Herbst kommt?« Ihr Mann kratzte sich am Kinn.

»Weil die beim Regen immer so verschlammen und man mit den Wagen nicht mehr durchkommt, hat er gesagt.«

»Das kann ich kaum glauben.« Elbert lachte kurz auf. »Etwas Wichtiges, hat er gesagt, nächstes Mal wollte er über was ganz Wichtiges reden! – Und dann sind's die Kettenhöfe!«

Seine Frau war jetzt wieder etwas gekränkt. »Na und? Straßen sind doch wichtig, oder?«

»Natürlich sind sie wichtig.« Wieder blinzelte Elbert Staben verschwörerisch zu, dann fing er an, dröhnend zu lachen und schlug sich sogar auf die Schenkel. »Na, das war ganz der Lübbe. Mal hat er von seiner ›Spekulation‹ gesprochen und mal von den Straßen. Ganz wie es ihm in den Sinn kam. Alles hat er verbessern wollen, das Große wie das Kleine.« Er kam aus dem Lachen gar nicht mehr heraus.

Frau Elbert schaute bittend zu Staben hinüber und der beeilte sich, höflich zu versichern: »Selbstverständlich sind Straßen wichtig.« Wenn das stimmte, dachte er, dann würde aber jemand sehr enttäuscht sein. Jemand namens Fräulein Stern. »Und Sie sind ganz sicher, Frau Elbert, dass er das auf der Stadtverordnetenversammlung ansprechen wollte?«

»Hat er mir doch selbst gesagt! Einen Extrapunkt hat er sich geben lassen, als allerletzter. Das wird einschlagen wie eine Bombe, hat er gemeint.«

»Na, das tut es ja auch. So viel Aufregung bloß um die Kettenhöfe!« Herr Elbert bemerkte Stabens ernste Miene. »Entschuldigung. Der arme Mann. Jetzt ist er tot.«

»Ja, das ist er wohl.« Und mit diesem etwas unschönen Schlusswort war Stabens Auftritt als heimgekehrter Sohn beendet. Er trank seinen Kaffee aus und ging auf sein Zimmer.

Deswegen hörte er auch nicht, dass seine Gastgeber das Thema Lübbe noch keineswegs abgeschlossen hatten.

»Das mit seiner Witwe wolltste dem Kommissar wohl nicht erzählen?«, lauerte Herr Elbert.

»Was mit seiner Witwe?«

»Das mit ihr und diesem geschniegelten Hausfreund.«

»Was heißt da Hausfreund?«, fragte Frau Elbert gereizt. Außerdem war er nicht ›geschniegelt‹! »Das sind doch alles böse Gerüchte.«

»So?«, fragte Herr Elbert und freute sich zu sehen, dass seine Frau errötete. »Na, komm schon, mich könnt ihr Weiber nicht täuschen. Da war doch was, oder wieso haben die sich wegen der Oper so sehr zerstritten? Wenn da nicht Amors Pfeile mit im Spiel waren.«

»Ja, früher«, bestätigte Frau Elbert erleichtert. Das war ja ohnehin ein offenes Geheimnis. Was sie bedrückte, hatte in der viel näheren Vergangenheit stattgefunden. »Das mit der Oper ist doch so lange her.«

»Aber er hat immer noch nicht geheiratet. Dabei laufen dem die Frauen in Scharen nach. Könnte praktisch jede haben.« Herr Elbert lehnte sich zurück und ließ die diversen Möglichkeiten genießerisch an sich vorüberziehen.

»Wenn er aber keine will«, sagte Frau Elbert und verspürte plötzlich das seltene Gefühl von Eifersucht. »Noch ein Stück Kirschemischel?«

Gnädig ließ sich Herr Elbert noch ein Stück auftun. »Wenn einer so lange hinter einer Frau her ist, dann könnte ihm doch eines Tages der Kragen platzen und …« Er deutete eine Pistole an. »Ein Mann bleibt eben ein Mann.«

»Was für ein Käse!«, rief Frau Elbert böse und stand auf, um den Rest des Michels in die Küche zu bringen und dort für Staben zu verwahren. »Wenn einer so lange eine Frau liebt, dann hat er sich doch längst dran gewöhnt. Ein Kavalier ist das, ganz wie früher …«

»Ein Mann bleibt ein Mann«, rief ihr Mann ihr hinterher.

In der Küche beschloss Frau Elbert, den Kuchen doch nicht aufzuheben, sondern sich noch ein Stück zu genehmigen. Und dann noch eins.

Es ging sie überhaupt nichts an und im Grunde war es ihr ja auch ganz gleichgültig – aber als Lübbe kürzlich in London gewesen war, da hatte sie sich von einer zwielichtigen Gestalt verfolgt gefühlt und abends noch bei den Lübbes klingeln müssen. Und das tölpelhafte Dienstmädchen hatte sie Ewigkeiten im Flur herumstehen lassen und Frau Elbert hatte sich gelangweilt umgeschaut und dabei einen Herrenmantel in der Garderobe gesehen. Keine Frage, wem dieser Mantel gehörte.

Frau Lübbe war im Nachtmantel heruntergekommen und hatte natürlich behauptet, sie wäre schon so gut wie im Bett und Frau Elbert hatte inzwischen ihre Fassung wiedererlangt und erklärt, sie wolle ohnehin nur kurz einen Anruf machen, aber dann hatte ihr Mann unglaublich lange gebraucht, bis er mit einer Droschke da war, und so lange hatten sie und Frau Lübbe eine Ewigkeit peinlichen Schweigens auf dem Sofa verbracht.

Nie würde sie ihrem Mann davon erzählen, hatte sie damals beschlossen, wenn nicht aus Respekt vor Frau Lübbe selbst, dann doch wenigstens vor ihrem Gast. Der war nämlich keineswegs geschniegelt, sondern elegant, wovon ihr eigener Gatte natürlich nichts verstand, und er war tatsächlich ein Kavalier, weil er niemals einer Frau einfach das Wort abschneiden würde und weil er seinen weiblichen Bekannten stets Rosen zum Geburtstag schickte, ohne ihnen jemals zu nahe zu treten.

Das letzte Stück Kirschkuchen begann sich vorwitzig

gegen die Taille ihres Kleides aufzulehnen, bei welcher Gelegenheit Frau Elbert bemerkte, dass es um ihre Garderobe nicht zum Besten stand. Gleich nächste Woche, beschloss sie, würde sie sich ein neues Kleid machen lassen.

Nachdem der erste Brief keinen Erfolg gehabt hatte, schickte Karolines Schwester einen zweiten. Ob sie nicht endlich einmal vorbeikommen wolle? Der Haushalt wachse ihr über den Kopf und die Zwillinge stünden immer noch unter Hausarrest und langweilten sich schrecklich.

Genau wie Friederike vermutet hatte, regte sich in Karoline das schlechte Gewissen und trieb sie sofort zur Wohnung ihrer Schwester, nördlich der Zeil. Genau wie Karoline wiederum vermutet hatte, war Friederike emsig mit hausfraulichen Pflichten beschäftigt und bot sogleich an, Karoline mittun zu lassen. »Karoline, wenn ich gewusst hätte, dass du heute noch vorbeikommst – leider haben wir heute einen Waschtag.« Friederikes Haare standen in mehrere Richtungen vom Kopf ab, ihre Hände waren gerötet und der Rock hochgerafft. Die zweite Hälfte des ›wir‹, ein Mädchen, das stundenweise vorbeikam, trug im Hintergrund einen Berg Weißwäsche vom linken zum rechten Ende des Flures.

»Du hast es doch sowieso gewusst. Ich bin mir sicher, du machst sonst nie freitags Waschtag!«

»Stimmt. Eigentlich montags«, gab Friederike freimütig zu und streckte bei der Umarmung die Hände weit ab, die nach Seifenlauge rochen. Karoline lugte über ihre Schulter in der Wohnung herum. »Ich habe den Zwillingen etwas mitgebracht. Wo sind sie denn?«

Ihre Schwester lachte. »Sie übertreiben's ein bisschen mit dem Hausarrest. Vorgestern haben sie verkündet, sie würden jetzt überhaupt nicht mehr aus ihrem Zimmer herauskommen, weil wenn schon eingesperrt, dann auch richtig. Da sitzen sie jetzt wohl hinter der Tür und platzen vor Neugier.«

Vorsichtig öffnete Karoline die Tür des Kinderzimmers und ein Rumpeln bestätigte, dass sich die beiden unmittelbar dahinter aufgebaut hatten. »Karoline!«, riefen sie und zupften und zerrten an allem Möglichen in Greifhöhe, um ihre Tante zu sich herunterzuholen. Auch die Umhüllung ihrer Geschenke rissen sie ohne falsche Zurückhaltung auseinander und klaubten zwei Blechfiguren aus den Papierfetzen.

»Die sind zum Aufziehen. Dann setzt man sie auf den Boden und sie laufen von alleine los«, erklärte Karoline. Zuerst einigten sich die Zwillinge, wer von ihnen lieber den Bäcker und wer lieber den Briefträger haben wollte (beide wollten den Bäcker), dann drehten sie an den Kurbeln der kleinen Figuren, bis sie beinahe abbrachen. Bäcker und Briefträger wankten unbeholfen über die Dielen.

»Ich sehe, ihr kommt damit zurecht.« Im Hintergrund hörte Karoline ihre Schwester ungewöhnlich laut in der Küche an einem Bottich herumrücken und verstand, dass sie dort gebraucht wurde. »Wir machen einen Waschtag. Mit viel Wasser und Dampf und Seifenblasen. Wollt ihr nicht mitkommen?«

»Das hat er uns verboten«, erklärte Jakob würdevoll und Georg zog eine Schnute: »Wir müssen in unserem Zimmer bleiben. Der Papa hat's gesagt.«

»Aber doch nicht, wenn Besuch da ist«, gab Karoline zu bedenken. »Wenn Besuch kommt, dann muss man ihn doch empfangen. Der Besuch hat schließlich keinen Hausarrest.« Die beiden überlegten und warfen sich unsichere Blicke zu. »Euer Vater findet das sicher auch.«

Das war ein schlechter Zug gewesen. Die Gesichter der beiden versteinerten. »Dann hätte er das auch sagen müssen.« Karoline gab sich geschlagen und versprach den beiden Gefangenen einen zweiten, ausführlicheren Besuch, wenn sie mit der Wäsche fertig war.

In der Küche lagen bereits mehrere Kleiderhaufen auf dem Fußboden und sie machten sich an die Arbeit. In mehreren Kesseln kochten sie das Wasser auf dem Herd, sie dosierten Seifenpulver mal sparsam und mal großzügig in den Bottich, sie überschütteten Strümpfe mit Lauge und ließen sie einweichen, sie rubbelten Unterhemden und Unterhosen und Nachtjacken in verschieden temperiertem Wasser. Hin und wieder verschwand Friederike, um in der Waschküche dem Mädchen bei den großen Stücken zur Hand zu gehen, holte Karoline nach, um beim Auswringen zu helfen, hieß sie wieder hochgehen, um nach dem Wasser auf dem Herd zu schauen, schickte das Mädchen nach mehr Seifenpulver aus dem Haus und leitete Karoline an, Reinigungswässerchen nach den Rezepten in dem großmütterlichen Ratgeber anzurühren. »Hemdbrüste in den Bottich, die Manschetten hierher auf den Stuhl!«

Gehorsam hob Karoline eine Hemdbrust vom Boden auf und warf sie in den Bottich. »Was sollten diese geheimnisvollen Bemerkungen in deinem ersten Brief? Bekomme ich etwa wieder einen Neffen – oder eine Nichte?«

»Nein!« Friederike fiel aus allen Wolken. »Wo hast du das denn herausgelesen?«

»Irgendetwas von Neuigkeiten hast du geschrieben, oder von Veränderungen … Vierzehn, fünfzehn.« Karoline zählte die Manschetten durch.

»Veränderungen? Ach, das! Fast hätte Johann eine andere Stelle bekommen, mit mehr Gehalt – aber es wurde dann doch nichts. Nein, so wie die Dinge liegen, bin ich froh, wenn es erst mal bei den beiden bleibt!« Automatisch steuerte Friederike das Gespräch von sich selbst auf ihre Kinder. »Allerdings werden sie langsam größer. Sie können es kaum mehr erwarten, endlich in die Schule zu kommen. Und wenn das Philantropin in ein paar Jahren immer noch …«

Die Zukunft der Zwillinge bot ein schier unerschöpfliches Gesprächsthema. Bevor sie sich da festfahren konnten, schwenkte Karoline um auf die eigene ungewisse Zukunft. »Was ich selbst wohl in ein paar Jahren so mache?«, murmelte sie vage.

»Na, ich hoffe doch, du bleibst hier in Frankfurt«, missverstand Friederike ihre Schwester gründlich und warf sich über den Bottich. »Guck mal, die Hemdbrüste gehen von alleine gar nicht unter, so steif sind sie. Segeln einfach auf dem Wasser. Man soll sie übrigens mit Nudelwasser stärken, steht in dem Ratgeber. – Nein, du bleibst immer schön bei uns.«

»›Meine unverheiratete Schwester sitzt den ganzen Tag einsam zu Hause. Aber ab und zu lade ich sie ein, dann kann sie mit den Kindern spielen oder mir bei der Wäsche helfen‹«, schlug Karoline vor, die sich zwischen all diesen Manschetten tatsächlich ein wenig einsam und unverheiratet vorkam.

»Karoline!«, rief Friederike entsetzt.

»Ich möchte nicht, dass die Leute hinter meinem

Rücken über mich reden und mich eine nutzlose alte Jungfer nennen.«

»So weit ist es ja noch nicht.«

»Wenn ich vielleicht gar nicht mehr heirate – entgeht mir da viel?«

Friederike tauchte aus dem Seifenschaum hervor. »Hast du in den letzten Tagen etwa mit Großmama darüber gesprochen?«, fragte sie misstrauisch.

»Nein. – Aber wie gefällt es dir denn, das Verheiratetsein?«, hakte Karoline nach.

Diese Frage stelle sie sich selten, schickte Friederike voraus. »Morgens stehe ich auf und mache das Frühstück und dann geht er in das Büro und ich habe die Kinder und die Annemarie und abends kommt er wieder nach Hause – manchmal bringt er mir etwas mit, manchmal gibt es Streit. Eben wie bei Mama und Papa. Es gefällt mir ganz gut, glaube ich, was soll ich sagen? Du weißt doch, wie eine Ehe so ist.«

»Ja, Friederike, *das* weiß ich allerdings. Ich meinte etwas anderes«, sagte Karoline.

Friederike schaute ein wenig betreten und versenkte sich tiefer in den Bottich, um nach einer Manschette zu fischen. »Nun, sagen wir so: *Das* ist zum Glück nicht wie bei Mama!« Frau Sterns Erfahrungen mit der eigenen Hochzeitsnacht hatten dafür gesorgt, dass ihre Töchter einigermaßen aufgeklärt in das Erwachsenenalter traten. Nach der Übergabe der Braut von ihrem Vater an ihren Gatten hatte dieser mit seiner nichtsahnenden Angetrauten noch mehrere Runden mit der Droschke gedreht, um sie in Ruhe auf das Kommende vorzubereiten. Was insofern fehlschlug, als Frau Stern, wenig später im ehelichen Bett angelangt, die ganze Angelegenheit zwar nicht gerade abstoßend, aber doch in höchstem Maße merkwürdig, ja sogar erheiternd gefunden hatte, was den ehelichen Vollzug ein paar Wochen hinausgezögert hatte.

Nein, so wie bei ihrer Mutter sei es also nicht, wiederholte Friederike. Ein wenig albern komme es ihr bisweilen vor, was zwei Erwachsene nachts miteinander veranstalten konnten. Aber im Großen und Ganzen doch eher angenehm – wie Spazierengehen vielleicht, das war der treffendste Vergleich, der ihr einfiel.

»Wie Spazierengehen?«, rief Karoline verblüfft. Spazieren gehen konnte sie auch alleine. »Also, dann versteh ich nicht, warum die Leute immer so ein Geheimnis daraus machen.«

»Ich weiß nicht, wie ich's beschreiben soll«, verteidigte sich Friederike verärgert. »Überhaupt, wieso fragst du plötzlich so etwas? Ist das Geschlechtsleben anderer Leute das Einzige, was dich zur Zeit interessiert?«

Karoline gab zu, dass es im Grunde unter den weniger wichtigen Themen rangierte. »Übrigens, dein ehrenwerter Gatte trägt doch immer an beiden Ärmeln Manschetten, oder?« Karoline hatte die Manschetten zu Paaren sortiert. »Es sind aber nur fünfzehn.«

»Nenn ihn nicht meinen ehrenwerten Gatten, das mag ich nicht! Im Übrigen brauchst du gar nicht vom Thema abzulenken. Du willst einen Mann? Na gut, wenn du willst, wirst du sicher einen finden. Du bist gescheit und einigermaßen hübsch und ziemlich jung. Ich hab nur bisher nicht bemerkt, dass du dich großartig bemüht hättest.«

Das stimmte allerdings. »Ja, ich gebe zu, ich bin noch nicht richtig entschieden.« Insgeheim war sie allerdings etwas gekränkt. ›Einigermaßen hübsch‹ – von einer Schwester sollte man mehr erwarten dürfen. Aber eine blendende Schönheit war sie ja tatsächlich nicht. »Mir ist eigentlich nicht so wichtig, ob ich heirate – Hauptsache, es bleibt nicht immer alles so wie jetzt.«

»Was ist denn daran so schlecht, wie es jetzt ist?«

»Es ist mir zu wenig. Ich weiß gar nicht, wohin mit meiner Zeit.« Genauer konnte Karoline es auch nicht sagen. »In den letzten Tagen bin ich – soll ich das überhaupt erzählen?«

»Gib die Manschetten her und erzähl's.«

»Du weißt doch von der Suppenanstalt«, begann Karoline etwas umständlich, berichtete dann, wie sie Frau Rader besucht hatte, wie ihr Vater die Verteidigung übernommen und ihr nicht alles erzählt und wie sie dann gehofft hatte, in Zellers Kneipe etwas herauszufinden.

»Eine Kalinenidee«, stellte Friederike sofort fest. »Weiter?«

Karoline erzählte von ihrem Gespräch mit Frau Zeller, die so schweigsam gewesen war, was den Rader, und um so gesprächiger, was das Thema Almosen anging. Wieder entbrannte eine Diskussion über die Suppenanstalt, nur war es diesmal Karoline, die deren Nutzen in Zweifel zog, während Friederike ihre Schwester ein wenig beneidete. »Da weißt du wenigstens, dass du etwas Sinnvolles tust. Wenn hundert Menschen täglich kommen, kannst du dir abends sagen: Heute habe ich hundert Menschen satt gemacht.«

»Von einem Liter Suppe werden sie doch nicht satt. Außerdem leben sie in winzigen Wohnungen, ihre Kinder sind krank und sie haben keine Arbeit. Da ist ein kostenloses Mittagessen doch viel zu wenig!«

»Wenn etwas zu wenig ist, dann heißt es doch nicht, dass es schlecht ist.«

»Aber wenn man seine ganze Zeit auf etwas verwendet, was nicht gut genug ist, dann fehlt einem die Zeit für etwas Besseres.«

»Ich denke, du hast ohnehin viel zu viel Zeit?«

Vergebens versuchte Staben, sein Gegenüber durch dichte Wolken von Pfeifenrauch ausfindig zu machen. »Aber natürlich kann ich diesen Fall auch noch bearbeiten«, beharrte er mit verrenktem Hals.

»Der Kollege Rauch meint aber«, sagte der Polizeipräsident und tätschelte nervös den Kopf seiner Pfeife, »er könne ohne weitere Probleme für Sie einspringen, falls Sie dies wünschen.« Und bitte wünschen Sie es, sagte sein Blick weiter.

»Aber das ist doch nicht nötig«, beharrte Staben, der auf keinen Fall wollte, dass Rauch sich noch weiter in seine Angelegenheiten drängelte als bisher. »Und ein Raubüberfall fällt nun mal schließlich in meine Verantwortung.«

»Das stimmt«, bestätigte der Polizeipräsident und drehte die zwischen Rauch und Staben so heiß umkämpfte Akte mit dem Raubüberfall unschlüssig in den Händen. *»Aber ...«* Dann könne sich Staben ganz dem Mordfall Lübbe widmen und das sei ja wohl langsam an der Zeit. »Seitdem Sie diesen Rader am Dienstag festgesetzt haben, sind Sie mit Ihren Ermittlungen keinen Schritt weitergekommen. Sie wissen noch nicht, warum Lübbe länger im Geschäft geblieben ist, Sie haben keinen Zeugen, geschweige denn die Börse finden können und da fehlte doch noch etwas ...«

»Die Waffe«, soufflierte Staben.

»Genau, die Waffe haben Sie ja auch noch nicht!«

Staben klärte seinen Dienstherrn darüber auf, dass Horden von Polizeibeamten bereits in sämtlichen Waffengeschäften Frankfurts, der näheren Umgebung sowie des Odenwalds, woher Rader stammte, bereits ein Foto des Schneidergesellen vorgelegt hatten. Niemand hatte sich an das Gesicht erinnert, geschweige denn an einen Käufer dieses Namens. Die Suche hatte man also aufgeben müssen und nur durch einen Zufall würden Waffe wie auch Börse je wieder ans Licht kommen. Wenn der Main austrocknete, zum Beispiel, dachte Staben, unterließ aber jeden Kommentar.

»Was glauben denn Sie persönlich?«

Staben, völlig verdutzt, um seine Meinung befragt worden zu sein, äußerte vorsichtig, er sei nicht ganz von der Schuld des Schneidergesellen überzeugt.

»Gut, gut«, nickte der Polizeipräsident unwirsch. »Wer war es also dann?«

Er wisse es nicht, bekannte Staben kleinlaut.

Aber er denke sich doch sicher etwas?

Zögerlich begann Staben, die letzten Schritte seiner Ermittlungen darzulegen. Keiner davon fand die uneingeschränkte Billigung seines Vorgesetzten.

»Also haben Sie bisher noch keinen neuen Verdächtigen. Sie schicken Geringer mal diesem und mal jenem hinterher und dann war doch alles für die Katz. Dieses Hin und Her schätze ich nicht.« Er zwirbelte seinen Schnurrbart und schaute Staben prüfend an, ob er ihn vielleicht für das Ausbleiben eines neuen Verdächtigen verantwortlich machen könnte.

»Es wird kein Hin und Her mehr geben«, versprach Staben. »Der nächste, den ich Ihnen nenne, ist der Mörder.«

»Und wann ist das? Wann nennen Sie mir den nächsten? Mein Gott, eine Woche ist schon fast rum!« Der Polizeipräsident hatte sich entschieden. Er *würde* Staben dafür verantwortlich machen. »Wieso haben Sie sich überhaupt so an dem Rader festgebissen?«

Staben fand es unter seiner Würde, den Polizeipräsidenten daran zu erinnern, dass es immerhin nicht er, sondern Kommissar Rauch war, der auf die Verhaftung des Schneidergesellen gedrängt hatte. »Meines Erachtens«, begann Staben mit hochgerecktem Kopf, denn immerhin hatte der Polizeipräsident um seine Meinung gebeten, »muss man sich ganz zuoberst an Sorgfalt und Unparteilichkeit halten. Unparteilichkeit, das heißt, dass man keine Möglichkeit von vornherein ausschließen darf. Sorgfalt, das bedeutet, man muss …«

»Ja, ja«, grunzte der andere ungeduldig. »So was darf aber keine Ausrede sein, Ewigkeiten herumzuschusseln.«

»Herumzu …?«, fragte Staben vorsichtig.

Dass Staben nicht einmal das Wort kannte, schien den Polizeipräsidenten in seinem Verdacht zu bestätigen. »Das dauert mir alles viel zu lange. Am Montag wurde der Mann ermordet und heute sind wir immer noch nicht weiter.«

Solche Dinge bräuchten eben ihre Zeit, wollte Staben ganz realistisch einwenden.

»Ich habe den Eindruck«, sinnierte der Polizeipräsident aber bereits, »Sie nehmen diese Angelegenheit nicht ernst genug.« Stabens Unterkiefer gab sich entsetzt der Schwerkraft hin. Nichts nahm er ernster als seine beruflichen Aufgaben. Ihm fehlten nur gerade die richtigen Worte, um dies angemessen auszudrücken.

Währenddessen holte der Polizeipräsident zu einer längeren Darlegung seiner eigenen Prinzipien aus, deren Kern in der Wiederherstellung der bürgerlichen Ruhe und Ordnung lag. »Wir können nicht jedes Verbrechen verhüten, aber die Bürger brauchen Sicherheit.« Er griff nach der Akte. »Meinetwegen nehmen Sie den neuen Fall hier noch dazu. Aber machen Sie zügig! Dieses vornehme Herumgeschussel trägt nicht zur Sicherheit bei, verstehen Sie das?«

Staben beteuerte, er habe das Sicherheitsprinzip voll und ganz verstanden und werde alles tun, um der bürgerlichen Ordnung in Kürze wieder zu ihrem Recht zu verhelfen.

»Ich hab ihm ein bisschen eingeheizt«, vertraute der Polizeipräsident wenig später Kommissar Rauch an. »Der findet diesen Mörder schon, ich sag Ihnen, der stellt sich gar nicht so ungeschickt an, wie er aussieht.«

Lübbes Beerdigung war begleitet von großen Reden, zahllosen Kränzen, einer tapferen und gefassten Familie von Hinterbliebenen und den verstohlenen Tränen manch angesehenen Bürgers. Als Herr Stern völlig erschöpft vom Friedhof nach Hause kam, war es merkwürdig ruhig. Er rief mal hier und mal da die Namen seiner Familienangehörigen, bekam aber keine Antwort. In der Hoffnung, man hätte ihm zum Mittagessen wenigstens ein paar Reste bereitgestellt, trabte er in die Küche und fand dort weder Frau noch Tochter, noch ein Essen vor. Er wartete noch eine Viertelstunde und sah sich dann gezwungen, sich ein Butterbrot zu schmieren. Ein Butterbrot!

Auf dem Küchenschrank standen eine Menge Bücher, er zog eines hervor. Was für Speisen waren da beschrieben und laut Auskunft der Autorin waren sie noch dazu leicht und preiswert zu kochen. Mit Suppe und Nachtisch! Stern ließ das Buch aufgeschlagen auf dem Esszimmertisch liegen und hoffte, seine reuige Familie würde die Zeichen erkennen. Solch ein Gericht hoffte er beim Abendessen vorzufinden.

Er legte extra einen Zettel daneben, um seine genaue Ankunftszeit kundzugeben.

Währenddessen wurde im Haushalt seiner älteren Tochter ein anderer großmütterlicher Ratgeber zu Rate gezogen. Tintenflecke auf weißer Wäsche empfahl er mit verdünnter Salzsäure zu entfernen, also machte sich Friederike auf den Weg zur Apotheke und beauftragte Karoline mit der Betreuung der Zwillinge.

»Du hast uns vergessen«, beschwerte sich Georg, kaum hatte Karoline die Tür des Kinderzimmers geöffnet. »Wir haben Hunger«, klagte Jakob weiter.

Karoline hatte vor, die Zwillinge ins Esszimmer mitzunehmen, was aber gegen deren Auslegung des Hausarrestes verstieß, sodass es viel Überredungsarbeit kostete, bis sie immerhin mit in die Küche kamen. Dann saßen sie auf den viel zu niedrigen Stühlen, hakten sich mit den Ellbogen am Tisch fest, drehten ihre Brote in den Händen und erzählten, was sie in der Zwischenzeit so alles getrieben hatten.

Mit Bäcker und Briefträger hätten sie gespielt, bis sie einer nach dem anderen unter den Schrank gewatschelt waren. »Macht nichts«, sagte Karoline, obwohl sie bezweifelte, dass das Tempo der Figuren sich so weit gesteigert hatte, dass die Zwillinge sie bei ihrem Gang unter den Schrank nicht hätten aufhalten können.

Und sie hätten eine Blumenwiese gemalt, mit Enten darauf.

»Sehr schön«, lobte Karoline.

Und sie hätten untersucht, wo der Schwanz von dem Schaukelpferd herauskäme. »Da hat sich das Pferd erschreckt und hat seinen Schwanz verloren«, meinte Georg. »Kannst du mal schauen, wie er wieder drangeht?«

Karoline stöhnte und versprach es. »Nicht, Jakob, lass den Käse auf dem Brot liegen und iss beides zusammen.«

»Warum?«

»Warum?«, wiederholte Georg und löste prompt den Käse vom Brot.

»Das geht doch nicht.«

»Es geht aber doch, guck: Käse.« Jakob biss in den Käse. »Brot.« Er führte das Brot mit der anderen Hand zum Mund. »Siehst du, so geht's auch.«

»Schmeckt sehr gut!«, erklärte Georg, der es seinem Bruder nachgetan hatte.

»Das macht man aber nicht«, sagte Karoline bestimmt.

»Warum nicht?«, rief Georg.

»Warum nicht?«, echote Jakob.

»Weil das bei uns nicht üblich ist«, erklärte Karoline und schmierte weiter Brote auf Vorrat, in der Hoffnung, das werde die beiden besänftigen.

»Das ist bei uns nicht üblich«, sagte Georg und blickte aus irgendeinem Grund seinen Bruder listig an.

»Genau«, bestätigte Karoline arglos. Es entstand eine Pause. Dann holte Georg tief Luft. »Wenn es bei uns nicht üblich ist, *bei wem ist es dann üblich?«*, frohlockte er. »Bei wem denn?«

»Bei niemandem.« Karoline legte den beiden jeweils noch ein Brot vor und rief verzweifelt: »Es ist bei niemandem üblich!«

»Du hast es aber gesagt!«, krähten die Zwillinge im Triumph. »Bei uns ist es nicht üblich. Aber bei wem denn?«

»Nirgendwo! Das hab ich doch nur so dahingesagt«, stöhnte Karoline und lehnte sich erschöpft in dem Stuhl nach hinten. Wie weit war diese Apotheke eigentlich weg? Von Friederike war noch nichts zu hören. »Ihr seid aber heute ganz schön ungezogen.«

Die beiden grinsten immer noch zufrieden. »Du hast es aber gesagt«, sagten sie mal im Duett und mal einzeln, mal laut und mal gemurmelt, wenn die zweite Ladung Brot in den Mund geschoben wurde.

Karoline gab sich geschlagen und verteilte Brot- und Käseportionen nur noch getrennt. »Sagt mal, wieso habt ihr denn euren Hausarrest bekommen?«

Der Triumph der Zwillinge schlug um in helle Empörung. Überhaupt nichts hätten sie getan, Überhaupt nichts! Sie hätten nur etwas ausprobiert und daran wär ja nichts Schlimmes. Außerdem wäre es nie herausgekommen, wenn der blöde Papa nicht noch mal nachgeschaut hätte, ob sie schon schliefen. Da hätte er bloß mal früher nach Hause kommen sollen, dann hätte er schon gesehen, dass sie um acht Uhr brav schlafen gegangen waren. Dann hätte er nicht noch mal nachgucken müssen und hätte gar nichts gemerkt.

»Was hätte er nicht gemerkt?«, fragte Karoline.

Statt einer Antwort erzählten die beiden eine Geschichte, wobei sie einander sorgfältig abwechselten. Ein böser Mann hatte mit einem armen Bauern immer geschimpft, er sollte ihm Geld zahlen für das Land. Der Bauer hatte aber gar kein Geld, weil er ja arm war, und da hatte der Mann gesagt, gib mir deine Tochter. Und dann musste die Tochter den bösen Mann heiraten (die Zwillinge schüttelten sich vor Grauen). Und einmal kam der Bauer nach Hause und merkte, dass der andere alle seine Schweine verkauft hatte. Und dann hatte der Bauer ganz großen Hunger und musste sterben. (Hier trat eine kleine Unstimmigkeit auf, ob der Bauer sofort oder erst am darauffolgenden Tag Hungers gestorben war.) Und dann hatte die unglückliche Bauerstochter am Grab gestanden …

»Nicht beim Grab, beim Bett, wo der dringelegen hat!«

»Nein, beim Grab!«

»Weiter!«, kommandierte Karoline.

Die unglückliche Bauerstochter hatte den lieben Gott angefleht ›für Rache‹ und dann konnte der Geist von dem Mann nicht schlafen und lief durch das Dorf und hatte den bösen Mann immer erschreckt. Dann war der böse Mann auch gestorben und die Tochter hatte das ganze Geld von den Schweinen gefunden und war reich und dann gab der Geist Ruhe und konnte schlafen.

»So war's«, erklärten die Zwillinge zufrieden. »Und das haben wir ausprobiert.«

Karoline konnte mit diesem Bericht zunächst nicht viel anfangen, aber weitere Nachfragen ergaben, dass ihre Neffen, mit Besen und Bettlaken bewaffnet, draußen in der Dunkelheit herumgezogen waren und Leute erschreckt hatten. Was nicht besonders erfolgreich gewesen war, wie sie treuherzig versicherten, denn es kamen nicht genug vorbei. Und als sie nach Hause gingen, wurde schon nach ihnen gesucht, weil der blöde Vater in ihrem Zimmer nachgeschaut hatte …

Karoline wies sie darauf hin, dass sie bestimmt auch so bemerkt worden wären, denn immerhin wäre ja dann die Haustür abgeschlossen gewesen und sie wären gar nicht mehr unbemerkt in ihre Betten gekommen.

Das wäre schon gegangen, erklärten die Zwillinge zuversichtlich und boten an, die Geschichte von einem Zirkus zu erzählen, denn da gäbe es Leute, die könnten an den Wänden hinaufgehen wie auf einer Straße.

»Das kann aber auch nicht jeder«, erklärte Karoline und betrachtete die beiden misstrauisch. Es war ein wenig Stille eingekehrt, aber irgendwie sah es nicht so aus, als wäre das schon das Ende der Geschichte. »Wo sind der Besen und das Bettlaken?«

Die beiden rutschten unruhig auf ihren Stühlen herum. Den Besen, den hätten sie zurückgestellt, aber das Laken … »Das hat sich in den Baum gehängt und wir haben's nicht mehr runterbekommen.«

»Gell, du erzählst es der Mama aber nicht?!«

»Mal sehen«, brummte Karoline, zwischen unterschiedlichen Loyalitäten hin- und hergerissen.

Schließlich nahm sie den Zwillingen das Versprechen ab, dass sie nachher, wenn Friederike wieder zurück war, zusammen nach dem Bettlaken suchen würden. Die beiden zeigten wenig Begeisterung und prophezeiten, dass sie das Laken ohnehin bestimmt niiie wieder herunterbekommen würden, aber Karoline blieb unerbittlich. Dann rutschte sie auf den Knien im Kinderzimmer herum, holte Bäcker und Briefträger unter dem Schrank hervor, untersuchte den Schwanz des Schaukelpferdes und hielt jeden Reparaturversuch für hoffnungslos, begutachtete neuangefertigte Zeichnungen und war alles in allem doch recht erleichtert, als ihre Schwester wieder auftauchte.

»Der Apotheker hat gesagt …«, begann Friederike und brach ab, denn ihre Schwester hatte ihr begütigend die Hand auf die Schulter gelegt. »Du hast es nicht leicht«, sagte Karoline mit aufrichtigem Bedauern, »du hast es wirklich nicht leicht.«

Friederike schaute zu den Zwillingen, die ihre

Straßenschuhe heranschleppten. »Ist etwas geschehen – aber was macht ihr denn da?«

»Wir haben noch etwas zu erledigen«, erklärte Karoline und stopfte die Füße ihrer Neffen in die Schühchen. »Das fällt nicht unter den Hausarrest. Sag, wann sind die Zwillinge abends draußen gewesen?« Es war der Montag gewesen und die Aussichten, das Laken wiederzufinden, standen tatsächlich nicht sehr gut. Aber dies war ein pädagogischer Akt, den sie ihren Neffen nicht erlassen konnte, deswegen schnappte sich Karoline mit jeder Hand einen von ihnen und folgte ihren Anweisungen zu dem Ort, wo sie ›probiert‹ hatten, Passanten zu erschrecken. Leider schienen diese Anweisungen nicht sehr zuverlässig.

Ein junger Mann, so lautete die Aussage des bestohlenen Juwelenhändlers, habe ihn in einen der dunklen Gänge zwischen den Häusern gelockt und ihn dort zum Aushändigen der Börse gezwungen. Gerade wollte sich Staben diesem neuen Fall zuwenden, der vor ihm auf dem Schreibtisch lag und nach Aufmerksamkeit heischte, da platzte Geringer in sein Büro. Schnaubend, schnaufend und mit unübersehbarem Stolz begann er, von eben vollbrachten Taten zu berichten, zuerst von der Suche nach dem Mann in der Oper, der war nämlich gar nicht so leicht zu finden, der hätte heute Morgen noch geschlafen, also war Geringer zu ihm nach Hause …

Es folgten Details vom Aufsuchen dieser Wohnung, dem Inneren der Wohnung, dem Verlassen der Wohnung. Weiter konnte Geringer erfreut berichten, dass der Mann sich genau daran erinnert hatte, wie Peschmann bei der Aufführung der ›Undine‹ erst nach dem zweiten Akt erschienen war. Viertel vor zehn war's gewesen, das wusste er, denn sie hatten ja extra auf die Uhr geschaut, um zu sehen, wie viel Peschmann schon verpasst hatte.

Und von da aus war Peschmann tatsächlich direkt mit einer Droschke zu den Haasens gefahren. Frau Haas hatte sich erinnert, wie das Schellen sie aus dem Halbschlaf gerissen hatte, und auch dem Droschkenfahrer war der Zusammenbruch seines Gefährts noch lebhaft im Gedächtnis gewesen. »Mein Gott, hat der Mann geschimpft«, erzählte Geringer. »Der kann schließlich nichts dafür, wenn seine Droschke zusammenbricht – mal abgesehen davon, dass es gar nicht seine eigene ist – jedenfalls hat er sie immer regelmäßig überprüfen lassen – und so ein Pferd kann auch mal scheu werden, wenn's ganz überlastet ist, diese Droschkenfahrer haben ganz schön zu tun!« Gegen halb elf kam eine weitere Droschke vorbei, ein Glück, fand Geringer, und auch deren Fahrer konnte sich erinnern. Das Dienstmädchen hatte Peschmann dann noch eine Milch warm gemacht und danach waren sie beide schlafen gegangen – Geringer errötete. »Also, sie ist schlafen gegangen und er auch. Das war so um elf, hat das Mädchen gesagt.«

Weil er sich auf Geringers unordentliche Notizen nicht verlassen wollte, hatte Staben genauestens mitgeschrieben. Eines gab ihm dabei zu denken. »Wie lange geht man denn von Peschmanns Konfektionshaus bis zur Oper?«

»Eine Viertelstunde«, schätzte Geringer. »Wenn man sich beeilt, zehn Minuten.«

Zehn Minuten, eine Viertelstunde! Demnach hatten

Peschmann und Lübbe annähernd gleichzeitig ihre Geschäfte verlassen, waren westwärts die Zeil hinunter gegangen. Vermutlich war Peschmann knapp vor Lübbe auf die Straße getreten und hatte ihn daher nicht gesehen, vielleicht aber auch ein paar Minuten nach ihm, dann hatten sich ihre Wege getrennt – Staben kam eine Idee. »Vielleicht ist Peschmann nicht direkt zur Oper gegangen, sondern zu den Anlagen. Dort hätte er dann auf Lübbe gewartet, ihn erschossen und wäre von da zur Oper ...«

»Eine Viertelstunde«, sagte Geringer schon wieder.

»Das weiß ich ja jetzt. Selbstverständlich ist das bisher nur Spekulation, aber ...«

»Der Lübbe hat doch immer eine Viertelstunde gebraucht, bis er von seinem Geschäft nach Hause gekommen ist.«

»Das passt doch!« Nein, das passte natürlich nicht, Geringer hatte recht: Dann wäre Peschmann keine Zeit mehr geblieben, bis um Viertel vor zehn zur Oper zu kommen. »Und wie lange braucht man von den Anlagen zur Oper?«

»Zehn Minuten«, schätzte Geringer diesmal.

»Vielleicht ist Lübbe an diesem Abend ein bisschen schneller gegangen, weil er ohnehin so spät dran war. Er hätte schon um zehn nach halb in den Anlagen sein können«, überlegte Staben und war nicht ganz davon überzeugt, »und bei seinem Weg zur Oper hätte sich Peschmann ebenfalls beeilt.«

Auch Geringer überlegte. Mit dem Ergebnis: »Beim Erschießen hat der Peschmann sich aber auch ganz schön beeilt – grauslich!«

Staben fand selbst, bis jetzt klinge alles noch ein wenig unwahrscheinlich. Es fehlten schlicht und einfach zehn Minuten – mindestens.

Andererseits konnte man bei solchen Zeitangaben aber nie genau wissen. Um halb zehn, hatten die Tabakarbeiter gesagt, habe Lübbe sein Geschäft abgeschlossen. Aber vielleicht hatten sie sich die Zeit gar nicht genau gemerkt. Halb zehn konnte immer auch heißen: fünf vor halb zehn – in diesem Fall hätte Peschmann zehn Minuten gehabt für den Mord und seine Flucht zur Oper. Oder Lübbe war sogar schon um zehn vor halb gegangen – dann hätte er sich nicht einmal beeilen müssen auf dem Weg nach Hause.

Zugegeben, es blieb alles sehr knapp. Auf diese Weise kamen sie nicht weiter. »Geringer, am besten überprüfen Sie einmal die beiden Uhren.«

»Welche Uhren?«

Geringer solle sich erkundigen, ob die Uhr in der Oper oder die bei Westphal bisweilen nachging. Oder vorging. Und er solle die Westphalschen Arbeiter nochmals befragen, ob sie mit ›halb zehn‹ genau halb zehn – oder vielleicht ein paar Minuten vor halb zehn gemeint hatten.

Erst als sein Wachtmeister schon unterwegs war, fiel Staben ein: Selbst wenn sich damit die einzelnen Minuten zurechtrücken ließen – woher hatte Peschmann dann aber gewusst, dass Lübbe genau zu der Zeit in den Anlagen vorbeikommen würde?

Wenn er es jedoch nicht gewusst hatte, dann wäre er nicht erst um halb zehn, sondern längst davor zu den Anlagen gegangen. In diesem Fall stellte sich das gleiche Problem wie anfangs bei Rader: Würde ein Mörder eineinhalb Stunden in den Anlagen warten, wo ihn jedermann sehen konnte, bis sein Opfer endlich vorbeikam?

Staben bezweifelte es. Er konnte bloß hoffen, dass Fortuna höchstpersönlich ihm unter die Arme griff, und senkte demütig den Kopf, um der Dame zu signalisieren, dass er jederzeit offen sei für einen kleinen positiven Wink von ihrer Seite.

Es klopfte an der Tür. Ein weibliches Wesen trat ein. Langsam erhob Staben sich zur Begrüßung. »Fräulein Stern«, murmelte er etwas ungeschickt, »ich hatte mich schon gefragt, ob Sie mir heute noch einen Besuch abstatten wollen. Das heißt, ich habe nicht gerade Sie persönlich erwartet, aber irgendwie habe ich doch gehofft …« Er gab seine Erklärungsversuche seufzend auf und begnügte sich damit, ihr den Stuhl anzubieten.

Sie missverstand seine Bemerkungen als leichten Spott in Form einer Galanterie. »Sie werden sich noch viel mehr freuen, wenn Sie hören, warum ich gekommen bin. Zwar bedeutet es eine Menge Arbeit, aber wenn Sie wirklich an der Wahrheit interessiert sind, dann kann ich Ihnen helfen. *Sind* Sie interessiert?« Diesmal sollte dieser arrogante Preuße sie bitten.

»Was ist Wahrheit?«, fragte der Kommissar ein wenig zu tragisch und reagierte dann doch wie erwünscht: Er bat sie um Auskunft.

Bisher hatte er das Fräulein Stern für eine zielstrebige junge Dame gehalten, aber zu seiner Verblüffung musste er diesmal hören, dass Karolines Bericht erst mit einer Darlegung der Familienverhältnisse ihrer Schwester begann, die nebst einem Gatten auch noch mit Zwillingen gesegnet war.

»Wie heißen die beiden denn?«, fragte Kommissar Staben liebenswürdig.

»Jakob und Georg«, antwortete sie, »aber das ist doch ganz gleich.« Am Montagabend hätten eben diese Zwillinge ein paar Fußgängern einen Streich spielen wollen – »am Montagabend, verstehen Sie?« – und hätten sich dazu ausgerechnet die Bäume der Wallanlagen ausgesucht, um sich dahinter zu verstecken und vorbeigehende Passanten mit einem Besen zu erschrecken.

»Mit einem Besen?«, fragte Kommissar Staben überrascht, fühlte einen Hauch von Kindheitserinnerung in sich aufkommen und vergaß für einen Moment die Dringlichkeit der eigentlichen Angelegenheit. »Na, mit einem Besen wird das wohl kaum geklappt haben.«

»Und mit einem Bettlaken«, ergänzte Karoline lächelnd und machte den Kommissar sanft darauf aufmerksam, auch dieses Detail sei derzeit nicht so entscheidend. Die Hauptsache war nämlich: »Angeblich ist der Lübbe doch um halb zehn von seinem Geschäft nach Hause gegangen. Aber die Zwillinge haben sich erst danach aus dem Haus geschlichen, da war es schon nach zehn.« Die Eltern waren nämlich an dem Abend außer Haus gewesen und das Mädchen hatte die Kinder um acht zu Bett gebracht und sich dann selbst um zehn Uhr schlafen gelegt. Die Zwillinge hatten gelauscht und sich, sobald das Licht ausging, aus der Wohnung gestohlen.

»Und jetzt hören Sie mir genau zu ...«

Staben versicherte, das tue er bereits.

»Dann sind sie wohl kurz nach zehn an der Wallanlage gewesen, und wenn da der Herr Lübbe herumgelegen hätte – verzeihen Sie den Ausdruck, ich bin etwas aufgewühlt, die Zwillinge haben mich Ewigkeiten durch halb Frankfurt geführt, bis wir endlich zu den Wallanlagen kamen, und dann konnten sie sich nicht einigen, an welchem Baum sie genau ihr Laken verloren hatten – aber wenn da der Verstorbene schon, nun, verstorben gewesen wäre, hätten sie's doch wohl kaum übersehen.«

»Wohl nicht«, gab der Kommissar zögernd zu. »Aber

wenn Ihre Neffen heute so lange gebraucht haben, bis sie den Ort gefunden haben, dann wissen wir nicht, wann sie am Montag dort angekommen sind. Und *ob* sie überhaupt dort waren. Kinder sind oft …«

Karoline unterbrach ihn. »Nein, unsere Irrwege verdanken sich dem Hausarrest. Eigentlich wohnt meine Schwester gleich um die Ecke, in der Stiftstraße, die führt direkt zum Eschenheimer Turm und zu den Anlagen. Bloß haben die beiden die Chance genutzt, ein wenig durch die Stadt zu spazieren. Bis zum Main, ich bitte Sie! Jedes Frankfurter Kind kennt den Unterschied zwischen dem Weg zum Main und dem zu den Wällen. Ich versichere Ihnen: Wenn die Zwillinge sagen, sie waren da, dann waren sie auch da.«

»Man müsste es wenigstens nachprüfen«, überlegte Staben und notierte sich ein paar entsprechende Überlegungen auf der Akte des bestohlenen Juwelenhändlers.

»Genau das habe ich auch gedacht«, rief Karoline zufrieden. »Ich hab den Georg – das ist der eine – gefragt, ob sie denn Erfolg hatten mit dem Erschrecken. ›Nein, nein‹, hieß es zunächst, aber dann wurde der andere ungeduldig und hat gesagt: ›Ja, den Apotheker.‹« Nun, Karoline hatte ihre Schwester wiederum gefragt, welchen Apotheker die beiden denn meinen könnten, und die hatte erklärt, eigentlich nur den von der Einhorn-Apotheke, denn da ginge sie immer hin, wenn sie irgendetwas brauche. Die bewusste Apotheke liege am Theaterplatz, erklärte Karoline dem ortsunkundigen Kommissar zuvorkommend. »Ich habe die Kinder also wieder bei meiner Schwester abgeliefert und bin zum Theaterplatz und hab den Apotheker gefragt, ob ihm am Montagabend etwas aufgefallen sei.«

»Etwas aufgefallen, nein«, hatte der Mann etwas zerstreut geantwortet.

»Ein Geist vielleicht oder ein Bettlaken auf einem Besen?«, hatte Karoline nachgefragt. Da hatte der Apotheker die Stirn gerunzelt und angefangen zu lachen. »Ach, ein Geist sollte das sein? Na, ich hab mir schon so etwas Ähnliches gedacht. Eigentlich waren es nur zwei Knirpse mit etwas Langem und weiß war's auch. So, das war ein Bettlaken! Na, ich hab natürlich so getan, als hätte ich mich sehr erschrocken. Die beiden haben furchtbar gekichert und sind wieder hinter ihren Baum getorkelt. Vermutlich war die Balance schwer mit dem Besen. Wo ich das jetzt weiß ...«

Der Apotheker lachte immer noch, Karoline musste auch ein wenig lachen, war aber flink genug, um schnell noch nachzufragen, wie viel Uhr es da gewesen war, bevor der Apotheker sich daran machte, eine Dame mittleren Alters zu bedienen. »Elf«, hatte er gemeint. Karoline hatte gewartet, bis die Dame verschwunden war, und dann den armen Apotheker mehr oder weniger gezwungen, seine Fläschchen und Pülverchen für fünf Minuten seinem Lehrling anzuvertrauen und ihr den genauen Ort zu zeigen.

»Und das war«, berichtete sie dem Kommissar zufrieden, »tatsächlich die Platane, zu der die Zwillinge mich hingeführt haben. Und, wenn ich Sie richtig verstanden habe, genau die Stelle, wo man Lübbe gefunden hat. Also kann Lübbe um zehn noch nicht dort gelegen haben.«

Staben war sprachlos. »War es wirklich dieselbe Stelle?«, stammelte er schließlich.

»Vielleicht fünf Meter weiter.«

»Woher wissen Sie denn, wo es war?« Noch war Staben nicht ganz überzeugt.

Karoline lächelte fein. »Die Spuren Ihrer Suchmannschaft waren nicht zu übersehen.«

Das überzeugte Staben dann doch. Und schon trafen die Schlussfolgerungen eine nach der anderen in seinem zermarterten Hirn ein. »Also kann Lübbe sich um halb zehn auf keinen Fall direkt nach Hause begeben haben!« So langsam konnte kein Mensch die paar hundert Schritte von der Zeil bis zu den Anlagen gegangen sein. »Dann muss der Mord aber nach elf geschehen sein!« So viel zur Präzision der medizinischen Wissenschaft à la Dühring. »Und dann kann es Rader auf gar keinen Fall getan haben!« Denn der war ja schon um halb zehn wieder in der Kneipe gesichtet worden.

»Genau deswegen bin ich hier«, erklärte Karoline zufrieden.

Und das alles hatte er einem Paar spielender Kinder zu verdanken! »Wo das Laken geblieben ist«, sagte Staben und malte ein entschiedenes Ausrufezeichen auf den Aktendeckel vor sich, »das weiß ich.«

»Wo?«

»Man hat den Toten damit zugedeckt, als er am Morgen gefunden wurde. Wenn Sie es wiederhaben wollen, könnte ich …«

»Nein, danke. Ich glaube kaum, dass meine Schwester unter diesen Umständen darauf besteht«, erklärte Karoline bestimmt. »Sie hat noch nicht einmal gemerkt, dass es fehlt.«

»Ich glaube, Ihre Zwillinge haben sich eine Tüte Kirschen verdient«, meinte Staben.

Stattdessen hätten sie immer noch Hausarrest, erklärte Karoline. »Aber wenn Sie bitte für sich behalten könnten, welche Rolle meine Neffen in dieser Angelegenheit spielen? Es ist doch sicher nicht nötig, dass die Familie meiner Schwester hineingezogen wird. Hauptsache, wir haben den Apotheker gefunden.«

Staben nickte und versank dann in Schweigen, wobei er seine wirren Gedanken mit schwungvollen Strichen auf dem Aktendeckel begleitete. Erst um elf! Die Sache wurde immer komplizierter. Jetzt war nicht nur unklar, was Lübbe von acht bis um halb zehn in seinem Geschäft gemacht hatte. Nein, jetzt musste er auch noch herausfinden, was der Mann zwischen halb zehn und elf Uhr getrieben hatte. »Unter uns, Fräulein Stern, das Ganze ist mir wirklich ein Rätsel. Bisher hatte ich angenommen, dass Lübbes Verzögerung im Geschäft und der Mord zusammenhingen. Obwohl ich darüber bisher noch nichts in Erfahrung bringen konnte. Woher hätte der Mörder aber denn ahnen können, dass Lübbe nicht nur länger im Geschäft bleiben würde, sondern auch danach noch anderthalb Stunden quer durch Frankfurt laufen wollte? Es ist ein Rätsel!«

»Und wie jedes Rätsel muss es systematisch angegangen werden«, befand Karoline und drängte den Kommissar, sie einen Blick in seine Notizen tun zu lassen.

»Nein!«, sagte er.

»Nun geben Sie schon!«, sagte sie.

»Nein«, wiederholte er und schaute betreten zur Seite, als sie ihm den Aktendeckel entwand.

Die Notizen, bemerkte Karoline mit Unmut, waren nichts als ein Haufen ungeordneter Namen und Zahlen und vor allem jeder Menge von Frage- und Ausrufungszeichen. »Wo war Lübbe senior«, hieß es da, »zwischen acht und halb zehn? Zwischen halb zehn und elf? ELF?«

»Was heißt diese großgeschriebene ELF?«, fragte Karoline gereizt.

Der Kommissar machte sie darauf aufmerksam, dass der Tote ja nicht unmittelbar nach dem Verschwinden der Zwillinge erschossen worden sein musste. Karoline ihrerseits erklärte, sie habe auch nichts Derartiges angenommen und vertiefte sich weiter in die Notizen. Quer über diesen Stichworten stand ähnlich kryptisch: »Zwischen halb zehn und zehn Uhr. DR. DÜHRING!!!« Karoline machte ein unwirsches Gesicht. »Das kann man ja kaum lesen. Wer, bitte, ist Dr. Dühring?«

Staben erklärte, das sei die zu vernachlässigende Aussage eines ebenfalls zu vernachlässigenden Polizeiarztes. »Spätestens zehn, hat er in seinem Gutachten geschrieben. Ihre Zwillinge haben es widerlegt.«

»Das dachte ich mir, dass auf die moderne Medizin kein Verlass ist. Mit halb zehn hat der Doktor besser getroffen.« Karoline bediente sich aus dem hirschförmigen Stiftebehälter.

»Das war nicht die moderne Medizin, sondern mein eigener gesunder Menschenverstand«, berichtigte sie Staben. »Um halb zehn war Lübbe immerhin noch lebendig genug, um nach Abschließen seines Ladens seinen Nachbarn zuzuwinken. Aber jetzt fällt mir wieder ein …« Staben überlegte. Schon in der Leichenhalle war sich der Polizeiarzt nicht sicher gewesen, wie er seine Unsicherheit betreffs der medizinischen Sachlage mit der gewünschten Präzision eines Gutachtens vereinigen sollte. Zuerst hatte er dem toten Lübbe fast den Arm gebrochen, danach hatte er die Leichenstarre mit der Grippe verglichen und dann: »Höchstens Mitternacht«, das hatte Dr. Dühring damals gesagt, beiläufig, hatte zwar diese Möglichkeit nicht nur im ersten, sondern auch im zweiten Gutachten unerwähnt gelassen, dennoch … »Fräulein Stern, wir müssen davon ausgehen, dass Lübbe zwischen elf und Mitternacht ermordet wurde. Jedenfalls nicht wesentlich später – was machen Sie da?«

»Ich bringe das Ganze in ein lesbares, übersichtliches

System.« Jetzt war Karoline auf den Namen Peschmann gestoßen und notgedrungen musste Staben ihr ein paar grundlegende Tatsachen über die bittere Konkurrenz der Schneider auf der Zeil mitteilen, wobei er nicht sicher war, ob diese eine Außenstehende etwas angingen: über Lübbes etwas diffusen Plan eines Zusammenschlusses mit Peschmann, über dessen Traum von den hochwertigen Herrenanzügen, über Kobischs Vorschlag, Lübbe solle die Dienstboten seiner eigenen exklusiven Kundschaft einkleiden. Und wo Staben nun schon einmal so schön in Fahrt war, bot er noch an, Karoline als Hintergrund ein wenig die Geschichte des Schneiderhandwerks zu erläutern. Es gebe nämlich verschiedene Typen von Nähmaschinen …

Leider lehnte sie ab. »Nein, danke. Um elf Uhr trinkt Peschmann also Milch – Kobisch lass ich weg, wenn der den ganzen Abend in Homburg war.« Sie vertiefte sich wieder in Stabens Notizen und stutzte. »Aber wieso steht denn hier: Lübbe junior Fragezeichen-Fragezeichen-Fragezeichen? Soll das heißen, Sie verdächtigen den Sohn?«

Wieder musste Staben einige seiner Geheimnisse offenlegen und bereute es, ihr seine Notizen gezeigt zu haben. »Man kann es nicht ganz ausschließen«, murmelte er. »Schließlich ist er der Erbe. – Das ist aber ganz vertraulich!«

»Ich schweige wie ein Grab.« Karoline überlegte. »Dann müssen wir die Witwe aber auch mitberücksichtigen. Die erbt doch sicher auch etwas.«

»Die Witwe!« Staben war entsetzt und erzählte von Frau Lübbes Anfall, vertraulich, aber auch sie wurde in Karolines ›System‹ eingetragen. Danach wechselte der Aktendeckel nochmals die Tischseite. Auf seiner Rückseite die folgende Tabelle:

	mögliche Tatzeit laut Düring	Lübbe	Rader	Peschmann	Lübbe junior	Witwe Lübbe
ab 8	ab 6 Uhr abends möglicher	bleibt im Geschäft	verläßt Kneipe	im Geschäft	mit einem Bekannten	Abendessen
halb 9	Zeitpunkt	aber	wohin	wegen neuer	in Sachsen-hausen	fühlt sich schlecht
9	der	wieso?	will er	Liefe-rungen	trinkt Ebbelwai	Arzt bei ihr
halb 10	Mord-	verläßt Geschäft	nicht sagen	verläßt Geschäft Richtung Oper	noch in Sachsen-hausen?	krank
10	tat	wohin?	wieder in der Kneipe	wartet auf eine Droschke	?	zu
ab 11	eventuell	Ermordung	geht mit einem Nachbarn heim	zu Hause, trinkt Milch	?	Hause
12	unwahr-scheinlich				?	

Staben war froh, die Akte wieder in den eigenen Händen zu halten, aber seine mangelnde Begeisterung angesichts der Tabelle selbst war unübersehbar.

»Ich gebe zu, ich hätte vielleicht noch mehr Zeilen einziehen sollen«, räumte Karoline vorsorglich ein. »War bloß nicht genug Platz. Sehen Sie aber, dass Peschmann zur gleichen Zeit sein Geschäft verlassen hat wie Lübbe? Man könnte meinen, sie wären Seite an Seite die Zeil hinuntergeschritten ...«

Das habe er in der Tat gesehen. Er rechnete ihr vor, wie Peschmann die Anlagen eventuell hätte vor Lübbe erreichen und dann noch schnell zur Oper gelangen können, wenn die Uhren nicht ganz genau gingen, und dass er Geringer bereits gebeten hatte, dieselben zu überprüfen – da fiel ihm ein: »Selbst das würde nichts nützen. Nicht, nachdem wir wissen, dass Lübbe gar nicht um halb zehn erschossen wurde. – Im Übrigen finde ich nicht, dass Sie die Tabelle noch umfangreicher hätten anlegen sollen. Die Spalte mit der Witwe zum Beispiel hätten Sie getrost weglassen können: Sie war schlicht und einfach den ganzen Abend zu Hause.«

»Nein, diese Spalte ist trotzdem sehr aufschlussreich, nämlich im Zusammenhang mit den Fragezeichen in der Spalte Lübbe junior. Denn zu Hause war er nicht, so viel ist sicher, das hätten seine Mutter und das Mädchen bemerkt.«

»Das finde ich in der Tat aufschlussreich«, stimmte Staben zu. »Bei Rader haben Sie nämlich geschrieben: ›will er nicht sagen‹. Bei Lübbe junior hingegen machen Sie ein Fragezeichen.« Außerdem wolle er daran erinnern, dass er es war, der den jungen Lübbe ins Spiel gebracht hatte. Im Vergleich dazu brächten die Fragezeichen nichts Neues.

Karoline schaute den Kommissar streng an. »Sein Sie

nicht undankbar, immerhin hab ich Ihnen die Zeile von zehn bis elf erst ermöglicht!«

Staben versicherte, dafür sei er ihr ja auch überaus dankbar. »Ich sehe bloß nicht, wozu diese Tabelle nötig war!«

»Vielleicht können Sie schon morgen oder übermorgen die schönen Fragezeichen unter ›Lübbe junior‹ durch etwas Handfestes ersetzen. Da werden Sie froh sein über Ihre Tabelle.«

»*Vielleicht*«, wiederholte Staben. »Hoffentlich!«

»Und wenn Sie das nicht weiterbringt«, tröstete Karoline, »dann ist schließlich nicht auszuschließen, dass es nicht einen weiteren Namen gibt, den wir noch nicht kennen. Für den können Sie hier rechts noch eine weitere Spalte einziehen.«

»Wir könnten gleich noch hundertfünfzigtausend mehr Spalten eintragen für sämtliche Bürger Frankfurts«, schlug Staben vor. »Das würde die Zahl der Verdächtigen natürlich wesentlich erhöhen.«

Durch ein Quäntchen Spott war Karolines Enthusiasmus nicht zu bremsen. »Und in dieser rechten Spalte steht dann: ›Halb elf: Weg zur Anlage. Ab elf: Mord‹.« Mit diesem dramatischen Schlusswort verabschiedete sie sich und empfahl Staben die Tabelle zu erfolgreichem Gebrauch nach eigenem Gutdünken.

Sie hinterließ einen bis zur Unkenntlichkeit verschmierten Aktendeckel und einen höchst aufgewühlten Kommissar. Alles musste neu überlegt werden, jetzt, wo herausgekommen war, dass das Verbrechen viel später stattgefunden hatte, als bisher angenommen. Alles musste neu und sorgfältig geplant werden. Staben betrachtete die Zeilen und die Spalten mit den vielen Fragezeichen. Nicht, dass er dem Fräulein Stern nicht traute. Aber er arbeitete lieber nach seinem eigenen System.

Als nächstes musste er den Apotheker befragen, um sich Gewissheit zu verschaffen. Und dann würde er zum Polizeipräsidenten gehen, diesem seine neuen Erkenntnisse mitteilen und danach Raders Freilassung erwirken. Schließlich kam die neue Aufgabe auf ihn zu, in Erfahrung zu bringen, wo Lübbe junior sich nach zehn Uhr aufgehalten hatte. Es gab wieder etwas zu tun im Mordfall Lübbe! Selig faltete Staben seine Liste zusammen, steckte sie in die Brusttasche und machte sich daran, sie entsprechend der korrekten Reihenfolge durchzuarbeiten.

Bei seinen ersten beiden Unternehmungen war er in kürzester Zeit sehr erfolgreich. Ergeben ließ sich der Apotheker zum zweiten Mal am heutigen Tag von seiner Offizin in die Wallanlagen entführen, berichtete ausführlich von mehreren Irrwegen, die die Wissenschaft auf der Suche nach einem Mittel gegen die Epilepsie bereits gegangen sei, und von dem neuen, hoffnungsvolleren Weg, die sie unter seiner Führung beschreiten würde. Schließlich fand er von der Zukunft so weit in die Gegenwart zurück, dass er Staben die Platane weisen konnte, hinter der die Zwillinge sich versteckt hatten – und unter der der Tote gefunden worden war.

Aufgrund dieser neuen Erkenntnisse war auch der Polizeipräsident bald überzeugt, dass Rader unschuldig sei und daher schnellstmöglich auf freien Fuß gesetzt werden müsse, und besprach sich mit dem Untersuchungsrichter. Woraufhin Staben zur Konstablerwache eilte, um höchstselbst der Freisetzung seines Verdächtigen beizuwohnen. Ein Stein fiel ihm vom Herzen, als der etwas überrascht, aber höchst erfreut wirkende Schneidergeselle ohne ein Wort des Grolls zwischen den Wachtposten der Konstablerwache hindurch auf die Zeil schlenderte.

Als Herr Stern zum Abendessen nach Hause kam, waren Frau und Tochter zwar anwesend. Aber das von ihm sorgfältig herausgesuchte Kochbuch hatten sie ihm ebenso sorgfältig auf das Beistelltischchen zu Zeitung und Pfeifentabak gelegt, damit er sich ganz ungestört dieser Lektüre hingeben könne, während sie den Esszimmertisch decken wollten. Eine Inspektion der Kochtöpfe ergab: Das Menü bestand aus Kartoffeln, Rindfleisch, Erbsen.

»So geht es nicht, so geht es nicht!«, rief Herr Stern. Er baute sich mitten im Esszimmer auf und wartete, bis sich der Rest der Familie um ihn versammelt hatte. »Wenn ich euch höflich darauf hinweise, ignoriert ihr es ...«, Frau und Tochter starrten ihn verständnislos an, »... also muss ich wohl deutlicher werden: In diesem Haushalt muss sich Grundlegendes ändern.«

Frau und Tochter setzten ein interessiertes Gesicht auf. Falls er eine längere Erklärung abgeben wolle, schlugen sie vor, solle er es sich doch erst einmal im Salon auf dem Sofa bequem machen.

»O ja, dies wird eine längere Unterredung«, sagte Stern böse, trotzdem ziehe er persönlich einen harten, aber ehrlichen und sauberen Esszimmerstuhl dem Sofa vor. »Ich habe mich nämlich erst kürzlich auf das Sofa gesetzt und das war keineswegs so bequem, wie ich gehofft hatte. Wann ist das noch gewesen? Ah, es war der Mittwoch. Ich habe mich also auf das Sofa gesetzt und bin aus dem Husten nicht mehr herausgekommen, so hat es gestaubt. Die Kissen mochte ich gar nicht erst anfassen und hinter den Bilderrahmen erkennt man den eigenen Großvater kaum. Wie fühlen sich denn die Gäste, wenn da nie saubergemacht wird?«

Karoline fand das höchst unangemessen. Denn sie *hatte* ja erst am Mittwoch im Salon sauber gemacht. »Den Salon sehen gar keine Gäste«, erwiderte sie böse, »weil wir nie welche einladen. Also kann auch niemand etwas Schlechtes darüber denken.«

»Das stimmt allerdings, dass wir nie jemand einladen. Vielleicht sollten wir das auch einmal ändern!« Stern fixierte drohend seine gesellschaftsunfreudige Gattin. »Alle Leute laden ein, es fällt langsam auf. Vielleicht sagen die Leute schon, Frau Stern kann nicht kochen« – er verdrehte Augen und Hände in einer Geste gespielter Unwissenheit –, »womit sie vielleicht Recht haben, das kann ich nicht beurteilen. Denn ich persönlich habe schon länger nichts mehr gegessen, was meine Gattin gekocht hätte. Oder sie sagen, die Sterns hausen in einem Rattenloch. Oder sie sagen einfach, die Sterns sind nicht gastfreundlich, das sind geizige Juden, die wollen mit uns nichts zu tun haben.«

»Ich glaube nicht, dass irgendwer …«, wandte Karoline zaghaft ein.

»Ich spreche mit deiner Mutter«, erklärte Herr Stern. »Das kann ich mir nicht leisten, dass die Leute so reden.« Es folgten Ausführungen über das Vertrauensverhältnis zwischen einem Anwalt und seiner Klientel sowie den dazu notwendigen sozialen Banden und Kontakten. »Also wirst du auch eine Einladung machen, Fanny, am besten jetzt gleich im Herbst.«

»Ich bin aber nicht sehr geübt …«

»Du wirst es lernen«, schnitt Stern seiner Frau das Wort ab. »Das Malen hast du schließlich auch gelernt.«

Frau Stern lächelte erfreut, aber ihr Mann hatte es nicht als Kompliment gemeint. »Sicher, jeder Mensch braucht ein bisschen Ausgleich, wenn er sein Tagwerk getan hat«, begann er stattdessen, »wenn du unbedingt malen willst, dann mal. Aber das heißt nicht, dass du alles andere stehen und liegen lassen darfst. Ich hab schließlich auch ein Recht auf eine schöne Mahlzeit, wenn ich hungrig und müde von der Arbeit komme.« Diesmal folgte ein kleiner Exkurs über den Mann, der das Geld nach Hause brachte, und die Gegenleistungen, die der Rest der Familie zu erbringen hatte.

Karoline überlegte, ob sie mit diesen Worten entlassen waren.

»Und damit meine ich auch dich, Karoline. Wenn du siehst, deine Mutter ist nicht zu Hause, wieso machst du dann nichts zu essen? Alt genug bist du ja, allerdings. Wie soll das mal werden, wenn du …« Nein, diese Ermahnungen waren nicht seine Angelegenheit, darum kümmerte sich seine Schwiegermutter. Stern unterließ es also, seine Tochter über ihre Heiratsaussichten aufzuklären, und fragte bloß: »Wo bist du überhaupt gewesen? Als ich heute Mittag nach Hause kam, war niemand da. Keine Menschenseele!«

»Ich war bei Friederike und habe bei der Wäsche geholfen.«

»Bei der Friederike!«, rief Stern. »Deine Schwester kann sehr gut allein mit der Wäsche zurechtkommen. Die ist verheiratet, hat ihren eigenen Haushalt. Du hingegen – wann hast du in diesem Haus das letzte Mal bei der Wäsche geholfen? Solange du noch unter meinem Dach wohnst« – Stern zeigte nach oben zur Zimmerdecke –, »so lange hilfst du deiner Mutter in diesem Haushalt.«

»Wir werden auch wieder einen Waschtag einrichten«, schlug Frau Stern vor und fasste dabei den kommenden Mittwoch ins Auge. Oder den in der Woche danach.

»Und zwar besser gestern als heute!«, stimmte ihr Mann zu. »Langsam weiß ich nicht mehr, womit ich in die Kanzlei gehen soll. All meine Manschetten sind schmutzig, meine Strümpfe haben Löcher – gut, ihr mögt sagen, *das sieht aber niemand,* weil man schließlich noch die Schuhe drüber anzieht. Es wird ja anscheinend sehr praktisch gedacht in diesem Haushalt!«

Karoline und ihre Mutter wussten nichts zu entgegnen und schwiegen. Stern selbst hingegen lief erst zur Höchstform auf. »Und jetzt rate mal, Karoline, wer mich heute Nachmittag antelefoniert hat.«

Karoline erriet es nicht.

»Der Kommissar, der damals den Rader verhaftet hat. ›Ihr Gehilfe ist bei mir gewesen‹, hat er gesagt. ›Mein Gehilfe?‹, hab ich gefragt. Schließlich hab ich gar keinen. ›Ich meinte natürlich Ihre Tochter‹, hat der Mann gesagt.«

Karoline blickte zu Boden.

»Dabei hat er geschmunzelt, das konnte ich sogar durch das Telefon sehen, und dann hat er mir erzählt, dass du bei ihm gewesen bist. ›Heute nachmittag?‹, habe ich gefragt. ›Ja‹, hat er gesagt, ›*das letzte Mal* heute Nachmittag.‹ Aus welchem Zusatz ich schließe, dass das Polizeipräsidium inzwischen eins deiner bevorzugten Ausflugsziele geworden ist. Neben den Kneipen natürlich, für deren Besuch ich mich von meiner Schwiegermutter gestern erst rügen lassen musste. Anscheinend tust du gar nichts anderes mehr, als zwischen Kneipen und der Polizei hin und her zu ziehen.«

»Aber, Papa, ich habe dem Kommissar nur ...«

»Ich weiß schon, da hast du ihm das von einem neuen Zeugen erzählt, wegen dem der Rader wieder freigelassen wurde. Nein, ich will jetzt nicht hören, was das für ein Zeuge ist, und denk bloß nicht, dass ich dir dankbar bin dafür. Überleg doch mal: Ich lauf mir die Hacken ab beim Gericht und derweil geht meine Tochter zum Kommissar und bringt dem einen Zeugen. Und ich erfahr's als Allerletzter – die lachen sich doch halb tot über mich! Außerdem wär früher oder später ohnehin schon herausgekommen, dass der Rader an dem Mord unschuldig ist, das ist doch nicht deine Aufgabe. Ich und der Kommissar – der Kommissar und ich, wir hätten es auch schon ohne dich geschafft.«

Stern musste eine kurze Pause einlegen. Da war doch noch etwas gewesen – aber was? Gerade als Frau und Tochter begannen, sich in falscher Sicherheit zu wiegen, fiel es ihm wieder ein. »Und auf dem Rückweg bin ich bei der Einhorn-Apotheke vorbeigegangen.«

»Was hast du denn da gebraucht?«, fragte seine Frau erschrocken. Stern spielte kurz mit dem Gedanken, etwas von Herztropfen zu sagen, die er infolge der Familienturbulenzen jetzt nehmen müsse, entschied sich aber dagegen. Seine Frau kannte den Apotheker besser als er und jedes Abweichen von der Wahrheit würde daher sofort enttarnt und dann zum Untergraben seiner Autorität gegen ihn gewendet werden.

»Mein Magenpulver«, antwortete er also wahrheitsgemäß. »Jedenfalls sagt der Apotheker ganz herzlich: ›Ja, Herr Anwalt, so ein Zufall, grad war Ihr Fräulein Tochter hier, sie ist ja eine sehr kluge junge

Dame, also Fragen hat sie gestellt! Es sei für einen Mordfall ...‹«

Bei Karoline kündigte sich wieder ein Schluckauf an.

»Selbst wenn du jetzt wieder weinst, heut bin ich nicht zu erweichen«, drohte ihr Vater und starrte sicherheitshalber auf seine Hände, während er weitersprach. »Zum Glück hat's der Apotheker eher von der heiteren Seite her gesehen, aber stell dir mal vor, wenn die Leute sagen: dem Stern seine Tochter und ein Mordfall! Angeblich haben sogar Friederikes Zwillinge ihm nachts aufgelauert, weiß auch nicht, was die damit zu tun haben sollen, aber da hab ich gesagt, das kann ja gar nicht sein, die Kinder kommen immer um acht ins Bett.«

Karolines Kehle gab einen unverbindlichen Schluckser von sich.

Stern seinerseits holte Luft. »Von jetzt an, das sage ich dir, ist Schluss mit dem Herumstromern. Und was die Wäsche bei Friederike angeht – so lang kann's ja nicht gedauert haben, wenn du noch Zeit hattest, zum Präsidium zu gehen. Von jetzt an wird hier Wäsche gemacht und es wird geputzt und gekocht und was sonst noch erforderlich ist, damit dieser Haushalt mal wieder in Schuss kommt.« Stern hatte von Wasch-, Scheuer- und Bügeltagen ähnlich verschwommene Vorstellungen wie der Rest seines Haushalts. »Und ihr werdet dazu übergehen, mir ein richtiges Abendessen zuzubereiten« – Gattin und Tochter erhoben sich hoffnungsvoll –, »nein, gebt euch keine Mühe. Ich meine nicht das *heutige* Abendessen, mir ist der Appetit nämlich längst vergangen. Ich meine die künftigen Abendessen, genauer gesagt: *all* meine künftigen Abendessen.« Und mit diesen Worten stürmte Stern ins Treppenhaus und von da ins Freie, um Frau und Tochter gründlich Gelegenheit zu geben, seine Worte in ihren Herzen zu bewegen und entsprechende Maßnahmen für die nächsten Wochen zu ergreifen.

In Stabens Büro beaufsichtigte Geringer zwei Männer, die mit langen Brettern und Winkeln hantierten. »Auf der anderen Seite mehr nach oben. Nein, ein Stück nach unten.«

Der eine murmelte etwas von einer Wasserwaage.

»Ach, was heißt da Wasserwaage!«, rief Geringer. »Ich seh's doch mit eigenen Augen!« Sechs Winkel säumten die Wand neben der Dachluke. Daraus sollten die Regale werden, in die der Herr Kommissar seine Akten legen würde. »Der wird vielleicht staunen!«

»Ich staune«, machte Staben auf seine Anwesenheit aufmerksam.

Jemand musste die Handwerker kontrollieren. Ohne den Blick von denselben abzuwenden, informierte Geringer den hinter ihm stehenden Staben, er sei bei den Uhren gewesen.

»Bei welchen Uhren?«

Na, von der Oper und vom Westphal. Beide gingen immer richtig. Wurden jeden Tag kontrolliert. »Halt – ein bisschen nach oben!« Und die Tabakarbeiter waren ganz sicher: Um halb zehn war Lübbe herausgekommen.

»Vielen Dank, Geringer. Es wäre ohnehin viel zu knapp gewesen. Und jetzt brauchen wir das sowieso nicht mehr.«

»Brauchen, brauchen ...« Bei diesen Worten musste Geringer nachdenken. Ach, genau, der Kommissar Rauch sei gerade hier gewesen. »Wenn Sie ihn brauchen für den Fall Lübbe, dann können Sie erst morgen zu ihm gehen. Heute geht's nicht mehr.« Kommissar

Rauch sei mit den Bornheimer Sozialdemokraten beschäftigt, die sich im Hinterzimmer irgendeiner Kneipe treffen wollten. Er und seine Leute hätten alle Hände voll zu tun.

»Der Kommissar Rauch hat wohl immer alle Hände voll zu tun«, murmelte Staben.

Geringer nickte geistesabwesend, denn seine Aufmerksamkeit galt jetzt ganz der geometrischen Wissenschaft. Selbst wenn jedes Brett für sich genommen gerade hing, lautete seine neugewonnene Erkenntnis, hieß das anscheinend noch nicht, dass sie alle zusammen gerade *aussahen.*

Demnach hatte Rauch trotz all seiner eigenen beruflichen Pflichten, überlegte Staben in eine ganz andere Richtung, bereits erfahren, dass die Ermittlungen eine neue Wendung genommen hatten. »Wahrscheinlich per Telefon«, murmelte Staben, »oder er und der Polizeipräsident sind auch persönlich miteinander bekannt.«

»Der Schwiegersohn«, erklärte Geringer bereitwillig. Jetzt, wo das mittlere Brett nochmals abgenommen und neu eingehängt worden war, verlor der eben aufgestellte Lehrsatz der Geometrie wieder an Allgemeingültigkeit: Jetzt waren sie nämlich doch alle drei gerade! »Wenn Sie da rechts noch ein bisschen draufklopfen …« Nachdem die Handwerker dieser letzten seiner Anweisungen nachgekommen waren, hieß Geringer sie ihr Gerät wieder einsammeln und sie trollten sich. »So, Herr Kommissar, jetzt haben Sie Platz für all ihre Siebensachen.«

Staben lobte die Tüchtigkeit seines Wachtmeisters und die Nützlichkeit der angebrachten Regale. Auf Nachfrage bestätigte er, dass alle drei Bretter ziemlich gerade hingen, auf jeden Fall gerader, als man es mit der Wasserwaage je hinbekommen hätte.

»Das find ich aber auch«, sagte Geringer zufrieden und wischte liebevoll ein bisschen Holzstaub herunter. »Und wie finden Sie's *insgesamt*?«

»Ganz hervorragend. Und als nächstes«, Staben tippte seinem Wachtmeister auf die Schulter, damit der sich zu ihm umdrehen sollte, »als nächstes werden Sie mir einmal den Lübbe junior beobachten.«

»Gleich morgen fang ich damit an«, versprach Geringer. Auch insgesamt sahen die Regale wirklich hervorragend aus.

»Nicht morgen – heute!«

Jetzt drehte sich Geringer tatsächlich um, schaute auf Stabens (genaugenommen Frau Elberts) Uhr, legte den Kopf schief und rechnete. »Aber hier ist doch gleich Schluss.«

»Heute ist für Sie erst Schluss«, erklärte Staben bestimmt, »wenn Lübbe zu Hause angekommen ist.«

Das ist der Dank für all die Mühe, dachte Geringer erbost, ließ sich aber durch weiteres Lob der Regale und durch seines Kommissars bittendes Lächeln wieder erweichen. Er sei nämlich ein drittes Mal kurz bei Lübbe & Sohn vorbeigegangen, erklärte Staben, aber der Sohn des Ermordeten habe ihm partout nicht sagen wollen, was er nach dem Verlassen des Wirtshauses weiter getan habe. Aber, und darauf gebe er sein Ehrenwort, es habe weder mit seinem Vater noch mit dem Geschäft in geringster Weise etwas zu tun, sei damit für die Ermittlungen vollkommen unbedeutend und sein Schweigen verdanke sich allein seiner Diskretion gegenüber ebenso unbeteiligten Dritten. Auch darauf sein Wort als Ehrenmann.

Selbstverständlich zweifle er nicht an Lübbes Ehrenwort, hatte Staben erklärt, aber dann müsse er seinen Aufenthalt eben auf seine, nämlich kriminalpolizeiliche

Weise aufklären. Darauf hatte Lübbe junior nichts zu erwidern gewusst und Staben mit eisigen Abschiedsworten den Ausgang gezeigt.

»Auf kriminalpolizeiliche Weise?«, fragte Geringer interessiert.

»Genau das«, antwortete Staben zufrieden. Geringer solle sich dem Lübbe an die Fersen heften von dem Moment an, wo er das Geschäft verlasse. Alles solle er aufschreiben: wo der Mann hingehe, mit wem er rede, was sonst noch vorfalle. Natürlich dürfe Lübbe nichts davon bemerken. »Haben Sie so etwas schon gemacht?« Nein, das hatte Geringer nicht und Staben kamen Bedenken. Vielleicht sollte er doch noch schnell einen anderen suchen. Wenn Kommissar Rauchs Leute alle schon eingespannt waren mit den Bornheimer Sozialdemokraten, dann kam höchstens jemand von den anderen Abteilungen in Frage …

Es war zu spät. Geringer hatte bereits beschlossen, die Sache als Abenteuer zu betrachten. Er war Feuer und Flamme und seine Augen funkelten. »So was hab ich noch nie gemacht! Also wenn ich das meiner Frau erzähle …«

»Gar nichts werden Sie ihr erzählen«, sagte Staben entsetzt. »*Niemandem* werden Sie etwas erzählen, nicht ein Wort!«

»Aber sonst erzähl ich ihr doch auch immer alles!« Geringers Augen funkelten immer noch, aber jetzt vor Enttäuschung.

Der Wachtmeister schien ja sehr an seiner Frau zu hängen. Diese Vorstellung stimmte Staben milde. »Ist Ihre Frau denn wieder gesund?«

Ja, das sei sie und wenn der Kommissar erlaube, werde Geringer jetzt kurz bei ihr vorbeigehen und ihr sagen, dass er heute Abend nicht nach Hause kommen könne. »Und dann gehe ich gleich zum Lübbe und lauf ihm hinterher. Ich bleib ihm ganz dicht auf den Fersen.«

»Nicht zu dicht!«, ermahnte Staben. »Und ziehen Sie die Uniform aus. Ganz normal müssen Sie sich geben, wie jeder andere Bürger, der abends durch die Straßen schlendert.« Geringer war schon auf dem Weg. Natürlich würde er seiner Frau brühwarm alles erzählen. Dann würde er entweder so nah an Lübbe dranbleiben, dass der ihn sogleich bemerkte. Oder er würde ihn verlieren, weil er schnell eine kleine Stärkung brauchte. »Und essen Sie vorher noch etwas!«, rief Staben ihm hinterher. »Wenn Sie dem Lübbe hinterhergehen, haben Sie keine Zeit mehr für Pausen.«

Es gab keinerlei Anhaltspunkte, ob Geringer diesen Ratschlag gehört hatte, noch ob er ihn zu beherzigen gedachte. Staben legte probeweise die Akte mit dem Raubüberfall auf das Brett und sah mit Genugtuung, dass sie nicht herunterrutschte. Den anderen Aktendeckel, auf dem das Fräulein Stern ihr Netz von Linien gezogen hatte, legte er daneben. Der Vater dieser jungen Dame, erinnerte sich Staben jetzt, hatte im Übrigen nicht sehr begeistert geklungen, als Staben bei ihm angerufen hatte. Eigentlich hätte er sich doch freuen müssen, dass sein Mandant wieder freigelassen würde – schien aber eher entsetzt zu sein.

Staben erschrak. Möglicherweise wäre es dem Fräulein Stern gar nicht recht gewesen, dass er ihren Vater von ihrem Tun unterrichtet hatte! Vielleicht war der Herr Stern so liberal dann doch wieder nicht.

Mit schnellem Tempo durchquerte Herr Stern die Straßen des Ostends. Ihm gefiel die Vorstellung, dass da eventuell ein Vogel – er schaute hoch, weit und breit war kein Vogel zu sehen –, aber dass, *wenn* da ein Vogel über ihm herumflöge, dieser ihn wie einen kleinen Punkt in Mäandern durch das Viertel laufen sah.

Es war Freitagabend. Nicht für die Sterns, aber immerhin für einige Bewohner des Stadtteils hatte der Abend eine besondere Bedeutung. Vor allem für die Zugewanderten aus Galizien, aus Russland und Polen. Herr Stern hatte nichts dagegen, dass sie herkamen – aber es wäre schon besser, sie würden sich ein wenig anpassen an das Leben hier im Westen. Mit Kaftan und Käppi fielen sie selbst im ehemaligen Judenviertel auf wie ein bunter Hund. Die Synagogen der Frankfurter Gemeinden waren ihnen natürlich nicht religiös genug, sie richteten sich überall eigene Gebetsstuben ein und nannten sie *Stiebl*!

Stern schüttelte den Kopf, teils aus Unmut und teils aus leisem Neid. Den Einzug des Sabbats hatten sie schon gefeiert, durch ein, zwei Fenster glaubte er einen Leuchter zu sehen. Das ›Lob der tüchtigen Hausfrau‹ gehörte zum Sabbatmahl, wenn er sich aus der Schule noch recht erinnerte. Tja, ein solches Lob konnten seine Frauen nun nicht von ihm verlangen.

Zwei Straßenzüge weiter beschlich Herrn Stern allerdings die Ahnung, dass er seinen dramatischen Abgang möglicherweise ein wenig übertrieben hatte. Nach zwei weiteren, dass er dabei Gefahr lief, sich lächerlich zu machen. Als er fast schon auf der Zeil war, sah er ein, dass es am gescheitesten wäre, umzukehren.

Am nächsten Morgen schien alles vergessen. Die Sterns setzten sich am sonnabendlichen Frühstückstisch nieder und falteten ihre Servietten auseinander. Sie reichten einander Kaffee und Zucker. Sie tauchten ihre Messer in die Butter und vergewisserten sich behutsam, dass der gestrige Abend keine Konsequenzen gehabt hatte.

Das Wetter sei schön, bemerkte Frau Stern.

Dann könne sie draußen zeichnen, schlug Herr Stern vor.

Aber erst nach dem Mittagessen, meinte Frau Stern.

»Das ist doch nicht nötig«, sagte Herr Stern höflich. »Ich kann heute Mittag ohnehin leider nicht nach Hause kommen, der Westphal hat mich eingeladen. Als Dank für die Sache mit seinem Grundstück.«

»Du hast ihn aber auch sehr gut beraten«, erinnerte seine Frau.

»Ach, gar nichts hab ich gemacht«, erklärte Stern bescheiden. Zunächst habe Westphal nämlich gar nicht verkaufen wollen. »›Herr Westphal‹, hab ich gesagt, ›an Ihrem Haus ist seit Jahrzehnten nichts mehr gemacht worden. Die Fassade zerfällt und das Dach leckt auch. Das müssen Sie sowieso abreißen!‹ – Da hat er ganz unglücklich geguckt und dann hab ich gesagt: ›Aber wenn's jemand anderen gibt, der es abreißen will, dann soll er das doch tun und noch schön dafür bezahlen.‹«

Mutter und Tochter lachten. Herr Stern war geschmeichelt und glücklich. Das war doch alles gewesen, was er sich gestern gewünscht hatte: friedliches Zusammensein. So schätzte er es. »Und Kaline? Was tust du?«

»Ich gehe zu Großmama. Sie braucht meine Hilfe.« Frau Cramer hatte sich nämlich von Frau Wertheimer für den Wohltätigkeitsbasar gewinnen lassen. Obwohl sie das zugrunde liegende Prinzip der Veranstaltung nicht ganz verstanden hatte. »Statt vorher ein Deckchen zu häkeln und nachher einer anderen Dame wieder eins abzukaufen«, hatte sie ganz praktisch vorgeschlagen, »könnten wir doch gleich eine Spende sammeln und davon den Armen etwas Nützliches kaufen.« »Aber nein«, hatte Frau Wertheimer entsetzt entgegnet, »dass wir selbst etwas tun, das ist doch gerade der Sinn der Sache!«

Etwas *tun* für die Armen, nannte es Frau Wertheimer. Das Gewissen beruhigen, würde Frau Zeller es wohl nennen. Karolines Gedanken wanderten von den Häkeldeckchen über die Suppenanstalt hin zum Armenwesen. »Wer kümmert sich jetzt eigentlich um die Armen, die der Lübbe betreut hat?«

Herr Stern fing an zu überlegen. »So etwas ist noch nicht vorgekommen, dass ein Armenpfleger mitten in der Amtszeit stirbt. Hoffentlich sitzen die jetzt nicht hilflos zu Haus und wundern sich, wo der Lübbe bleibt? Na, inzwischen werden sie's ja wohl aus der Zeitung wissen«, er biss sich erschrocken auf die Oberlippe, »wenn sie überhaupt Zeitung lesen!«

Karolines Frage hatte ihn ganz unvorbereitet getroffen. Daran hätten sie doch wirklich denken müssen, die Herren Stadtverordneten. Wie ein Haufen trauriger Ochsen hatten sie am Donnerstag zusammengesessen, quer durch die Parteien, und bei der Trauerminute waren zwei sogar hinausgegangen, um ihre feuchten Augen zu verbergen, von der Beerdigung gar nicht erst zu reden. Aber die Armen, die dem Lübbe so am Herzen gelegen hatten, hatten sie vergessen. Herr Stern fing an zu schwitzen, in ihm regte sich das schlechte Gewissen, und hilflos suchte er nach einem Ausweg. »Da müsste man schnell einen Ersatz – hoffentlich reicht es noch hin – das müsste dann einer vom Armenamt machen, der Distriktvorsteher zum Beispiel«, überlegte er. Die Chancen, den Distriktvorsteher jetzt am Samstag noch zu erreichen, standen schlecht. Standen gleich Null.

»Zunächst einmal sollte ihnen jemand Bescheid sagen«, schlug seine Tochter vor. »Und bevor gar niemand hingeht, könntest du das doch selber machen. Es sind ja nicht so viele.«

Herr Stern schöpfte Hoffnung. »Das ist eine ausgezeichnete Idee! Ich bringe ihnen eine kleine Geldspende mit und dann kann nächste Woche immer noch jemand vom Armenamt vorbeigehen und die ganzen offiziellen Sachen ins Reine bringen.«

»Du wolltest doch mit Herrn Westphal zu Mittag essen?«, erinnerte seine Frau.

»Meine Güte, da hast du Recht«, rief Stern verzweifelt. »Das geht also auch wieder nicht!« Oder sollte er das Mittagessen besser verschieben? Es war ein echter Gewissenskonflikt und Herr Stern verwarf beide Lösungen mehrmals nacheinander. Das eine ging so wenig wie das andere.

Es war seine Tochter, die ihn aus dieser ausweglosen Situation befreite. »Im Notfall, Papa«, sagte sie, »und wenn es gar nicht anders geht: Ich könnte vielleicht an deiner Stelle zu den Armen gehen und du isst mit dem Westphal.«

Seine gute Tochter! Als einzige in ganz Frankfurt, so schien es Herrn Stern, hatte sie in dieser Situation einen klaren Kopf bewahrt. »Also, Karoline, wenn du das tun würdest!«

»Und was ist mit deiner Großmutter?«, erinnerte ihre Mutter vorsichtig.

»Ich könnte Großmama mitnehmen«, erklärte Karoline.

Frau Stern zog erstaunt die Augenbrauen hoch, aber ihr Gatte war nicht gewillt, sich in seiner Erleichterung beeinträchtigen zu lassen. »Tu das«, sagte er. »Nimm sie mit.« Gleich nach dem Frühstück würde er Karoline die Namen heraussuchen. Und ein wenig Geld würde er ihr natürlich mitgeben, aus eigener Tasche. Hauptsache, diese Leute schafften es so halbwegs über das Wochenende.

So kam es schließlich, dass Karoline sich mit einer etwas widerstrebenden Großmutter auf den Weg in die Frankfurter Altstadt machte. Nicht, dass es keine Diskussionen gegeben hätte. »Jetzt hab ich aber doch schon all diese Dinge hier vorbereitet ...« Frau Cramer blickte hilflos um sich. Sie saß inmitten eines Haufens von Wachsblumen, bestickten Taschentüchern und modellierten Schwalben und hatte gerade versucht zu schätzen, wie viel man für diese selbstangefertigten Kunstwerke wohl verlangen könnte. Was für ein Aufwand! Und jetzt sollte sie alles beiseite legen und wieder etwas Neues anfangen?

»Warst du nicht von Anfang an gegen diesen Basar?«, erinnerte Karoline. »Man sollte den Armen direkt etwas geben, hattest du damals gesagt.«

Das schon. Aber erstens hatte sie sich jetzt schon all die Mühe gemacht, und zweitens: Das hieß ja noch lange nicht, dass Frau Cramer zu wildfremden Leuten *nach Hause* wollte. »Und dein Vater hat gesagt, wir sollen diese Leute aufsuchen?«, erkundigte sie sich misstrauisch.

»Doch, das hat er gesagt«, erklärte Karoline. »Tu das, hat er gesagt.«

»Na, dein Vater muss es ja wissen.« Es war Karoline unverständlich, warum jedermann ständig glaubte, ihr Vater werde es schon wissen. Ganz gleich, was ›es‹ jeweils war. Aber für ihre Großmutter schien die Sache damit geklärt.

Geringer hatte sich selbst übertroffen. Nicht nur hatte er den Lübbe junior den gestrigen Abend lang nicht verloren. Hatte sein Hungergefühl unterdrückt und war nicht von der Stelle gewichen, selbst als der Observierte für einige Zeit in einer anderen Wohnung verschwand. Nein, er war auch am nächsten Morgen ungefragt und ungebeten nochmals zu ebendieser Wohnung zurückgekehrt, in der Hoffnung, die Bewohner könnten ihm etwas über den Montagabend berichten.

»Jetzt wollt ich's wissen«, erklärte Geringer Staben ein aufs andere Mal. »Jetzt wollt ich's wirklich wissen! Und wo meine Frau heute Früh sowieso zu unsrer Schwägerin ist – die mit dem Hut, wissen Sie? Die wo ihren Hut im Nizza verloren hat und dann kam mein Bruder …«

»Natürlich erinnere ich mich«, erklärte Staben zuvorkommend.

»Also, wo meine Frau zu unserer Schwägerin wollte, bin ich gleich noch mal mit nach Sachsenhausen. Jetzt wollt ich's wirklich wissen!«

Staben zeigte sich dankbar. Aber er versuchte sich zu Geringers Bericht Notizen zu machen und außer dem Hunger und dem Vor-der-Wohnung-Ausharren und dem Zu-der-Wohnung-Zurückkehren stand noch nichts auf seinem Zettel. »Nach Sachsenhausen?«, lockte er. »Lübbe hat gestern also Bekannte besucht, die in Sachsenhausen wohnen?«

»Ja, genau. Seine Bekannten«, erzählte Geringer etwas betreten. »Der Mann war allerdings nicht da.«

Staben verstand nicht. »Also ist Lübbe vergeblich nach Sachsenhausen gegangen?«

Geringer verneinte und Staben folgerte: Diese Bekannten waren am gestrigen Abend doch zu Hause gewesen, nicht aber heute Morgen, als Geringer selbst sie aufsuchen wollte. »Und am Montagabend? Hat Lübbe da auch diese Bekannten aufgesucht?«

»So ist es. Ich habe selbst mit der Frau gesprochen. Natürlich bin ich nicht hineingegangen, das war im Treppenhaus.« Aus Geringers Miene sprach eine Mischung aus Unsicherheit und Scham.

Demnach hatte Geringer zwar nicht den Bekannten selbst, aber immerhin dessen Frau angetroffen. »Das haben Sie ganz richtig gemacht«, beruhigte ihn Staben. »Wenn der Mann nun einmal nicht da war.«

»Der Frau war es zuerst peinlich, weil sie wollte nicht verhört werden. Aber da hab ich gesagt, Sie interessieren mich ja gar nicht, es geht um einen Mordfall und deswegen muss ich das wissen. Dann hat sie gesagt, ich muss doch in die Wohnung mit reinkommen, und ich hab gesagt, ich bleib aber gleich im Flur stehen, und dann hat sie mir das mit dem Montagabend berichtet.«

»Lübbe war also da«, fasste Staben zusammen und beschloss, Geringers Scharmützel vor, in und hinter der Wohnungstür außer Acht zu lassen. »Allein, nicht etwa mit seinem Vater?«

»Mit seinem Vater?« Geringer war entsetzt. »Gott behüt. Der Vater war doch schon tot. So um zehn ist der Lübbe – der Sohn natürlich – da in etwa aufgekreuzt und dann ist er geblieben bis zwei Uhr nachts. Dann ist er nach Hause gefahren, mit einer Droschke.«

»Bis zwei Uhr nachts?« Staben war erstaunt. »Was für ein Leben!«

»Genau«, bestätigte Geringer niedergedrückt. »Und das war nicht das erste Mal!« Seine Erkundigungen hatten ergeben, dass Lübbe seit zwei, drei Monaten häufiger zu Besuch komme, jedes Mal in den Abendstunden, und dann bleibe bis in die Nacht. »Da war ich wirklich froh, dass ich's meiner Frau nicht erzählen durfte. Was die sich da gedacht hätte ...«

Staben war heute in großzügiger Laune. Der junge Lübbe, der vom Vater an der kurzen Leine gehalten wurde, tat ihm leid. »Ach, sein Sie doch nicht so streng, das ist die junge Generation. Die einen leben so, die andern leben anders.«

Geringer schnellte vom Stuhl, Geringer war in Aufruhr. »Aber das ist doch verboten!«, rief er empört. »Ich dachte, Sie würden da was gegen unternehmen!«

»Wogegen?«, fragte Staben gereizt.

»Ja, wenn eine Frau – also, wenn sie Geld nimmt oder wenn sie Männer bei sich beherbergt!«

Jetzt geriet Staben selbst in Aufregung. »Sie nimmt Geld von ihm?«

»Ja, der Lübbe bezahlt doch die Wohnung. Hab ich das nicht gesagt?«

»Nein«, antwortete Staben verärgert.

»Ist aber so«, erklärte Geringer. »Ich hab mit der Vermieterin gesprochen. Die wohnt nämlich auch da. Von der weiß ich doch auch, dass das schon länger geht mit dem Lübbe und dieser – Frau.«

»Eben war doch noch von einem Ehepaar die Rede. Eine Frau und ein Mann, haben Sie gesagt.«

»Aber der Mann war doch nicht da«, erinnerte Geringer. »Ich glaub, den gibt's gar nicht.«

Staben stellten sich die Nackenhaare auf. Bis zwei

Uhr sei Lübbe junior am Montag geblieben, hatte die Frau behauptet. Bis zwei Uhr? Staben war peinlich berührt. Da war dem Lübbe aber erst spät aufgefallen, dass es nicht sein eigenes Bett war, in dem er lag. Während zur gleichen Zeit sein Vater ... »Und Sie sind ganz sicher?«

Geringer nickte und drängelte: »Und, unternehmen Sie jetzt was?«

»Wir werden sehen«, murmelte Staben und entließ Geringer, der aus seiner moralischen Enttäuschung keinen Hehl machte. Aber Sittlichkeitsdelikte fielen nun einmal nicht in Stabens Ressort. Er beschloss, sich in den nächsten Tagen einmal bei den Kollegen zu erkundigen und zunächst die naheliegende Schlussfolgerung zu ziehen: Lübbe juniors Aufenthalt in der Mordnacht war geklärt. Er packte die Tabelle aus, die Karoline Stern gezeichnet hatte. Drei Fragezeichen ersetzte er durch Häkchen. Die sollten bedeuten, dass Lübbe in der Zeit von zehn bis zwei entlastet war. (Ekelhaft!) Mehr Details wollte Staben nicht einsetzen, für den Fall, dass Fräulein Stern ihr System noch einmal begutachten wollte.

Und in einem hatte sie Recht gehabt, es brauchte noch eine Spalte. Einstweilen tat Staben alles, was in seiner Macht lag: Er nahm einen Bleistift und zog vorsorglich eine weitere Linie. Da sollte später einmal der Name des Mörders ganz oben stehen.

»Die arme Frau!« Frau Cramers Bedauern fand kein Ende, obwohl für Karoline inzwischen nicht mehr offensichtlich war, wem es galt: der Witwe Lübbe, der Frau Döll oder deren Tochter Luisa.

Zunächst hatten sie wie geplant den ersten von Lübbes Schützlingen einen Besuch abgestattet, die Familie hieß Döll und wohnte in einer der winzigen Gassen zwischen Liebfrauenberg und Römer. Bloß hatte dieser Besuch eine unerwartete Wendung genommen. Nachdem sie die Nachricht von Lübbes Tod und auch die Geldspende mit einiger Gleichgültigkeit hingenommen hatte, hatte Frau Döll sich ein Herz gefasst und sich erkundigt, ob Frau Cramer denn möglicherweise mit den Lübbes bekannt und in letzter Zeit einmal bei ihnen gewesen sei. Ihre Tochter nämlich, die Luisa, arbeite seit einigen Monaten dort als Dienstmädchen und schon seit Tagen habe sie nichts mehr von ihr gehört. Sonst wär die Luisa doch Mittwoch abends immer vorbeigekommen, jeden Mittwoch, das wär mit den Lübbes so ausgemacht gewesen, nur diesmal hätte sie sich nicht blicken lassen. Und wo Luisa doch immer schon ein wenig kränklich gewesen und ansonsten so zuverlässig sei, mache sie sich jetzt solche Sorgen …

Karoline hatte in ihrem Gedächtnis gekramt und sich zu erinnern geglaubt, dass die Wertheimers bei ihrem Kondolenzbesuch im Haus der Lübbes auch deren Mädchen zu Gesicht bekommen hätten. Ein wenig blass habe sie ausgesehen, aber mehr hätten die Wertheimers von dem Mädchen nicht zu berichten gehabt.

Diese Bemerkung wiederum hatte verständlicherweise nicht zu Frau Dölls Beruhigung beigetragen und ihre Fragen, ob Frau Cramer denn nicht in nächster Zeit einmal der Witwe Lübbe einen Besuch abstatte, schlugen um in ein Flehen, sie möge ihr doch danach Nachricht von Luisa zukommen lassen, wenn diese etwa krank geworden sei. Was Frau Cramer ihr denn auch prompt zugesagt hatte.

»Habe ich dich recht verstanden«, hatte Karoline auf der Straße gefragt, »wir gehen bei den Lübbes vorbei, um nach dem Dienstmädchen zu fragen?«

»Genau das werden wir tun. Briefe kann sie nicht schreiben und vorsprechen kann sie da auch nicht. Die arme Frau«, hatte Frau Cramer gemurmelt und zielstrebig den Weg zur Hochstraße eingeschlagen. »Die arme Frau!«

Ein kurzes Vorsprechen bei den Lübbes hatte weiterhin erbracht, dass das Mädchen zwar nicht etwa erkrankt, aber vor drei Tagen aus dem Haus geworfen und seitdem nicht mehr gesehen worden war. Worüber Frau Lübbe auch weder betrübt noch beunruhigt war. »Ich bin nur froh, wenn sie hier nicht mehr auftaucht! Deswegen hab ich sie ja schließlich rausgeworfen, oder etwa nicht?«

Dieser Logik wussten Karoline und ihre Großmutter nichts entgegenzusetzen und nahmen ihren Abschied. »Aber wo kann sie denn jetzt sein?«, fragte Karoline entsetzt. »Sie ist weder bei den Lübbes noch ist sie zu Hause …«

»Ich will nicht darüber reden!«, erklärte Frau Cramer. »Und ich gehe jetzt auch nicht mehr zu diesen anderen armen Leuten.« Schon wollte sie den Heimweg antreten.

»Großmama?«

»Ja?«

»Machst du dir nicht auch Sorgen um das Mädchen?«

»Hhm.«

»Sollten wir nicht lieber dem Kommissar Bescheid sagen, dass sie verschwunden ist? Vielleicht hat sie jemand, nun, vielleicht hat es mit dem Mord zu tun. Das sollte die Polizei doch wissen.«

Auf diese Weise lernte Kommissar Staben noch ein drittes Mitglied der Sternschen Familie kennen. »Geringer, holen Sie noch einen Stuhl«, kommandierte er in der Hoffnung, Geringer wäre noch in Hörweite.

»Meine Enkelin kann stehen«, erklärte Frau Cramer kategorisch. Zwar sah sie etwas abgekämpft aus, aber in Gegenwart eines solch gewöhnlichen Polizisten fand sie ihre Haltung wieder. So knapp es ging, berichtete sie von den Besuchen bei den Dölls und den Lübbes.

»Hinausgeworfen?«, rief Staben überrascht. »Aber vor ein paar Tagen habe ich sie doch noch gesehen.«

»Na, und kurz *danach* hat sie sie eben hinausgeworfen«, belehrte ihn Karoline. »Genauer gesagt: am Mittwochabend. Und seitdem ist Luisa Döll nicht mehr zu Hause aufgetaucht. Ist wie vom Erdboden verschwunden.«

»Wieso denn vom Erdboden?«, fragte der Kommissar lächelnd nach. »Sie waren doch bisher nur bei den Dölls und bei den Lübbes.«

Das mit dem Erdboden, erklärte Karoline, ebenfalls mit einem Lächeln, nehme sie gerne zurück. »Aber wenn ein fünfzehnjähriges Mädchen die Stellung verliert, dann geht sie doch wohl als erstes wieder zurück nach Hause.«

Frau Cramer fand es unnötig, dass ihre Enkelin mit einem wildfremden Polizisten Spekulationen über den Verbleib entlaufener Dienstmädchen anstellte, aber dieser schien über Karolines Worte ernsthaft nachzudenken. »Sie würde nicht unbedingt zu ihren Eltern zurückkehren«, meinte er schließlich. »Hunderte von Mädchen laufen jedes Jahr davon. Es ist zwar nicht schön, aber so ungewöhnlich ist es nun auch wieder nicht. Außerdem braucht man sich um eine Luisa Döll keine Gedanken zu machen. Die hat all ihre fünf Sinne beieinander, eine starke Person.«

Karoline hörte ihm staunend zu. Die Wertheimers

hatten das Mädchen etwas anders beschrieben. »Aber dann widersprechen Sie sich«, fand Karoline.

»Schon wieder?«

Wieso ›wieder‹? dachte Frau Cramer misstrauisch.

»Wenn sie so vernünftig ist und all ihre Sinne beisammen hat, wieso läuft sie denn davon? Nur unvernünftige Mädchen tun so etwas.«

Das fand der Kommissar nun eigentlich nicht. »Vielleicht hat sie sich geschämt, weil sie ihre Stelle verloren hat. Wieso *hat* sie sie überhaupt verloren?«

Frau Cramer hatte das Zwiegespräch, das dieser Kommissar über ihren Kopf hinweg mit Karoline führte, von Anfang an missfallen. »Die Witwe Lübbe hat gesagt«, schaltete sie sich wieder ein, »eine schamlose Person sei sie gewesen.«

Das war Staben zu vage. »Das kann ja alles heißen. Hat sie etwas gestohlen?«

»Nein«, erklärte die Großmutter bestimmt.

»Sie hätte sich unpassend verhalten.« Die Großmutter blinzelte merkwürdig, aber der Kommissar verstand es nicht.

»Die Gäste beleidigt?«

»Ständig«, kicherte Karoline in Erinnerung an Frau Wertheimers Empörung. Ihre Großmutter gab das Blinzeln auf und der Kommissar war mit seinen Ideen am Ende. »Nun, so ganz von der guten Schule war sie tatsächlich nicht.«

Entgeistert sah Frau Cramer, wie der Kommissar in das Kichern ihrer Enkelin einstimmte. Sie räusperte sich. »Wir wollten Ihnen nur mitteilen, dass sie verschwunden ist. Und nachdem bereits Herr Lübbe auf so entsetzliche Weise umgekommen ist ...«

»Genau.« Karoline wurde wieder ernsthaft. »Vielleicht weiß Luisa Döll etwas über den Mord. Und vielleicht weiß jemand, dass sie etwas weiß. Und das hat uns Sorgen gemacht.«

»Das halte ich nun nicht unbedingt für angebracht«, antwortete Staben langsam, »es sei denn, mit diesem ›jemand‹ meinen Sie die Witwe Lübbe selbst. Denken Sie etwa, Lübbes eigene Frau habe etwas zu verbergen?«

Karoline widersprach. »Aber nein! Es ist nicht die Entlassung, die so besorgniserregend ist, sondern Luisas Verschwinden. Vielleicht wäre ihr das Gleiche widerfahren, hätte Frau Lübbe sie bei sich behalten.«

»›Das Gleiche widerfahren‹ – ich kümmere mich darum. Aber einstweilen dürfen Sie sich nicht allerlei Furchtbares ausmalen«, bat Staben – und zwar in einem Tonfall, den Frau Cramer etwas zu persönlich fand. Dann wurde er sogar noch persönlicher. »Wieso machen Sie das überhaupt?«

»Mit dem Schlimmsten rechnen?«, fragte Karoline erstaunt.

»Nein. Die Sache mit dem Rader. Jetzt das Dienstmädchen. Lübbe und seine Partei.« Staben fiel ein, dass er dem Fräulein Stern noch nicht von seinem Gespräch bei den Elberts berichtet hatte. »Übrigens, ich muss Sie enttäuschen: Über die Kettenhöfe wollte er damals reden.«

»Über die Kettenhöfe?« Karoline war tatsächlich enttäuscht.

»Wer?«, fragte Frau Cramer. »Wann?« Wovon sprachen die beiden überhaupt?

»Es geht um den Lübbe«, gab Karoline zur Auskunft und wandte sich wieder dem Kommissar zu. »Da bin ich aber wirklich ein wenig enttäuscht.«

Staben lächelte sie milde an. »Also? Warum tun Sie das alles?«

»Weiß ich auch nicht. Was glauben denn Sie?«

»Die Meinung des Kommissars interessiert uns nicht«, zischte ihre Großmutter über die Schulter zur Seite, was der eigentliche Adressat ihrer Bemerkung aber geflissentlich überhörte.

»Vielleicht haben Sie nichts Besseres zu tun«, schlug der Kommissar freundlich vor und Karoline lachte. »Vielleicht.«

Jetzt reichte es aber! »Und ob meine Enkelin etwas zu tun hat«, erklärte Frau Cramer empört. »Und machen Sie sich mal an Ihre eigene Arbeit!« Sie stand auf und schob ihre Enkelin zur Tür hinaus. Sie erhob die Stimme. »Wofür bezahlen wir diese Stinkpreußen überhaupt?« Das war ja hoffentlich laut genug gewesen, damit man es durch die Tür noch deutlich hören konnte.

»Stinkpreußen!« Weit entfernt davon, sich gekränkt zu fühlen, fand Kommissar Staben diese Großmutter entzückend. Das Fräulein Stern ohnehin. Der Idealismus dieser jungen Dame schien kein Ende nehmen zu wollen – zuerst hatte sie sich verpflichtet gefühlt, den Rader aus den Fängen der preußischen Polizei zu erretten. Und jetzt, wo der wieder frei war, galt ihre Anteilnahme einem verschwundenen Dienstmädchen. Staben lächelte versonnen.

Dann rief er sich zur Ordnung. Entzückend war sicher nicht die richtige Beschreibung für diese Person, beharrlich traf es schon eher. Und dank dieser Beharrlichkeit hatte sie schon wieder etwas beigebracht, um seine Ermittlungen in eine andere Richtung zu lenken. Noch konnte er zwar keinen Zusammenhang zwischen dem Verschwinden eines unbeholfenen Mädchens und den verschlungenen Wegen ihres Dienstherrn herstellen. Aber an einen bloßen Zufall mochte er auch nicht glauben. Also trug er Geringer auf, er solle sich der Aufklärung von Luisa Dölls Verbleib annehmen.

Vor dem von steinernen Löwen bewachten Tor des Clesernhofs nahm Karoline währenddessen die erwartete Zurechtweisung entgegen. »Würdest du mir bitte erklären, warum du mit dem Kommissar in diesem vertraulichen Tonfall geredet hast? Es schickt sich nicht«, erklärte Frau Cramer und rang um Atem, »mit einem völlig unbekannten Mann, der noch dazu ein Polizist ist, auf diese Art zu reden.« Im Laufe des Vormittags war sie blass geworden, ihre Haut faltig und grau. Auf der Stirn standen kleine Schweißtropfen, die sie vergessen hatte abzuwischen.

Karoline tat sie leid. »Ich begleite dich nach Hause«, sagte sie und fuhr ihrer Großmutter flüchtig, aber zärtlich über die Wange.

Ihre Großmutter fing ihre Hand ab, lächelte aber milde. »Das schaffe ich gerade noch allein. Nun lass schon, so alt bin ich nun auch wieder nicht.« Sie übergab ihrer Enkelin ein Beutelchen mit Münzen. »Und jetzt geh zu diesen anderen beiden Familien.«

»Ich?«

Ihre Großmutter nickte.

»Ich kann doch nicht zu wildfremden Leuten gehen und ihnen Geld in die Hand drücken!«, sagte Karoline entsetzt. »Ganz alleine!« Sie wusste ja nicht einmal, wie sie diese Adressen finden sollte.

»Junge Damen können heutzutage allerlei alleine«, antwortete ihre Großmutter, »hab ich mir kürzlich sagen lassen.«

Auf der Zeil bewegte sich ein Uniformierter in seltsamem Rhythmus vorwärts. Mal lief er ein paar Schritte, mal blieb er stehen. Er schob den Säbel beiseite, schien bisweilen mit der Rechten zu gestikulieren. Staben, der nach stundenlanger Durchsicht seiner wenig aufschlussreichen Akten zu dem Ergebnis gekommen war, dass er einen wirklich erbärmlichen Kommissar abgebe, versuchte sich nun gut zuzureden, dass doch nicht alles aussichtslos sei.

Bloß dass ihm keine neue Aussicht einfiel. Zwar hätten mehrere Männer in Lübbes Umfeld, so schien es, ein gewisses Interesse an Lübbes Ableben haben können – und damit ein Motiv, dieses Ableben frühzeitig herbeizuführen. Aber diese Männer hatte er bereits sämtlich überprüft. Ganz methodisch war er vorgegangen, hatte einen nach dem anderen ausgeschlossen und dabei so einiges erfahren, das er nicht unbedingt hatte wissen wollen. Nur war nichts davon für den Mordfall in irgendeiner Weise relevant.

Das ließ eigentlich nur zwei Schlüsse zu: Entweder hatte er jemanden übersehen, der ein Motiv hatte. Oder es gab jemanden, dessen Motiv schlicht nicht zu sehen war. Hervorragende Aussichten. Wie sollte er nach einem Wildfremden suchen, dessen Motiv er nicht kannte?

Staben blieb wie erstarrt stehen und brachte, ohne es zu merken, eine Fuhre Kohlen zum Stillstand. Er musste die ganze Sache vom anderen Ende her aufrollen. Das hörte sich vernünftig an. Was aber bedeutete ›anderes Ende‹ *genau*?

»Nach rechts!«, rief der Fahrer vergeblich. »Platz da!«

Staben rührte sich nicht von der Stelle. In vielerlei Hinsicht war dieser Mord ganz anders gewesen, als es zunächst ausgesehen hatte. Zum Beispiel war der Ermordete nicht, wie an jedem anderen Abend, um acht nach Hause gegangen – nein, erst um halb zehn. Aber auch dann war er nicht direkt zu den Anlagen gegangen, wie jeder vernünftige Mensch das wohl annehmen würde. Zweimal hatte sich die Tatzeit verschoben und wenn da nicht zufällig Tabakarbeiter und spielende Kinder gewesen wären, hätten sie es gar nicht herausgefunden. Vielleicht war er noch einer dritten Täuschung erlegen, denn ebenso konnte …

Ein Schutzmann tippte Staben auf die Schulter. »Gehn Sie doch endlich ein Stück nach rechts!«

Staben taumelte gehorsam zur Seite. Ebenso konnte – was? Zum Glück fand er den Faden wieder. Genauso gut konnte es ja sein, dass nicht nur die Zeit, sondern auch der Ort des Geschehens ein anderer war, als bisher angenommen. Dass Lübbe nicht in den Anlagen erschossen worden war, sondern … Wo Lübbe ansonsten erschossen worden war, dazu fiel ihm nun nichts ein. Aber das musste es ja auch nicht, immerhin war eins festzuhalten: Der Ort, an dem man die Leiche gefunden hatte, war vielleicht nicht der gleiche Ort, an dem man Lübbe erschossen hatte. Nicht notwendigerweise und – je mehr er darüber nachdachte – nicht einmal wahrscheinlicherweise.

Der Gedanke beflügelte ihn, er setzte sich wieder in Trab. Kommissar Rauchs Version hatte ihn noch nie überzeugt: Wer einen Mord kaltblütig plante, setzte sich nicht in eine öffentliche Anlage und hoffte, sein Opfer werde irgendwann vorbeikommen. Ganz abgesehen von den vielen Leuten, die ihn da sehen konnten. Nein, so war es nicht gewesen. Jetzt galt es nur, das zu beweisen.

Die Sache ließ Staben nicht mehr los. Er befahl Geringer, sich mit ihm gegen elf Uhr in der Anlage zu treffen.

»Um elf?«, fragte Geringer mit gesträubten Haaren. »Ja, da schlafen wir aber schon längst. Und ich dachte, ich soll diese Luisa …«

»Haben Sie da schon etwas unternommen?«

Hatte Geringer nicht.

»Also um elf«, wiederholte Staben. Und wartete ab Punkt elf in der Anlage, bis ein unglücklicher Geringer mit unwesentlicher Verspätung dort eintraf. »Und jetzt?«, fragte der Wachtmeister gähnend.

»Bitte zünden Sie ein Streichholz an.« Staben griff umständlich in die Tasche, holte eine Pistole heraus, die er seit Jahren nicht mehr bedient hatte, und überprüfte mit fachmännischem Blick, wie man das Gerät schussbereit machen konnte. Geringer verfolgte jede seiner Bewegungen mit Misstrauen. »Keine Angst«, erklärte Staben, »es ist nur zur Probe. Sie brauche ich als Zeugen, damit alles seine Richtigkeit hat. Meine These ist nämlich …« Er feuerte einen Schuss ab und ein kleiner Ast fiel ihnen zu Füßen.

Geringer ging ächzend in die Knie und hob ihn auf. »Meine These ist nämlich, dass man einen Schuss keineswegs mit Droschken, Rindern und all den anderen Großstadtgeräuschen verwechseln kann, von denen Sie mir berichtet haben. Binnen kurzem werden hier zig Leute auftauchen.«

Letzterem stimmte Geringer bereitwillig zu. Der Schuss war durch die Nacht geknallt wie eine preußische Kanone, hallte zwischen den Häusern wider, Lichter gingen an. Das erste auf der inneren Seite der Anlagen, dann auf der äußeren ein weiteres – nach wenigen Minuten war ein halbes Dutzend Bürger ausgeschwärmt, um die Ursache der Ruhestörung herauszufinden. Im Dunkeln erkannten sie nur zwei Uniformierte, die friedfertig und untätig in der Anlage herumstanden.

»Die Polizei ist ja schon da«, meinte einer der Anwohner.

»Ein Glück, das ist doch bestimmt ein Schuss gewesen«, meinte ein anderer und schaute nervös hin und her. »Vielleicht streicht hier irgendwo dieser Mörder herum.«

»Na, dann setzen Sie sich mal in Bewegung!«, kommandierte ein dritter. »Dafür ist die Polizei schließlich da!«

Staben gab sich alle Mühe, die Leute vom Gegenteil zu überzeugen. Sicher sei nur eine Droschke zusammengebrochen oder eine Gaslaterne explodiert. »Oder da ist ein Betrunkener, dem ist etwas aus der Hand gerutscht«, steuerte Geringer bei, was Staben etwas überflüssig fand.

»Das war keine Droschke«, dröhnten die Anwohner, »und keine Laterne!« Auf Geringers Vorschlag wollten sie gar nicht erst eingehen. »Und wenn die Polizei sich nicht für zuständig hält, dann machen wir uns selber auf die Suche.« Schon wollten sie losziehen, die Anlagen zu durchkämmen, da zeigte Staben seine Pistole her und erklärte, es gebe keinen Grund zur Sorge. Er selbst habe geschossen, nur zur Probe.

Das war den Anwohnern nicht ganz geheuer. »Zur Probe?« Sie blickten hinter sich, um etwa vorhandene Frauen und Kinder in Sicherheit zu bringen, und wussten nicht, was sie von alldem halten sollten. Schließlich fanden sie ihre Sprache wieder. »Schießen Sie doch nächstes Mal ein bisschen früher *zur Probe,* Sie haben ja halb Frankfurt aufgeweckt.«

»Meine Frau hat sich zu Tode erschreckt. Ernst, du musst nachschauen, hat sie gesagt. Da haben sie wieder einen erschossen.«

»Kann man ja nicht wissen, dass da einer in der Anlage steht und schießt. *Zur Probe* – Ideen haben manche Leut!« Die Männer warfen Staben und dem etwas verschämt dreinblickenden Geringer einen letzten abschätzigen Blick zu und trollten sich wieder in die Betten.

Höchst zufrieden schaute Staben ihnen hinterher, bis der Letzte außer Sicht war. Geringer legte den Kopf schief und kommentierte: »Also, damit ist Ihre These ja wohl bewiesen, gell? Dann geh ich jetzt nämlich schlafen.« Sprach's und verschwand.

Im Schein der nächsten Gaslaterne reinigte Staben seine Pistole. Dann machte er sich auf die Suche nach dem Nachtwächter und fand ihn schlafend auf einer Bank neben dem kleinen Entenweiher, den Kopf auf seine Dienstjacke gebettet und zusammengerollt wie ein Igel.

»Was war das?« Ein gellender Knall ließ die Witwe Lübbe auf ihrem Sofa hochfahren.

»Ich schaue nach«, sagte Kobisch und bedeutete ihr liegenzubleiben. Er war schon von seinem Sessel aufgestanden, löschte das Licht, zog den Vorhang ein wenig zur Seite. »Das war sicher nur eine Droschke. Oder eine Laterne.«

»Dafür war es aber doch viel zu laut!«, meinte die Witwe verängstigt und raffte die Decke um sich. »Es klang wie – ein Schuss!«

Sie hatte selbstverständlich Recht: Das war keine Droschke, keine Laterne gewesen. Er selbst war alarmiert, überlegte, wer das sein konnte, der in den Anlagen geschossen hatte, und aus welchem Grund. »Es ist doch ganz gleich, was es gewesen ist. Da sind schon ein paar Leute zusammengekommen, um nach dem Rechten zu sehen.« Sie schienen zu sprechen, zu diskutieren – jetzt löste sich das Grüppchen wieder auf und alle gingen zu ihren Häusern zurück.

Er zündete das Licht wieder an, setzte sich auf den Rand des Sofas, nahm ihre Hände. Dass ausgerechnet jetzt so etwas passieren musste, dachte er, wo sie doch gerade eingeschlafen war. Seit Nächten hatte sie keinen Schlaf mehr finden können, erst heute Abend hatte er sie ein wenig zur Ruhe bringen können. Mit dieser Ruhe war es jetzt aus, sie setzte ihre Füße auf den Boden, als wollte sie gleich selbst nach draußen laufen, und blickte hinüber zu dem Fläschchen mit ihren Tropfen. »Du brauchst keine Tropfen«, sagte Kobisch und drückte sie behutsam auf das Sofa. »Draußen ist alles ganz ruhig.«

»Wenn aber …«

»Alles ist ruhig«, wiederholte er mahnend. Morgen Früh würde er sich erkundigen, was für ein Schuss das gewesen war. Aber heute Abend, da ging es einzig darum, dass sie ihre Nerven nicht überbeanspruchte.

Wieder und wieder sah sie es vor sich: Wie ihr Mann vor ein paar Tagen ganz arglos sein Geschäft verlassen und seinen vertrauten Heimweg genommen hatte zwischen den Ahornbäumen und den Platanen und den Beeten, denen er im Sommer hin und wieder einen Eimer Wasser hinaustragen ließ, wenn er das Gefühl hatte, dass der Gießwagen nicht sorgfältig arbeitete. Er hatte nicht wissen können, dass es das letzte Mal war. Nur die Überlebenden wussten es.

Wieder machte sie sich Vorwürfe, dachte Kobisch unglücklich und getraute sich doch nicht, ihr Schweigen zu unterbrechen. Nichts hatte sie beide in den vergangenen fünfzehn Jahren voneinander fernhalten können, weder ihr Mann noch die Meinung der anderen, noch die Furcht, entdeckt zu werden. Nur einmal hatte es so ausgesehen, als müssten sie einander aufgeben, kurz nachdem ihr Mann sie in der Oper überrascht hatte. Mehrere Monate hatten sie einander daraufhin nicht gesehen, aber dann hatte sie ihm einen Brief geschrieben und sie hatten mit aller Selbstverständlichkeit ihre Treffen wieder aufgenommen, als wäre nichts gewesen und als gäbe es keinerlei Moral, die es verbieten konnte. Selten hatte ein Gefühl von Schuld zwischen ihnen gestanden, aber nun – da ihr Mann tot war und man hätte meinen können, sie würden beginnen, sich freier zu fühlen denn je zuvor –, nun, so befürchtete er, könnte sich ihnen Schuld in den Weg stellen.

Am heutigen Sonntag hatten sie zwar auf einen Ausflug in die Natur vor den Toren Frankfurts verzichtet. Aber auch dieser Besuch im Palmengarten verlief nicht ganz so, wie Herr Stern ihn sich zu Hause vorgestellt hatte. Eingeschüchtert durch die vielen anderen Besucher, die ihren Nachmittagsspaziergang hier abhielten, wandte seine Frau kaum je den Blick vom Erdboden ab und seine Tochter … Geduldig hörte Herr Stern sich den nicht enden wollenden Redestrom an, mit dem Karoline von ihren Besuchen in der Frankfurter Altstadt berichtete.

Die zweite Familie, die Lübbe als Armenpfleger betreut hatte, stammte ursprünglich aus Hannover, war dann nach Vilbel und von dort vor kurzem erst nach Frankfurt weitergezogen in der vergeblichen Hoffnung auf Arbeit. Die Nachricht von Lübbes Tod hatte sie sehr getroffen, zumal der Mann doch bisweilen für Lübbe Sachen ausgetragen hatte, bei Lieferungen geholfen, das Lager sortiert. Keine richtige Arbeit, nur ein Zubrot, das Lübbe ihnen aus eigener Tasche bezahlt hatte. Für die Geldspende bedankten sie sich herzlichst.

Bei der dritten Adresse traf Karoline eine alte Frau mit ihrem Sohn an, die in einer Kellerwohnung lebten, von ihnen ›Sudderäng‹ genannt. Ab und zu hatte der Sohn für Lübbe Kohlen getragen für ein bisschen Geld. Eine Hand wäscht die andere, hatte Lübbe gesagt. Als Dank für die von Karoline überbrachten Münzen ließ der Mann sie nun an seiner Erkenntnis teilhaben, welchen Ursprung die Not in der Altstadt habe: Das ganze Elend habe angefangen, seit man die Judengasse aufgelöst habe. »Jetzt siedeln die in der Altstadt und unsereins sitzt dann im Sudderäng.«

Das mit der Auflösung der Judengasse sei aber doch schon einige Jahrzehnte her, hatte Karoline argumentiert, und viele Juden wohnten ohnehin in der Außenstadt. Eben, hatte der Sohn bestätigt, die Juden könnten sich solche Häuser nämlich leisten. »Und unsereins sitzt dann im Sudderäng.« Halb verärgert, halb verschämt hatte Karoline sich ohne weitere Abschiedsworte davongestohlen.

»Kaline, an so was musst du dich gewöhnen. Die einfachen Leute reden halt so, und die gebildeten auch – ach«, seufzte Herr Stern, aber das galt nicht diesem Teil von Karolines Bericht. »Diese Leute mit dem Kind waren bis vor einem halben Jahr in Vilbel?«

Karoline nickte.

»Dann haben sie ohnehin kein Recht auf Unterstützung. Dafür müssten sie zwei Jahre in Frankfurt gelebt und gearbeitet haben.«

»Sonst?«

»Sonst müssen sie zurück nach Vilbel.«

»Und wenn sie auch da keine zwei Jahre gelebt und gearbeitet haben?«

Mit der Vilbeler Regelung kannte sich Stern nicht genau aus, aber er vermutete, in diesem Fall müssten die Leute wieder nach Hannover.

Demnach sei es nicht ganz korrekt gewesen, was der Lübbe gemacht habe, fragte Karoline.

»Es ist gegen das Gesetz«, bestätigte Stern, aber auch wenn es merkwürdig klinge, wenn ausgerechnet er als Anwalt das sage: Das sei nicht das Schlimmste. Davon höre man häufiger, dass ein Armenpfleger einer Familie zur Unterstützung verhalf, obwohl sie dazu nicht berechtigt war, das komme bei den Mitgliedern aller Parteien vor. »Wenn sie in der Stadtverordnetenversammlung über die Gesetze beraten, stimmen sie dagegen. Wenn sie dann vor den Leuten in der Wohnung stehen, entscheiden sie sich dafür.«

»Das ist aber doch großherzig«, meinte Karoline unsicher.

»*Das* schon«, seufzte Stern, warf seiner Tochter einen bekümmerten Blick zu und fand, sie habe eine Recht auf seine ehrliche Meinung. »Das andere aber nicht. Selbst wenn sie das Geld gut brauchen konnten – sie waren von ihm abhängig, besonders natürlich diese Leute aus Hannover, und deswegen hätte er sie niemals für sich arbeiten lassen dürfen. Das mit dieser Luisa ist eine andere Sache, die hat er wenigstens eingestellt. – Na gut, na gut, die Witwe hat sie rausgeworfen, aber trotzdem. Aber das mit dem ›Zubrot‹ – ach, nein, das hätte ich nicht von ihm gedacht! Von manchem anderen, aber vom Lübbe nun wirklich nicht.«

Sie auch nicht, erklärte Karoline. Sie habe geglaubt, dass der Lübbe ein redlicher Mensch gewesen sei, wo er sich so für die Armengesetze eingesetzt habe, aber stattdessen habe er die Not der anderen auch noch ausgenutzt. »Diese Armengesetze allerdings« – Karoline erhob die Stimme – »sind anscheinend selber schon ungerecht. Wenn man davon nicht mal anständig leben kann und sich ein ›Zubrot‹ dazuverdienen muss. Und wenn einer, der in Hannover schon keine Arbeit gefunden hat und in Vilbel auch nicht, von Frankfurt aus einfach zurückgeschickt werden kann.«

»Na, na«, beschwichtigte ihr Vater. »Vielleicht sind unsere Gesetze zu hart, aber sie sind nicht ungerecht.«

»Wo ist der Unterschied?«

»Der Unterschied«, sagte Stern vage, der Unterschied habe etwas mit dem Rechtssystem zu tun. Er führte aus, wie sie in der Stadtverordnetenversammlung darüber debattiert und abgestimmt hatten und dass dieses Armengesetz ein Kompromiss gewesen sei, wie jedes Gesetz in dieser Versammlung ein Kompromiss zu sein habe, aber dies sei immerhin das Beste, was herauszuholen gewesen sei, und ein Schritt in die richtige Richtung und im Übrigen viel besser als die Gesetze der meisten anderen Städte, sie solle es mal von dieser Seite sehen – aber überzeugen konnte er sie damit nicht.

Trotz aller Widrigkeiten war Frau Elbert in ihrem Entdeckerdrang nicht aufzuhalten. Ungeachtet der prallen Augustsonne trug sie ein dunkles Kleid, sie schwitzte bereits und ihr schwarzer Schirm schaffte natürlich auch keine Abhilfe. Aber freudestrahlend lief sie von einer Rabatte zur nächsten und schmiedete einen Plan nach dem anderen, von denen keiner die Zustimmung ihres Gatten fand.

»Zuerst gehen wir zum großen Weiher und dann zur Grotte …«

»Nicht zur Grotte, sondern über die Brücke!«

»… und später zum Palmenhaus.«

»Vorher aber zum Schießpavillon!«, maulte Herr Elbert.

Staben ließ sich vorsichtig zurückfallen. Das Ehepaar schien diesen Dialog öfter zu führen, weshalb er sich nicht verpflichtet fühlte, zum einen oder zum anderen Vorhaben Stellung zu nehmen. Er wusste die Vorzüge der einzelnen Sehenswürdigkeiten ohnehin nicht gegeneinander aufzuwiegen. Ihm genügte es, dass die Luft klar war und die Sonne schien und man aus jeder Ecke Kinder rufen hörte, die sich um die Verbote und Regeln nicht scherten und überall herumtobten. Gerade lief der Vater eines solchen Kindes demselben hinterher und versuchte es wieder auf die Wege zu locken.

»Alles ist so …«, Frau Elbert seufzte glücklich, »… so friedlich.«

Staben verzog zweifelnd das Gesicht. Das Kind war im Gebüsch verschwunden, der Vater hinterher und zwischen ihren Rufen ertönte das Geschnatter erboster Enten.

In ihrem neuen Untermieter, dachte Frau Elbert, hatte sie einen so viel geduldigeren Zuhörer gefunden als ihren Gatten. Mit großem Interesse nahm er auf, was sie als Gärtnerin aus Leidenschaft über Bepflanzung, Begießung und Anordnung der Beete zu sagen wusste.

Und das war eine Menge. »Das interessiert den jungen Mann doch gar nicht«, sagte Elbert, und außerdem sei es eine Zumutung, sich jeder Pflanze im Einzelnen widmen zu müssen, denn schließlich bestünde so ein Park im Grunde nur aus Pflanzen und dann kämen sie nie vorwärts. Um zu zeigen, *wie* man in einem Park so richtig vorwärts kam, raste Elbert voraus – und blieb an der nächsten Hecke stehen. Nachdenklich starrte er auf die große Wiese.

»Ein Pfau!«, rief Frau Elbert entzückt. Um den Vogel herum drei menschliche Gestalten.

Eine davon trug ein hellblaues Kleid. »Ich kenne diese Person«, murmelte ihr Mann und überlegte.

Ein Mann mittleren Alters lief händeklatschend auf den Pfau zu und der machte drei Sprünge zur Seite. »Auf diese Weise kriegt er ihn nie dazu, ein Rad zu schlagen«, besorgte sich seine Gattin.

Die mit dem hellblauen Kleid hatte unweiblich die Arme vor der Brust verschränkt. »Aber ich kenne diese Person«, wiederholte Elbert beharrlich und rührte sich nicht von der Stelle. Er wusste nicht genau, weshalb, aber sie flößte ihm ein Gefühl des Unbehagens ein.

»Natürlich kennst du sie. Das ist nämlich das Fräulein Stern, sie war letzten Mittwoch bei den Bischoffs, und der da hinter dem Pfau herläuft, ist ihr Vater, und die Frau in dem gelben Kleid …« – Frau Elbert runzelte die Stirn. Dieses gelbe, weißberüschte Kleid fiel über der Turnüre glatt nach unten und war schon seit Jahren vollkommen aus der Mode. Aber sie beschloss, darüber hinwegzusehen. »Diese Frau wird Frau Stern sein.« Sie senkte die Stimme zu einem Wispern. »Man erzählt sich, dass sie malt.«

»Alle Frauen malen«, brummte Elbert. »Lass uns wieder gehen.« Noch hatte man sie nicht entdeckt.

Aber seine Frau trippelte vorwärts, so schnell es die

sie umgebenden Stoffmassen zuließen. Schon länger hatte sie einmal die Bekanntschaft einer echten Malerin machen wollen, das war doch interessant! Unwillig folgte ihr Gatte. Unentschlossen ihr Untermieter.

Frau Elbert sprang auf den Rasen und löste Herrn Sterns Problem im Handumdrehen. »Willst du wohl!«, rief sie und kreiselte ihren aufgeklappten Schirm drohend hin und her. Bedächtig rollte der Pfau nochmals seine Federn auf und spazierte davon. »Na, also«, sagte Frau Elbert und sah befriedigt Herrn Sterns glückseliges Lächeln. Männer waren wie Kinder, das war schon immer ihre Meinung gewesen. Wenn sie es nicht wären, hielte man es gar nicht mit ihnen aus.

Kurzerhand beschlossen die Familien, die Begehung des Palmengartens gemeinsam durchzuführen, und Frau Elbert stellte flugs ihr Programm zur Verfügung. »Zuerst gehen wir zum großen Weiher und dann durch die Grotte …«

»Nein, über die Brücke«, mischte sich ihr Mann ein.

»Nicht über die Brücke, sondern durch die Grotte«, erwiderte Frau Elbert. »Und dann …«

Herrn Elberts Augen begannen zu leuchten. »Und dann gehen wir drei Männer zum Schießpavillon. Da können Sie mal zeigen«, er deutete einen kameradschaftlichen Knuff an, ohne Staben zu berühren, »ob Sie außer dem Säbel noch was bedienen können bei der Polizei.« Herr Elbert hielt sich selbst für einen großen Schützen. »Neulich hab ich einen Hirsch …«

»Vor vier Jahren«, erinnerte Frau Elbert.

»Ein Zwölfender bleibt ein Zwölfender«, beschwerte sich Elbert.

»Und ein kranker alter Bock bleibt ein kranker alter Bock.«

»Wer hat das denn gesagt?«, rief Elbert verärgert.

»Der Wildhüter, der ihn dir vor die Nase gestellt hat.«

»Aber geschossen hab ich ihn selbst!«

Herr Stern fand es an der Zeit, sich schlichtend einzumischen. »Leider habe ich keinerlei Erfahrung mit Waffen und fürchte, mich aufs Schlimmste zu blamieren, wenn wir zum Schießpavillon gehen.«

»Und Sie?«, knurrte Elbert.

»Ich bin in Zivil«, meinte Staben, »und möchte ungern schießen.«

Seine Gattin hatte sich bereits mit Frau Stern auf und davon gemacht, um sie in aller Ruhe über die Malerei auszufragen. Also beschloss Elbert, das Beste daraus zu machen. Ein Weichling mochte der Stern sein, aber ein guter Anwalt war er trotzdem und wenn sich hier die Gelegenheit bot, für ein oder zwei kleine Unstimmigkeiten Rat einzuholen – gratis! Er packte Herrn Stern unter den Arm und folgte seiner Gattin zum Weiher.

Die beiden Übriggebliebenen schüttelten einander verlegen die Hände. »Ich habe nämlich gestern erst geschossen«, vertraute der Kommissar Karoline an.

»Geschossen?«, fragte Karoline.

»Nur in die Luft«, sagte Staben beruhigend. »Nur zur Probe.«

Er berichtete von seinem Experiment in den Wallanlagen.

»Sie haben sich in die Anlagen gestellt und geschossen? Mitten in der Nacht? Da haben Sie doch halb Frankfurt aufgeweckt.«

Karoline lachte, aber im Moment war ihr überhaupt nicht danach, weitere Einzelheiten dieses Mordfalls zu besprechen. »Nie hat er Ruhe gegeben, wenn irgendwo Unrecht war!« – das war ja nun nicht die ganze Wahrheit gewesen. »Haben Sie Luisa Döll inzwischen gefunden?«

»Noch nicht, leider. Aber wenn ich nochmals auf mein Experiment in den Anlagen zu sprechen kommen darf ...«

»Bitte sehr.« Es ließ sich kaum vermeiden.

»Ich habe nämlich zweierlei daraus geschlossen: Erstens«, Staben war in voller Fahrt, »ist Lübbe nicht in den Anlagen erschossen worden, sondern in einem Haus. Zweitens«, das Folgende war etwas gewagt, »war es sein eigenes Haus.«

»Sein eigenes Haus?« Wie zu erwarten, war Karoline erstaunt. Und ein wenig gereizt. »Ist Ihnen bewusst, dass Ihr Experiment nicht beweist, dass Lübbe unbedingt bei sich zu Hause ermordet wurde?«

Das sei ihm allerdings bewusst, entgegnete Staben milde. »Aber es ist doch sehr merkwürdig, dass sich die Spur eines stadtbekannten Bürgers, der jeden Abend brav um acht Uhr nach Hause geht, so schwer verfolgen lässt. Sobald er einmal von diesem Weg abweicht, ist er verloren.«

»So gerade war der Weg auch nicht, den er sonst immer gegangen ist«, fand Karoline. Sie hätte Staben gerne ins Vertrauen gezogen, entschied sich aber dagegen. Immerhin war er bei der Polizei und nicht nur Lübbes Tun, sondern auch das der armen Familien war ungesetzlich gewesen. Vielleicht sähe er es sogar als seine Pflicht an, die Leute aus Vilbel wieder zurückschicken zu lassen – man konnte schließlich nicht wissen, wie ein Kommissar diese Dinge sah. »Bitte, vergessen Sie meine letzte Bemerkung.«

»Ich möchte Ihnen keinesfalls zu nahe treten«, meinte Staben vorsichtig, »aber wirken Sie womöglich ein wenig – abgelenkt?«

»Überhaupt nicht.« Außerdem konnte der Kommissar ja nichts dafür. »Also, Sie sagten gerade: ›Sobald er vom Weg abweicht, ist er verloren.‹«

»Genau.« Das war vielleicht etwas pathetisch gewesen. »Ich meinte nur: Wir wissen ja immer noch nicht, wo Lübbe sich nach halb zehn aufgehalten hat. Was, wenn er einfach nach Hause gegangen wäre? Wenn man ihn nirgendwo anders findet, dann ist das doch am naheliegendsten.«

»Naheliegend schon«, wiederholte Karoline. »Aber grundsätzlich kann er doch überall hingegangen sein. Zum Beispiel – vielleicht ist er nochmals in sein Geschäft zurückgegangen.«

»Selbstverständlich. Aber erstens: Dann hätten die Tabakarbeiter ihn doch gesehen …«

»… wenn sie den ganzen Abend ununterbrochen aus dem Fenster geschaut haben.«

»Und zweitens: Wieso sollte Lübbe zu seinem Geschäft zurückgehen? Wir haben zwar noch nicht herausgefunden, warum er länger dortgeblieben ist. Aber nachdem seine so dringende, geheimnisvolle Aufgabe erledigt war, wäre es dann nicht höchst unwahrscheinlich, dass er dort noch etwas ähnlich Geheimnisvolles vorhatte – zwischendurch aber kurz spazierengegangen ist?«

»Sie haben das alles ja bereits genau durchdacht. Überall erstens, zweitens!« Karoline war beeindruckt. Sie stimmte zu, höchstwahrscheinlich sei Lübbe nicht wieder in sein Geschäft gegangen. Wo also sonst hin? Zu einem Bekannten vielleicht. Das fand sie wiederum sehr wahrscheinlich. Das, was Lübbe in seinem Geschäft zu tun hatte, hätte dann mit diesem Besuch zusammengehangen. Genauere Vorstellungen könne sie sich zwar noch nicht davon machen: »Aber vielleicht musste er etwas suchen, etwas herausfinden, etwas schreiben – um mit diesem Ergebnis zu dem Mann zu gehen, der ihn gerade deswegen ermordet hat.«

Auf diese Möglichkeit war Staben noch nicht gekommen, er überlegte. Aber auch hier gebe es zweierlei, das dagegen spreche. Zum einen: Lübbe hatte Peschmann und Kobisch telefonisch abgesagt, weil er das Treffen nicht hatte einhalten können. Er hatte seiner Frau am Morgen gesagt, er werde spätestens um zehn zu Hause sein. Und er hatte sie sonst immer antelefoniert, wenn er sich verspätete. »Daher nehme ich an, er hat vorgehabt, auf direktem Wege nach Hause zu gehen, nicht etwa noch zu einem Dritten.«

»Dieses Erstens überzeugt mich nicht. Vielleicht wollte er auf dem Rückweg nur kurz bei diesem Mann vorbeigehen, ihm etwas übergeben oder mitteilen. Das hätte ihn nur ein paar Minuten aufgehalten und deswegen hätte er seiner Frau nicht Bescheid zu geben brauchen.«

So weit, so gut. Aber zweitens: »Wie könnte Luisa Dölls Verschwinden damit zusammenhängen? Denn es ist so gut wie ausgeschlossen, dass sie während dieser Zeit das Haus verlassen hat, unbemerkt von der Witwe Lübbe, und auch für sich genommen höchst unwahrscheinlich, dass sie von Lübbes kurzem Besuch bei seinem zukünftigen Mörder gewusst und sich ebenfalls dort eingefunden hat. Das Mädchen kann etwas Ungewöhnliches nur bemerkt haben, wenn es sich im Haus oder in dessen unmittelbarer Nähe ereignet hat.«

Zweitens überzeugte Karoline schon eher. »Aber jetzt müssen wir doch vermuten«, begann sie von Neuem, »recht abenteuerlich vermuten, wie ich finde, dass die Witwe dieses Ungewöhnliche ebenfalls bemerkt hat!«

Sie spazierten einen künstlichen Hügel hinab und die Büsche gaben den Blick frei auf den Weiher. Junge und alte Paare ruderten Kähne über das Wasser, steuerten ungeschickt um die kleine Insel in der Mitte und bemühten sich kichernd, nicht mit den anderen anzustoßen. »Wollen wir ein Boot?«, schrie Elbert von unten, wo der Steg ins Wasser führte.

»Wieso nicht?«, meinte Karoline, aber Staben war dagegen. »Nein!«

»Also dann nicht«, entschied Frau Elbert gelassen, wartete auf die beiden Nachzügler und führte ihre Truppe weiter. Nie will jemand mitmachen, signalisierte Elberts Gesicht, als er ihr folgte. Dabei trauten sich gerade sogar zwei junge Damen, ihr schaukelndes Boot zu besteigen. Am Ufer turnte eine übermütige junge Familie herum.

»Papa, nächstes Mal bringen wir eine Angel mit, gell?«, rief der Junge, der die Größe der Goldfische bewunderte. Der Vater legte dem Sohn die Besucherordnung des Palmengartens auseinander, die Angeln vermutlich nicht gestattete.

»Ich kann gar nichts sehen!« Seiner kleinen Schwester stand ein dicker Kranz von Reifröcken im Weg. Sie presste mit den Händen die Rüschen fest an den Körper und beugte sich vor, um nach den Fischen Ausschau zu halten.

Da Angelruten nicht erlaubt waren, wollte ihr Bruder die Fische mit den Händen aus dem Wasser holen. »Die gehören doch mit zu dem Weiher, die darf man nicht fangen«, kam die Mutter dem Vater zu Hilfe und gemeinsam zogen sie ihren Sohn aus der Uferbepflanzung.

Es gab einen lauten Platsch und viele Spritzer, als die unbeaufsichtigte Schwester ins Wasser fiel. Ihre Röcke standen wie ein Ballon um ihr Gesicht herum und noch war sie viel zu verdutzt, um um Hilfe zu rufen. »Du siehst aus wie eine Seerose!«, freute sich der Bruder und wischte sich die Tropfen aus dem Gesicht.

Staben stürzte zur Rettung vorwärts, Karoline hielt ihn am Ärmel zurück. »Bleiben Sie hier, der Vater holt sie doch schon raus.« Der Vater angelte nach ihren Armen, hob seine Tochter aus dem Wasser und stellte sie wie ein nasses Paket ans Ufer. Sie tropfte und tropfte und die schönen Löckchen klebten ihr im Gesicht.

Staben ruderte hilflos mit den Armen und keuchte. »Ich wollte nicht, dass sie ertrinkt!«

»Sie ist aber nicht ertrunken«, beruhigte ihn Karoline. »Sie ist völlig unversehrt!« Tatsächlich hatte das Mädchen seine Fassung wiedergefunden. Stolz strahlte sie übers ganze Gesicht. »Gell, so was hast du noch nicht gemacht?« Das musste der Bruder kleinlaut zugeben.

»Wie tief war das Wasser denn?«, japste Staben. »Konnte sie noch stehen?«

»Sie konnte noch stehen«, bestätigte Karoline und schaute besorgt zu, wie der Kommissar einen Kragenknopf öffnete. »Atmen Sie doch nicht so heftig!«

»Kann nicht«, stieß Staben hervor. Es war nicht Karolines bemühtes Auf-die-Schulter-Klopfen, das ihn schließlich beruhigte, sondern er selbst, der seine leicht verkrampften Finger zur Nase hob und versuchte, seinen Atem zu drosseln.

Der Rest der Partie hatte dem Unglück aus sicherer Entfernung zugesehen und betrachtete Stabens Atemnot mit misstrauischen Blicken. »Allzeit bereit, was?«, empfing Elbert den herbeiwankenden Kommissar jovial. »Vielleicht sollten Sie besser zur Feuerwehr gehen.«

»Jetzt lass doch«, beschwichtigte Frau Elbert.

»Wenn er nicht mal schießen will«, murmelte ihr Mann.

»Auf zur Grotte!«, sagte Frau Elbert.

»Über die Brücke«, wollte ihr Mann. Sie schauten sich böse an und gingen getrennte Wege. Frau Elbert marschierte in Richtung Kunstfelsen und Herr Elbert betrat die Hängebrücke.

Das Ehepaar Stern blickte hin und her und wusste nicht, wem es sich anschließen sollte. »Dann gehen wir halt über die Brücke, und ihr beide …«, Herr Stern stockte, »*Sie* beide …«, er riss sich zusammen, »also, Karoline, du zeigst dem Kommissar die Grotte.« Erleichtert über die eben genommene Hürde, vergaß er jede Vorsicht. »Aber dass ihr mir die Frau Elbert wieder mit herausbringt! Ich hab ein bisschen Angst, die Gute wird sich verlaufen.«

In der Grotte war es stockduster. »Frau Elbert, wo sind Sie denn?«, rief Karoline aufs Geratewohl. Es kam keine Antwort und sie blieben stehen, um zu warten, bis sich ihre Augen an die Dunkelheit gewöhnten. »Vielleicht ist sie die Treppe hinauf, da oben gibt es nämlich noch einen Gang.« Sie waren allein.

Staben wusste die Gelegenheit sofort zu nutzen. »Sie haben vollkommen Recht: Die Witwe Lübbe muss etwas davon gemerkt haben.«

»Davon gemerkt?« Karoline war ein wenig irritiert. »Ich dachte schon, Sie halten sie für den Mörder.«

»Aber nein! Die arme Frau. Ich habe Ihnen doch erzählt, an jenem Abend hatte sie einen schlimmen Nervenanfall und der Arzt musste kommen und gab ihr Tropfen. Wenn jemand krank ist und noch dazu beruhigende Tropfen nimmt – dann kann er wohl kaum solch eine Gewalttat begehen. Es muss jemand anders gewesen sein, der sich in Lübbes Haus aufgehalten hat – ich gebe zu, ich habe nicht die blasseste Ahnung, wer.«

Karoline beschloss, sich an der Wand entlangzutasten. »Vielleicht ist die Witwe von diesen Tropfen eingeschlafen und hat von alldem nicht einmal etwas gemerkt.«

»Nicht einmal einen Schuss?« Staben folgte ihrem Beispiel und griff beherzt in den Efeu an der Wand. »Einen Schuss kann man kaum überhören.«

»Wenn es Ihnen ein Gefühl der Sicherheit gibt, dürfen Sie sich gern weiter an meinem Schirm festhalten«, erklärte Karoline höflich und stutzte. »Aber das erscheint mir doch sehr merkwürdig: Wenn die Witwe etwas von dem Mord gehört und nichts gesagt hat, dann muss sie doch einen Grund haben, weswegen sie nicht will, dass der Mörder ihres Mannes gefunden wird.«

Staben ließ den Schirm los und gab einen Laut von sich, der zwar keine Zustimmung, aber immerhin Aufmerksamkeit signalisierte.

»Und dieser Grund könnte doch genauso gut ein Motiv für den Mord selbst sein.« Karoline spann den Faden weiter. »Diese Tropfen – vielleicht hat sie die gar nicht genommen. Vielleicht war sie nicht einmal krank. Vielleicht hat sie das alles nur vorgetäuscht, damit Sie später denken, sie kann der Mörder nicht gewesen sein.«

»Sie phantasieren«, rügte Staben, aber nicht unfreundlich. »Übrigens sehe ich jetzt langsam Ihren Schirm und dahinter bewegt sich etwas!«

»Jetzt phantasieren aber Sie«, meinte Karoline.

»Huuh!«, schrie es ihnen da in die Seite. Sie fuhren zusammen, dann kicherte jemand. »Jetzt hab ich Sie aber tüchtig erschreckt, gell?«

»Allerdings«, sagte Karoline. »Wo sind Sie überhaupt?«

»Hier!«, rief Frau Elbert vergnügt. »Ich hab mir doch extra ein dunkles Kleid angezogen. Das mach ich immer, hab ich bei meinem Sohn auch so gemacht.« Sie senkte ihren Schirm und endlich sah man ihr helles Gesicht. »Meine Augen sind nämlich wie von einer Eule.«

»Ah, ja«, sagte Karoline. »Ich dagegen sehe Sie fast gar nicht.«

»Eben, das liegt an dem Kleid«, freute sich Frau Elbert und stupste Karoline sachte nach vorn. Staben hingegen fühlte Frau Elberts Schirmspitze im Rücken, die ihn unerbittlich vorwärtsschob.

»Was ist ein Motiv?«, fragte Frau Elbert.

Herrje, natürlich hatte sie alles mit angehört! – Der Grund, warum jemand etwas tue. Eine Straftat begehe zum Beispiel, erklärte Staben.

»Aha.« Frau Elbert verfiel in Schweigen. Sie hatte einen Gewissenskampf mit sich auszutragen. »Also, vielleicht hängt es mit so etwas zusammen.« Sie begann zu flüstern. »Mit einem Geheimnis. Neulich habe ich erst etwas darüber gelesen, in der Gartenlaube. Das Geheimnis des Nachtwächters, hat die Geschichte geheißen und da war so ein Mann …« Aber bevor sie fortfahren konnte, waren sie schon wieder im Freien, wo sie bereits ungeduldig erwartet wurden.

»Haben Sie sich etwa verloren?«, sorgte sich Frau Stern.

»Nein!«, kam Herr Elbert seiner Gattin zuvor. »Sie hat sie ›tüchtig erschreckt, gell?‹ – Hat es geklappt?«

»O ja«, antworteten Frau Elbert, Karoline und Staben unisono, wenn auch mit unterschiedlichem Tonfall.

Elbert hatte Herrn Stern inzwischen weichgeklopft, wie dieser nachher Frau und Tochter klagte, und gemeinsam zogen sie zum Schießpavillon. »Endlich sind wir unter uns«, seufzte Frau Elbert vertraulich. »Mein Mann muss immer so rennen. Wenn's einen direkten Weg von der Straße zum Schießpavillon gäbe, würde er den auch nehmen. Männer sind wie Kinder.«

Staben wandte sich errötend ab.

»Aber da brauchen Sie sich gar nicht zu genieren«, erklärte Frau Elbert unbekümmert. »Dafür mögen wir die Männer ja schließlich!«

Diesmal war es Karoline, die errötete.

Daraufhin wollte Frau Elbert die Zustimmung einer verheirateten Frau einholen. »Frau Stern, hab ich etwa nicht recht?«

Die Angesprochene reagierte nicht.

»Was Sie dazu meinen?«, wiederholte Frau Elbert sanft.

Frau Stern meinte, dass Trauerweiden schon immer ihre liebsten Bäume gewesen seien, nicht etwa wegen des etwas melancholischen Namens, sondern wegen der kleinen, feinen Blätter, die so zarte Lichter und Schatten hervorbrachten, sie frage sich nur, ob man diese Lichter auch je angemessen farblich wiedergeben könne, es sei nämlich ganz falsch, wenn man Weiden immer als so düstere Gebilde male ... Sie trat über die Beete und schaute sich das Blattwerk von der sonnenbeschienenen Seite her an.

»Sie ist eine echte Künstlerin«, flüsterte Frau Elbert ehrfürchtig. »Nein, Karoline, lassen Sie sie, das ist jetzt eine Inspiration ...«

Karoline seufzte. »So eine Inspiration kann aber dauern!«

»Es ist doch ganz gleich, ob wir hier stehen oder da drüben – wir haben keine Eile«, meinte Frau Elbert und hielt Karolines Arm begütigend gedrückt. »Außerdem wollte ich Ihnen noch eine Geschichte erzählen, was war das, mit einer Grotte, oder mit einer Laterne …«

»Das Geheimnis des Nachtwächters«, erinnerte Karoline entgegenkommend.

»Das war es!« Karoline und der Kommissar bekamen eine Kurzfassung dieser Geschichte, die im Wesentlichen daraus bestand, dass ein Nachtwächter stets zur Stelle war, wenn es hinter erleuchteten Fenstern geheime Besprechungen und schmutzige Geschäfte zu beobachten gab. Seine Entdeckungen machten ihn mit der Zeit übermütig und die Geschichte endete mit dem tragischen Unfall des Landrats soundso, dessen Ursache nie ganz aufgeklärt werden konnte …

»Das ist aber wenig ermutigend«, meinte der Kommissar. Und wenig erhellend, weil die Ermittlungen zum Mord an Lübbe im Wesentlichen dadurch erschwert wurden, dass der zuständige Nachtwächter *niemals* zur Stelle war.

»Um den Unfall geht es doch gar nicht«, sagte Frau Elbert. »Aber später hat die Tochter des Nachtwächters – der starb dann auch, an einer Lungenentzündung – unter dem Fußboden verborgene Papiere gefunden.« Die Papiere enthielten natürlich die Aufzeichnungen, die sich der Nachtwächter nach seinen nächtlichen Beobachtungen gemacht hatte. Unter anderem zu diversen Stelldicheins des verunglückten Landrats mit der scheinbar so tugendhaften Gattin eines anderen.

»Erpressung«, fasste Karoline zusammen. Sie versicherte, sie werde die Geschichte bei Gelegenheit einmal nachlesen, konnte sich aber bezüglich der inneren Schlüssigkeit eine Frage nicht verkneifen. »Wenn Sie nun damit andeuten wollen, dass Lübbe von jemandem erpresst wurde, wieso hat der Erpresser ihn denn umgebracht? Man bringt doch niemanden um, wenn man ihm Geld abverlangen kann.«

»Aber nein, der Landrat ist ja auch gar nicht umgebracht worden, es war wirklich ein Unfall. Aber das mit dieser Dame.« Sie räusperte sich. »Das haben alle Leute dadurch erfahren, dass die Tochter diese Papiere gefunden hat.« Frau Elbert schwieg in angestrengtem Nachdenken. Das war sie jetzt leider etwas ungeschickt angegangen, mit dem ›Geheimnis des Nachtwächters‹ hatte sie die beiden nur verwirrt. Nun glaubte sie keineswegs, dass der Mord in irgendeiner Weise auf Herrn Kobischs Herzensangelegenheiten zurückzuführen war, und genauso wenig wollte sie Vertrauliches ausplaudern, schon gar nicht in Gegenwart des Fräulein Stern. Sie hätte dem Kommissar lediglich gern einen kleinen Hinweis gegeben, dass sich hinter Lübbes Rücken einiges abgespielt hatte, wovon ein Außenstehender kaum ahnen konnte.

Gerade wollte sie eine weitere vorsichtige Andeutung machen, da sah sie Frau Stern von ihrer Besichtigung zurückkehren. Sofort wurden Karoline und der Kommissar fallengelassen. »Sie sind eine echte Künstlerin«, rief Frau Elbert freudig aus und erbat sich von Frau Stern eine detaillierte Schilderung dessen, was sie bei der Trauerweide erlebt hatte. »Sie sehen bestimmt vieles anders als wir Durchschnittsmenschen. Die Farben zum Beispiel oder das Licht. Wie malt man überhaupt Licht? Macht man die Farben da heller oder tupfen Sie Weiß drauf und tupfen Sie's dadrauf, wo es in der Natur ist, oder folgen Sie einfach Ihrer Inspiration und machen mal hier und mal da ein Fleckchen?«

»Das hab ich mir alles noch nie überlegt«, gestand Karoline dem Kommissar und beobachtete staunend, wie eifrig ihre Mutter die Fragen ihrer Begleiterin beantwortete.

»Sie sind es gewohnt«, erklärte Staben, »aber für Frau Elbert ist es wie ein Wunder.« Mit Inbrunst führte seine Vermieterin Frau Stern durch das Palmenhaus, wies mit verrenktem Nacken auf die gebogenen Metallstreben hin, die das Glasdach stützten, beruhigte Frau Stern, die Palmen würden ebendieses Dach keinesfalls in den nächsten Jahren durchbohren, zeigte ihr, wie die Kokospalmen schubweise aus ihren Stämmen hervorkrochen. Als Frau Stern Interesse an einer Orchidee bekundete, die mitten im Beet stand, stapfte sie so lange von Stein zu Stein, bis sie nah genug dran war, um das Schild vorlesen zu können.

»Ob man das darf?«, fragte Frau Stern vom gepflasterten Boden aus vorsichtig.

»Sehen Sie etwa jemand, der es verbietet?«, empörte sich Frau Elbert und zog Frau Stern in Richtung Bambus.

Karoline schaute den beiden nachdenklich hinterher. »Ich muss zugeben, ich bewundere sie ein wenig.«

»Bitte?«, fragte Staben verlegen.

»Nicht Sie, *sie*«, erklärte Karoline rasch und nickte in Richtung Frau Elbert. »Sie ist so voller Begeisterung. Und sie lässt sich durch überhaupt nichts aufhalten.« Gerade kündigte Frau Elbert an, sie werde einmal mit dem Gärtner sprechen. Unter den Blättern eines tropischen Farns hatte sie eine Schicht weißen Puders entdeckt, das sich bei näherem Hinsehen als starker Milbenbefall herausgestellt hatte – resolut wischte sie ihre verschmierten Hände am hinteren Teil ihres schwarzen Kleides ab und erklärte, das könne man schließlich alles waschen. Und der Gärtner solle den Farn vielleicht einmal mit Lauge abwischen, das mache sie bei ihren Pflanzen auch so.

»Die Elberts haben nämlich einen sehr ausladenden Garten hinter dem Haus«, erklärte Staben, der jeden Abend hindurchgeführt wurde. »Sie besorgt ihn allein und der Gärtner darf die Bäume nur da beschneiden, wo sie selbst mit der Leiter nicht drankommt.«

»Da hat sie sicher immer sehr viel zu tun«, sagte Karoline mit einem Lächeln.

»Übrigens wollte ich Ihnen nicht zu nahe treten, als ich kürzlich …«, begann Staben noch einmal und wollte fortfahren: »… fragte, ob Sie nichts Besseres zu tun hätten.«

»Das weiß ich doch«, unterbrach ihn Karoline. »Lassen Sie uns nicht darüber sprechen.«

Aber Staben blieb beharrlich. »Es hatte mich an jemanden erinnert«, erklärte er. »Sie schien in einem fort beschäftigt, mit Bällen und mit Einladungen und einem Hilfsverein für Waisenkinder. Sie hat Spenden gesammelt und Sachen gestickt und …«

»… und Basare veranstaltet«, ergänzte Karoline und lachte. Das klang wie die Aktivitäten von Sophie Wertheimer, ihrer Großmutter und ihr selbst zusammengenommen. Dann erschrak sie. »Aber Sie reden ja, als lebte sie nicht mehr!«

»Sie lebt tatsächlich nicht mehr«, sagte Staben. »Sie ist ertrunken.«

Darauf wusste Karoline nichts zu sagen. Mit den Augen verfolgte sie die Bewegungen von Frau Elbert, die jetzt eine Blüte zwischen ihre Finger nahm, und die ihrer Mutter, die zaghaft folgte. »Eine Bekannte?«, fragte sie schließlich vorsichtig.

»Eine Cousine«, behauptete Staben. »Wir sind oft zusammen Kahn gefahren, auf der Spree, und eines Tages …« Er schaute sie unsicher an.

»Eines Tages?«

»Ging sie allein, und dann ist es passiert. Vermutlich ist der Kahn angestoßen und gekippt. Oder sie hat sich darübergebeugt, um etwas aus dem Wasser zu fischen.« Einen ganz anderen Schluss hingegen ließen die Steine zu, die man bei ihr gefunden hatte.

Der Arzt seufzte leicht, als er das stürmische Läuten eines Patienten hörte. Natürlich hatte er heute keine Sprechstunde, aber es gab ja immer welche, denen grad am Wochenende auffiel, dass sie schwer krank waren. Geduldig schüttelte er dem Neuankömmling die Hand und musterte ihn. Kühle Hände, fragender Blick: ein Hypochonder vermutlich. Bei der Begrüßung hatte sich der Mann als Kommissar vorgestellt – ein Jammer, dass nun auch schon die Polizei dieser Krankheit verfallen war. »Womit kann ich Ihnen helfen?«, fragte der Arzt milde und zückte seinen Stift, um eine längere Aufzählung lebensbedrohlicher Symptome gewissenhaft mitzuschreiben.

»Die Witwe des kürzlich verstorbenen Maßschneiders Lübbe hat mir erzählt, Sie behandelten sie wegen einer gewissen Krankheit …«

Der Arzt lächelte nachsichtig. »Ein hysterisches Nervenleiden, das von dem Laien in der Häufigkeit seines Vorkommens meist überschätzt wird. Es ist fast ausschließlich eine Frauenkrankheit und braucht Sie nicht im Geringsten zu beunruhigen.« Zwar litten auch die Männer zunehmend unter ihren Nerven, dann meist in

Form von Neurasthenie. Aber das brauchte er diesem Patienten nicht auf die Nase zu binden.

»Wie äußert sich dieses Leiden?«, beharrte Staben. »Sind es Sinnestäuschungen oder Schmerzen oder ähnelt es einem Schwindel?«

»Nun, ein kleines Schwindelgefühl hin und wieder ist überhaupt nicht bedenklich. Gerade im Sommer, der Körper hat es schwer bei diesem Wetter. Wenn Sie möchten, höre ich mir Ihr Herz an.« Der Arzt stand auf und holte sein Stethoskop, aber der Patient machte keinerlei Anstalten, seine Uniformjacke aufzuknöpfen. Stattdessen wiederholte er die Vorstellung seiner Person. Er sei nicht bloß ein Kommissar, erklärte Staben, sondern habe die Praxis auch allein in dieser Eigenschaft aufgesucht. Ob sein Gegenüber sich erinnere, in den letzten Tagen abends zu seiner Patientin gerufen worden zu sein?

Der Arzt legte das Stethoskop beiseite und zog ein schwarzes Büchlein hervor, blätterte und verblätterte sich, murmelte die Namen von Wochentagen und beklagte das schnelle Verstreichen der Zeit. Staben gewann den Eindruck, dass der Mann sich in seinem Büchlein nicht ganz zurechtfand. »Heute ist Sonntag«, erinnerte er und der Arzt bedankte sich. Ja, genau, da stehe es schwarz auf weiß: Am vergangenen Montag sei er von Frau Lübbe gerufen worden, der Witwe Lübbe, müsse man jetzt ja wohl leider sagen, und zwar um kurz vor neun. Sofort habe er sich auf den Weg gemacht, das heißt, zuerst habe er sich wieder anziehen müssen, denn er sei schon im Nachtrock gewesen. Aber natürlich schere sich eine Krankheit nicht um Sprechstundenzeiten, dafür sei ein Arzt immerhin da.

Staben gab seiner Hochachtung vor der hippokratischen Berufung Ausdruck. Und was er sich unter diesem Nervenleiden denn jetzt vorzustellen habe?

Da gebe es Zeiten, erläuterte der Arzt dem Laien, zu denen spielten die Nerven verrückt. Verursacht werde es wohl durch gehäufte Lektüre, die Nerven könnten all das nicht verarbeiten. Das Echte, das Gelesene, alles werde eins, zudem werde da viel Geschlechtliches angeregt …

Staben wollte den Zusammenhang zwischen Lektüre und Geschlechtlichem lieber nicht weiter vertiefen. In gewisser Weise handele es sich also um eine Art eingebildetes Leiden – könne man so etwas vielleicht vortäuschen?

Der Arzt legte die Stirn in Falten. Ob der Kommissar etwa seine Diagnose in Frage stellen wolle?

Auf keinen Fall, beteuerte Staben hastig, er frage ganz ganz allgemein. Ob eine Person, die ansonsten tatsächlich unter der hysterischen Krankheit leide, diese ein einziges Mal auch vortäuschen könne.

Nun, räumte der Arzt ein, man könne natürlich alles irgendwie vortäuschen. Einen Krampf, ein Zittern, eine Aufregung … Immer noch war er auf der Hut. Ihm fiel auf, dass seine letzten Ausführungen ein schlechtes Bild auf die medizinische Wissenschaft warfen, und fügte hinzu, ein Arzt würde den Unterschied natürlich merken.

Ein Arzt schon, dachte Staben, ein Dienstmädchen aber möglicherweise nicht, und erkundigte sich, was der Arzt seiner Patientin denn verabreicht habe.

Tropfen seien es gewesen, starke Tropfen. Manchen Patienten gebe er heimlich nur einen Schluck Branntwein, aber der Witwe Lübbe – diese Tropfen seien beruhigend gewesen, leider machten sie sehr müde – aber es sei ja ohnehin schon Abend gewesen.

Und er habe ihr die Topfen selbst verabreicht? Jawohl, bestätigte der Arzt und räumte auf weitere Nachfragen hin ein: nein, nicht er selber. Das Mädchen habe Wasser gebracht, er habe die Tropfen reingetan und die Witwe habe sie getrunken.

»In mehreren Schlucken oder in einem Zug?«

Das wusste der Arzt nun nicht mehr so genau.

»Hat sie das Glas ausgetrunken, bevor Sie gingen?«

Selbstverständlich habe er gewartet, bis sie sich ein wenig beruhigt hätte, erklärte der Arzt. Bloß, ob das Glas *ganz* leer gewesen sei, könne er nicht beschwören. Jedenfalls seien es starke Tropfen und der Kommissar habe keinen Grund, an der Wirksamkeit der von ihm verordneten Medikamente zu zweifeln.

Das tue er nicht, wiederholte Staben und bedankte sich für die Auskünfte. Der Arzt nickte besänftigt und musterte seinen Besucher zum zweiten Mal. Gerade Stirn, deutliches Kinn. Mit seiner ersten Diagnose hatte er sich möglicherweise vertan. »Wenn man so etwas nicht kennt, kann man es sich schwer vorstellen. Sie sind der robuste Typ, der lässt sich durch nichts so leicht erschüttern. Phasen der Dunkelheit und der Unruhe sind Ihnen fremd, habe ich Recht?«

»Vollkommen«, antwortete Staben und überließ den Mann seinen weiteren physiognomischen Überlegungen.

Der Großvater saß noch am Frühstückstisch, aber Frau Cramer lief schon wieder emsig in ihrer Küche herum. Der große Tag, die Eröffnung des Wohltätigkeitsbasars, rückte näher. Endlich hatte sie sich mit

Frau Wertheimer über die Preise geeinigt und jetzt musste noch alles sortiert werden. Große Schwalben zu den großen Schwalben, kleine zu den kleinen, die einfarbigen Taschentücher nach da und die aufwendigeren nach dort drüben …

»Bitte sag mir, was ich tun soll«, sagte Karoline. Sie war gekommen, um die gepackten Körbe in den Verkaufsraum hinüberzutragen, aber so, wie es aussah, würde gar nicht alles hineinpassen. »Wenn wir die Vögel einfach übereinanderstapeln, brechen vielleicht die Federn ab.«

»Ich mache so etwas nie wieder«, murmelte Frau Cramer böse. Jetzt kam zu allem Überfluss noch eine dritte Schwalbengröße zum Vorschein. »Wieso hab ich mich nur dazu überreden lassen?«

»Ich war's nicht«, erinnerte Karoline schnell, weil sie den Eindruck hatte, ihrer Großmutter zunehmender Ärger suche nach einer Zielscheibe. Sorgfältig legte sie einen blauen Vogelkörper neben den anderen.

»Lass das noch warten«, Frau Cramer hielt die Hand ihrer Enkelin fest, »ich frage mich nämlich, ob ich die Gelegenheit nutzen soll …« Traurig blickte sie zu dem Regalbrett auf, das die Bände mit hilfreichen Empfehlungen für den Haushalt bereithielt. Vielleicht sollte sie die übriggebliebenen Exemplare der sparsamen Hausfrau und der preiswerten Möbel, selbst angefertigt, auch noch dazupacken. »Du und deine Schwester, ihr wollt diese Bücher ja nicht«, klagte sie.

»Wir *haben* diese Bücher schon«, stellte Karoline richtig, lenkte aber seufzend ein, man könne es ja einmal versuchen.

»Welches möchtest du?«, fragte ihre Großmutter erfreut und zog sich einen Stuhl heran.

»Du könntest versuchen, sie zu verkaufen«, erwiderte Karoline tapfer. Schweigend stieg Frau Cramer auf den Stuhl und reichte ihre Lieblinge herunter, damit Karoline sie zuunterst in den Korb legen sollte.

»Großmama«, begann Karoline und hinderte die ›Umgangsformen zu Hofe‹ daran, sich über ihre Schulter hinweg selbstständig zu machen, »ich mache mir Sorgen wegen dieser Luisa Döll. Das Dienstmädchen von den Lübbes, erinnerst du dich? Gestern habe ich den Kommissar getroffen« – Frau Cramer drehte sich um und schenkte ihrer Enkelin einen mahnenden Blick –, »*zufällig* getroffen und sie haben das Mädchen immer noch nicht gefunden.«

»Wir haben es dem Kommissar gesagt, der Rest ist nicht unsere Angelegenheit.«

»Wenn sie aber weder bei den Lübbes ist noch zu Hause – vielleicht hat sie nicht mal ein Dach über dem Kopf!«

Ihre Großmutter murmelte etwas wie: »Hätte sie sich früher überlegen können.«

»Wir wissen doch gar nicht, was sie bei den Lübbes falsch gemacht hat, vielleicht passte der Frau nur ihre Nase nicht. – O nein! Nein, die kann ich beim besten Willen nicht mehr halten!« Es hatte sich herausgestellt, dass hinter der vorderen noch eine hintere Reihe mit Ratgebern wartete. »Außerdem macht jeder mal einen Fehler und sie ist doch so jung.«

»Dafür war sie ja anscheinend alt genug!«

»Wofür?« Karoline lud den ersten Packen ab, um für den nächsten bereitzustehen.

»Wenn sie sich schamlos verhalten hat. – Bist du soweit?«

»Was heißt das genau, dieses ›schamlos‹?«, fragte Karoline gereizt und streckte gehorsam die Arme aus. »Dass sie ohne Begleitung durch die Altstadt gelaufen ist?«

»Nicht in diesem Tonfall!« Mit einem vielsagenden Blick reichte ihre Großmutter ›Unsere kleine Familie‹ herunter.

»Das kannst du doch unmöglich alles zum Basar mitnehmen! Und für die Vögel und Taschentücher sollten wir auch ein bisschen Platz lassen.«

»Kann ich noch einen Kaffee bekommen?«, rief der Großvater aus dem Esszimmer.

Frau Cramer legte noch einen Band in Karolines Arme und stieg seufzend von ihrem Stuhl herunter. »Diese Luisa Döll war … das heißt, sie ist … nachdem der Lübbe sie eingestellt hat … Sie erwartet Besuch vom Storch. – *Ja, ich koche dir deinen Kaffee!*«

»Vom Storch!« Karoline verkniff sich ein Lachen. »Mama hat uns längst erzählt, dass es diesen Storch überhaupt nicht gibt.«

»Deine Mutter!«, wiederholte Frau Cramer missbilligend und griff nach dem Kessel. »Du brauchst gar nicht zu lachen. Und wenn du schon alles weißt, dann weißt du ja auch, dass es keine schöne Sache ist, wenn ein Familienvater sich dem Dienstmädchen nähert.«

»Sich ihm nähert«, flüsterte Karoline. ›Unsere kleine Familie‹ purzelte zu Boden. »Meinst du etwa den Lübbe?!«

Die Großmutter drehte ihr den Rücken zu und werkelte an ihrem Herd herum. »Jetzt ist aber gut. Über so etwas redet man nicht.«

Karoline war entsetzt. »Bist du sicher?«

Frau Cramer kurbelte an der Kaffeemühle. »Das hab ich der Lübbe sofort angemerkt. Schamlose Person – was soll das sonst heißen?«

»Wieso hast du das dem Kommissar denn nicht gesagt?«, fragte Karoline und fügte rasch hinzu: »Über so etwas redet man natürlich nicht.« Sie schwiegen beide und die Kaffeemühle quietschte eindringlich. Den Dienstmädchen könne man nicht trauen, hatte Frau Cramer schon häufiger behauptet, erst kürzlich wieder. »Hast du so etwas auch schon mal über ein Mädchen gesagt?«, fragte Karoline. »Dass es eine schamlose Person wäre?«

»Was soll denn das alles?«, fragte ihre Großmutter müde. Sie drehte sich zu Karoline um, um sie am Kaffeepulver riechen zu lassen, und Karoline drehte sich um, um den Bücherstapel abzulegen, und gemeinsam beförderten sie die Kanne auf den gekachelten Fußboden.

»Großmama, das tut mir so leid!« Karoline ging in die Hocke, sammelte die großen Scherben auf und kehrte die kleinen zusammen. »Die hast du doch schon immer gehabt, seit ich klein war!«

»Macht nichts«, sagte Frau Cramer. »Alles nur leblose Dinge.« Sie holte eine andere Kanne aus dem Schrank.

»Hast du das auch einmal gesagt?«

»Ja.«

»Über ein Mädchen, das für dich gearbeitet hat?«

»Der Kaffee?!«, quengelte es aus dem Esszimmer.

»Das ist alles schon so lange her.« Frau Cramer streckte ihrer Enkelin die Wange zum Abschiedskuss hin. »Und jetzt gehst du besser nach Hause.«

Noch bevor Staben seinen Kaffee ausgetrunken hatte, klingelte das Telefon. Als Frau Elbert ihm den Hörer übergeben hatte, war nichts zu hören. »Geringer? Geringer, sind Sie es?« Ein Nuscheln war die Antwort. »Geringer, sprechen Sie doch bitte direkt in die Schallmuschel.« Geringers kräftige Stimme drang in Originallautstärke an Stabens Ohr.

»Raten Sie mal, wo ich jetzt bin.«

»Das weiß ich doch nicht.«

»Ich bin schon im Präsidium! Und ich hab noch nie über einen Fernsprecher mit …« Seine Stimme verklang.

»Geringer, Sie müssen ganz nah an das Gerät herantreten und in die kleine schwarze Schale sprechen. Bitte!«

»Ich hab noch nie über den Fernsprecher mit jemand gesprochen!«, brüllte Geringer.

Staben gratulierte.

»Ich hab sie gefunden. Diese Luisa – ich hab sie gefunden.«

Diesmal waren Stabens Glückwünsche aufrichtig gemeint. »Das ist großartig, Geringer, ich hatte nicht geglaubt, dass Sie so schnell Erfolg damit hätten. Immerhin war Sonntag und dass Sie trotz dieser anstrengenden Woche nach dem Mädchen gesucht haben …«

»Nun, ich selbst bin es nicht direkt gewesen.« Es stellte sich heraus, dass auch Geringer die Fähigkeit beherrschte, unliebsame Arbeiten an die niedrigeren Ränge abzugeben: Zwei von Kommissar Rauchs Leuten waren mit der Suche beauftragt worden. Auf Geringers Geheiß natürlich, insofern war es schon sein Erfolg. Es war ja seine Idee gewesen. »Eben ist einer von denen hier vorbeigekommen und hat sie mitgebracht.«

»Verhaftet?«, fragte Staben. »Er hat sie doch nicht etwa verhaftet?«

»Der Wachtmeister wollte sie gleich festnehmen, aber da hab ich gesagt«, Geringers Stimme wurde wieder lauter, *»ich* hab gesagt, das macht der Kommissar schon selber. Das war doch richtig, oder?«

»Wir nehmen sie überhaupt nicht fest, schließlich

brauchen wir sie nur als Zeugin. Sie haben völlig korrekt gehandelt.« In welchem gesundheitlichen Zustand man sie denn gefunden habe?

»Also, ich hab sie noch nicht persönlich gesehn, aber ...« Aus zweiter Hand gab Geringer ein paar Eindrücke von Luisa Dölls Verfassung wieder. »Völlig unversehrt«, beteuerte er. »Das heißt, unversehrt kann man's vielleicht nicht nennen, aber doch gesund. Immerhin lebt sie noch.«

Staben war verwirrt und machte sich Sorgen. »Was soll das heißen – ›nicht unversehrt, aber immerhin lebt sie noch‹?«

»Na«, Geringer druckste herum, »sie ist ein wenig ...«

»Ich verstehe Sie nicht!«

»Sie ist dicker geworden«, wisperte Geringer durchs Telefon.

Dicker? Staben schüttelte verwirrt den Kopf und bat Geringer, das Mädchen in seinem Büro festzuhalten, er werde kommen, so schnell er könne.

»Ich soll sie festnehmen?«, brüllte Geringer.

»Nein, Sie beide sollen auf mich warten!«, brüllte Staben zurück und hängte rabiat den Hörer ein.

Staben musterte Luisa unauffällig, aber sie sah kein bisschen voller aus als bei seinem ersten Besuch im Haus der Lübbes. Sie war blass, sie war dünn, einzelne Haare hingen an ihrem schmalen Gesicht herunter. Geringers Bemerkungen blieben ihm ein Rätsel. »Warum hat Frau Lübbe Sie eigentlich entlassen?«

Das habe sie diesem Wachtmeister doch schon erzählt.

»Dann hat er vergessen, es mir weiterzuerzählen. Hätten Sie also die Güte, es noch einmal zu erklären?«

Das tat sie mit ziemlich direkten Worten.

Für ihn war es wesentlich peinlicher als für sie selbst und er fing an zu schwitzen. ›Dicker geworden‹ – für Luisas Zustand fand wohl jeder seine eigene Ausdrucksweise. Im Nachhinein wurden ihm auch Frau Cramers Andeutungen begreiflich und ob das Fräulein Stern die eigene Großmutter verstanden hatte? Er bezweifelte es. Nachher würde er Geringer wegen dieser unangenehmen Situation zur Rechenschaft ziehen und einstweilen seinen Blick nicht auf Luisas Unterleib richten. »Nun gut.« Er räusperte sich. »Das hat mit diesem Fall ja nicht unmittelbar zu tun. Und Ihre persönliche Moral …«

»Das ist nicht meine Moral«, berichtigte Luisa ihn nüchtern, »das ist mein Unglück.«

»Ein Unglück, das Sie hätten vermeiden können!«, rief er verärgert. Wieso war sie aber auch bloß so gleichgültig? Hatte bei ihrem ersten Gespräch sowohl von Lübbe als auch von seiner Witwe gleichermaßen loyal gesprochen, ohne Wut und ohne Zuneigung. Als ob es zu den üblichen Wechselfällen des Lebens gehörte, dass man eine Stelle antrat und dann mit einem Kind … – Staben riss sich zusammen. Ihre persönliche Moral, oder dieses Unglück, erklärte er, gehe ihn nichts an, ihn interessiere nur der Mord. Er bat sie, nochmals den Verlauf des vergangenen Montagabends zu schildern, und sie erklärte, sie habe nichts Neues zu berichten. Schließlich habe er sie doch schon einmal dazu befragt.

Er konfrontierte sie mit seinen neuen Überlegungen: Möglicherweise sei Lübbe gar nicht in den Anlagen erschossen worden, sondern im eigenen Haus. Wenn sie darüber bitte einmal scharf nachdenken wolle, vielleicht falle ihr noch etwas dazu ein.

Sie hörte ihm mit der ihr eigenen schläfrigen Aufmerksamkeit zu und erklärte, dazu könne ihr nichts Neues einfallen, denn Lübbe sei an dem Abend nicht mehr nach Hause gekommen, sie habe nichts Auffälliges gehört und einen Schuss schon gar nicht. Und weder Stabens Spekulationen, Luisa habe das Haus vielleicht kurz einmal verlassen, noch sein Schmeicheln, er habe volles Verständnis dafür, wenn sie bei der ersten Befragung aus Angst nicht die volle Wahrheit gesagt habe, noch seine Drohungen bezüglich der Konsequenzen einer weiteren Falschaussage konnten sie davon abbringen.

Der enttäuschte Staben rief sich zur Besonnenheit: Vielleicht waren seine Überlegungen voreilig gewesen, vielleicht hatte er etwas übersehen. Im Detail befragte er sie über den Besuch des Arztes und insbesondere die Tropfen: Wann Frau Lübbe diese Tropfen denn eingenommen habe?

»Ich hab das Wasser geholt, der Arzt hat die Tropfen reingetan und sie hat sie getrunken.«

Ob Luisa das gesehen habe? Ob sie gesehen habe, wie die Witwe das Glas tatsächlich geleert habe?

»Natürlich hab ich das gesehn. Nachher hab ich das leere Glas wieder in die Küche gebracht.«

Aber was die Witwe gemacht habe, während Luisa den Arzt zur Tür gebracht hätte, habe sie doch wohl nicht sehen können.

»Ich hab ihn gar nicht zur Tür gebracht«, widersprach Luisa verwundert – was Staben ein wenig aufheiterte – »und außerdem ist er ja noch ein bisschen geblieben, nachdem sie es leergetrunken hatte.«

Aber selbst währenddessen werde Luisa die Witwe doch nicht ständig angeschaut haben. Vielleicht habe sie nur *angenommen,* die Witwe werde ihre Medizin trinken, so wie jeder leidende Patient es wohl machen würde …

»Das hab ich schon angenommen«, unterbrach Luisa und schien nun doch langsam an die Grenzen ihrer Geduld zu gelangen, »weil jeder es so machen würde und genauso hat sie's auch gemacht, das hab ich mit eigenen Augen gesehen.«

Staben gab sich geschlagen – fast. »Sie haben nicht zufällig einmal von diesen Tropfen genommen?« Luisa machte keinen Hehl daraus, dass sie diesen Gedanken für ein wenig entlegen hielt. »Auch nicht an jenem Abend, als Sie so schläfrig waren?« Ihre gerunzelte Stirn ließ Staben erkennen, dass dies Gespräch an sein natürliches Ende gelangt war.

Er notierte das dürftige Ergebnis der Vernehmung fürs Protokoll und holte ihre Unterschrift ein. Die sehr ungeübt aussah. Sie tat ihm Leid. Vermutlich konnte sie es sich gar nicht leisten, sich durch Lübbes Ermordung in der einen oder anderen Weise aus der Ruhe bringen zu lassen. Hätte ohnehin kaum Chancen auf Alimente gehabt und musste für ihr eigenes Fortkommen sorgen, so gut es eben ging. – Wo sie jetzt wohne, fragte er. Die Straße hatte keinen guten Ruf. »Seit wann?«

»Na, seitdem Frau Lübbe mich rausgeworfen hat. Nein, einen Tag später. Zuerst bin ich zu einer Freundin gegangen, aber da hab ich nicht bleiben können.«

»Wieso sind Sie nicht zu Ihren Eltern zurückgegangen?«

»Wieso sollte ich?«, fragte sie zurück. »Meine Eltern leben vom Armenamt. Das reicht sowieso nicht.«

Er zuckte mit den Schultern. »Sie sind nicht volljährig. Und es ist gegen das Gesetz.«

»Wollen Sie mich einsperren?« Sie klang weder frech noch trotzig.

»Nein.«

Jetzt war Luisa Döll überrascht. »Sie wollen mich nicht einsperren?«

Als ob er nichts anderes zu tun hätte, als Mädchen von Frankfurts Gassen aufzusammeln und ins Gefängnis zu packen! Außerdem fiel das nicht in sein Ressort, das war Angelegenheit der Sitte. »Nein«, sagte er. »Sie können gehen.« Was sie auch prompt tat. »Zurück nach Hause sollen Sie gehen!«, rief er ihr nach. Dann erhob er sich und gestand der Halskrause auf dem scheußlichen Ölgemälde, dass ihm nichts Weiteres einfalle, was er im Mordfall Lübbe noch unternehmen könne. Und dass ihm das Schicksal dieses Mädchens anscheinend näher gehe als diesem selbst.

Ist es so recht?«

»Mehr nach links, nein, nicht nur mit dem Kopf. Mit dem ganzen Oberkörper.«

»So?«

»Zieh die Falte zur Seite. Nein, jetzt ist sie zu groß, sie fällt nicht locker. Steh noch mal auf und setz dich wieder hin.«

Karoline tat wie geheißen, bedauerte aber bereits, sich überhaupt auf die ganze Sache eingelassen zu haben. Immer hin und her. Mal nach rechts, mal nach links. »Ich denke, ich soll natürlich aussehen!«

»Genau. Und sobald ich den Stift zur Hand nehme, wirst du sofort künstlich.« Frau Stern seufzte. Die Sonne stand hoch am Himmel, die Blüten strahlten und sie hatte es sich so schön vorgestellt, einmal ihre

Tochter als Modell zu nehmen. Eine junge Frau in der freien Natur, Halbprofil, die Hände locker im Schoß gefaltet. Das konnte doch nicht so schwer sein! »Also, das muss ich sagen, mit der Lisbeth ist es einfacher. Die hält immer schön ruhig. Die ist dankbar, wenn sie mal stillsitzen darf.«

Lisbeths Hände zierten schon mehrere Seiten des Skizzenbuchs. »Mama?« – »Hhm.« – »Darf ich wenigstens reden?« – Frau Stern nickte verbissen. »Erinnerst du dich vielleicht an ein Dienstmädchen, das die Großmama entlassen hat?«

»Deine Großmutter hat mehrere Dienstmädchen entlassen.«

»Mehrere?!«

»Natürlich. Manche sind von selber gegangen, andere hat sie entlassen. Eine war schon zu alt. Da war eine, die hat gestohlen, wie hieß die? Jedenfalls hat sie unsere Silberlöffel gestohlen, stell dir mal vor!«

»Wie habt ihr das herausbekommen?«

»Sie wusste gar nicht, wo sie sie verkaufen sollte. Hat sie alle in ihrer Schublade aufgehoben. Ja, das war das Käthchen.«

»Die meine ich jedenfalls nicht.«

Ein junges Paar kam heranspaziert, kreiste ein paarmal um die Rabatten und erkundigte sich schließlich neugierig, was die Damen da veranstalteten? Karoline sprang ihrer Mutter zu Hilfe. »Sie zeichnet. Sie zeichnet meinen Kopf und meine Hände.« Die Spaziergänger schüttelten verwundert die Köpfe und zogen weiter.

»Ich meinte ein anderes Mädchen«, begann Karoline von neuem. »Eines, das sozusagen, sie war also – in anderen Umständen!«

»Scht! Die sind doch noch ganz in der Nähe.«

»Das kann ich schließlich nicht sehen.«

»Wie soll dieses Mädchen denn geheißen haben?«, flüsterte ihre Mutter.

»Das weiß ich nicht. Großmama hat mir's gestern erzählt.«

»Großmutter spricht mit dir über solche Dinge?« Frau Stern ließ hilflos den Stift sinken. Wenn sie von ihrer Mutter hätte wissen wollen, was ›andere Umstände‹ waren, da hätte sie die Lippen zusammengekniffen und gesagt, es schicke sich nicht. »Also, mit mir hat sie nie über so etwas geredet, nicht über …, du weißt schon, oder als ich deinen Vater …« Wieder kamen ein paar Spaziergänger vorbei. »Ich zeichne meine Tochter. Aber nein, sie bekommt bestimmt keinen Sonnenstich.«

Frau Stern richtete den Bleistift wieder aufs Papier, konnte sich aber plötzlich nicht mehr entscheiden, ob sie am Schatten der Linken oder am Daumennagel der Rechten hatte weitermachen wollen. »Du bringst mich ganz durcheinander. Besser, wir reden nicht mehr. Schon gar nicht über solche Sachen, ständig kommen Leute vorbei.« Kein Mensch hatte ahnen können, dass an einem ganz gewöhnlichen Werktag so viele Leute in den Anlagen unterwegs waren. Nächstes Mal würde sie woanders hingehen, wenn sie Blumen im Hintergrund brauchte. Mit Lisbeth.

Aber auch Karoline blieb jetzt ruhig sitzen, bewegte nur leicht ihren Kopf und blinzelte in die Sonne. Ab und zu blies ein leichter Wind kühlere Luft vom Main herüber. Geräusche brachte er auch, von johlenden Kindern und von den Maschinen der Schlepper, die die Schiffe flussaufwärts zogen.

Ihrer Mutter fiel der Bleistift aus der Hand. »Karoline, ich weiß, von wem du redest!« Sie erinnerte sich an heimliches Gerede, ein neues Korsett wurde gekauft, manchmal verschwand das Mädchen von einem Moment auf den anderen in der Toilette. Irgendwann war es dann ganz verschwunden, ein neues wurde eingestellt. »Das ist ja entsetzlich! Hoffentlich hat der Lump sie geheiratet!«

»Welcher Lump?«, fragte Karoline.

»Na, da gehört doch auch immer ein Mann dazu. Hoffentlich hat er sie wenigstens geheiratet.«

Hat er nicht, der Lump war dein Vater, dachte Karoline und erzählte stattdessen, auch bei den Lübbes sei kürzlich ein Dienstmädchen verschwunden. Sie mache sich Sorgen und würde gerne noch einmal mit dem Kommissar sprechen.

»Mit welchem Kommissar?«, fragte ihre Mutter. »Und wer sind die Lübbes?«

Karoline verdrehte die Augen gen Himmel und gab ihrer Mutter eine kurze Zusammenfassung des Geschehenen. »Wenn du mit diesem Lübbe sprechen willst, dann geh doch einfach zu ihm.«

»Ich will mit dem Kommissar sprechen, nicht mit dem Lübbe«, widersprach Karoline seufzend. »Der Lübbe ist doch schon tot. – Du findest also, es ist nichts dabei, wenn ich zum Polizeipräsidium gehe?«

»Aber wieso denn?«

»Na, hoffentlich sieht das der Papa genauso.«

»Bestimmt.«

»Aber vor ein paar Tagen …« Karoline hatte ihre Bedenken, ob ihr Vater nicht erwartete, dass sie künftig auf ihre Alleingänge durch die Altstadt verzichtete. Wenigstens für die nächsten paar Wochen.

»Das hat er doch nur so gesagt«, meinte Frau Stern und hielt kurz inne. »Außerdem brauchst du ihm ja nicht davon zu erzählen.«

Karoline schüttelte verärgert den Kopf. »Wieso soll ich es ihm nicht erzählen? *Du* bist doch immer so für Ehrlichkeit. Du sagst doch immer, dieses Hintenrumgetue hängt dir zum Hals raus! Und das ist doch Hintenrumgetue, wenn ich dem Papa nicht sage, wo ich war.«

»Ja, aber manchmal geht es eben nicht anders. – Meine Güte, halt die Hände still!« Frau Stern beschloss, nie wieder ihre Tochter als Modell zu nehmen. Nur noch Lisbeth.

Die Suppenanstalt wartete. Aber Luisas Schicksal war Karoline dringlicher. »Sie haben Glück, dass ich noch da bin«, erklärte Staben geistesabwesend und hob einen Stapel Papiere nach dem anderen hoch. Sehr viel lag noch nicht in seinem Regal, das Geringer so liebevoll hatte anfertigen lassen. Die Akte mit dem Raubüberfall auf den Juwelenhändler konnte er trotzdem nicht finden. »Ich hab eigentlich einen Termin, aber solange ich das Protokoll nicht finde, weiß ich auch die Adresse nicht …«

Karoline fand es etwas unhöflich, dass er ihr ständig den Rücken zudrehte. »Haben Sie Luisa Döll denn endlich gefunden?«

»Jawohl. Sie ist unversehrt. Es geht ihr gut. Es geht ihr ganz ausgezeichnet.«

»Das freut mich zu hören«, erklärte Karoline steif. Und sie meinte es auch, selbst wenn sie der Gedanke an Luisa Döll mit einigem Unbehagen erfüllte. Fast mit ein wenig Ekel.

»Mich hat es nicht gefreut«, entgegnete Staben gereizt. »Sie war stumm wie ein Fisch und bockig wie ein Esel. Hat mir kein bisschen weitergeholfen. Mit dem Mord hat ihre Entlassung jedenfalls nichts zu tun.« Er hoffte inständig, sie werde nicht genauer nachfragen. Die Situation war ihm allzu peinlich. Außerdem war er immer noch mit seiner Suche beschäftigt und ständig rutschte etwas von diesen schiefen Brettern herunter, und dann musste er wieder alles geraderücken.

Glücklicherweise enthielt sie sich jedes Angebots zur Hilfeleistung. »Dürfte ich mir noch einmal die Tabelle ansehen, die ich gezeichnet habe?«

»Wenn Sie sie finden …«

Der Aktendeckel lag offen auf dem Tisch und Karoline setzte sich bequem auf ihrem Stuhl zurecht und betrachtete die Eintragung in den Spalten. Anscheinend hatte Staben sich eingehend mit dem Geschehen im Lübbeschen Haus selbst beschäftigt, denn er hatte einen Eintrag gemacht mit dem Namen des Arztes und der Uhrzeit seines Erscheinens. Aber in der Frage, was der Ermordete selbst in der Zeit zwischen halb zehn und Mitternacht getan hatte, war er keinen Schritt vorangekommen – unter Lübbes Namen prangten immer noch die Fragezeichen. Kein Wunder, dass der Kommissar in entsprechender Laune war. ›Mörder‹ stand über der letzten Spalte, die vollkommen leer war.

»Da ist sie ja!«, rief Staben verärgert und griff nach den Protokollen zu dem Raubüberfall, die unter dem anderen Aktendeckel zum Vorschein gekommen waren. »Wieso haben Sie mir das nicht gleich gesagt?«

»Ich wusste schließlich nicht, wonach Sie suchten!«, gab sie zurück und ging mit dem Finger die einzelnen Uhrzeiten durch. Aus Stabens kleinem – und etwas wunderlichem – Experiment am Samstagabend war zu schließen, dass Lübbe tatsächlich nicht auf offener Straße erschossen worden war. Aber selbst wenn sich die angenommene Mordzeit dadurch wieder nach vorne verschob, vielleicht sogar auf kurz nach halb zehn – selbst dann war bei allen hier Aufgeführten nachgewiesen, dass sie den Mord nicht begangen haben konnten.

»Wie lange dauert das bei Ihnen noch?«, fragte Staben und öffnete die Dachluke.

»Die neue Spalte ist schon da«, murmelte Karoline, »aber welcher Name gehört obendrüber?« Sie seufzte.

»Fräulein Stern?«

»Wir müssen jemanden vergessen haben. Oder nein? Vor dem Westphalschen Tabakladen steht der Herr Elbert mit seinem Architekten und entwirft das neue Kaufhaus in den schönsten Farben …«, monologisierte Karoline weiter und wedelte sich unentschlossen mit dem Aktendeckel frische Luft zu.

»Fräulein Stern!«, rief Staben und Karoline erhob sich gehorsam. Er machte ihr den Platz am Fenster frei. »Sehen Sie auf den Hof!«

»Das tue ich.«

»Und was sehen Sie?«

Karoline überlegte. »Mit einem Feldstecher könnte man sie genauer erkennen. So auf die Entfernung würde ich sagen, es sind Spatzen, aber wenn es Ihnen wichtig ist …«

»Nicht die Spatzen!« Staben schob sie zur Seite und schaute selbst noch mal nach unten. »Jetzt sind sie natürlich schon weg! Wenn Sie ein bisschen flinker gewesen wären, hätten Sie die beiden noch gesehen.«

»Ich war so flink, wie ich nur konnte. Wen hätte ich gesehen?«

»Den Rader! Ich glaube, das eine war Rader, und der

andere …« Staben stockte und legte den Kopf schief. »Still! Psst!«

Karoline schwieg geduldig, ein paar Augenblicke war nichts zu hören außer dem Gurren der Tauben, die sich die Kastanie zum Stammplatz erkoren hatten. Dann hörte man die Stimmen zweier Männer, die den Flur entlangkamen. Nebenan wurde eine Tür geschlossen. »Das war wirklich Rader!«, rief Staben. »Ob Rauch ihn wieder festgenommen hat? Na, das werd ich gleich herausfinden. Sie bleiben hier.« Wütend lief er zur Tür. »Oder nein, Sie gehen besser gleich nach Hause, das kann noch dauern. Wenn Rader wieder in eine Lage kommen sollte, wo er juristischen Beistand benötigt, werde ich's Ihren Vater schon wissen lassen.«

Eine halbe Stunde später stürzte Staben mit hochrotem Kopf und geballten Fäusten wieder in sein Büro und warf die Tür hinter sich zu. Dann erst sah er Karoline. »Sie sind ja immer noch hier?« Er schien darüber wenig entzückt zu sein.

»War es der Rader?«, fragte Karoline ruhig.

»Nein! Er sah ihm nur ein wenig ähnlich, ein Wachtmeister, den Kommissar Rauch zu einer Ermittlung geschickt hat, und jetzt wollte er Bericht erstatten und …« Staben lief in seinem kleinen Raum von einer Dachschräge zur anderen.

»Ich glaub schon, dass es Rader war.«

Staben blieb stehen. »Ach ja?«

»Ja. Es war Rader, ein Spitzel, den Kommissar Rauch zu einer Ermittlung geschickt hat, und jetzt wollte er Bericht erstatten und …«

»Sie haben gelauscht!«, rief Staben.

»Nein. Eigentlich wollte ich gehen, aber Ihre Stimme war derart laut bis in den Flur zu hören …«

»… und dann sind Sie zur Tür gegangen und haben gelauscht.« Staben setzte sich direkt vor sie auf die Kante seines Schreibtisches. »Sie dürfen niemandem davon erzählen, was Sie gehört haben. Nicht Ihrem Vater und Ihren sozialistischen Freunden schon gar nicht!«

»Ich wusste gar nicht, dass ich sozialistische Freunde habe«, entgegnete Karoline spitz. »Hat Rader das gesagt?«

»Er hat etwas von Eber erzählt oder wie diese Leute heißen, diese Einzelheiten sind jetzt nicht von Bedeutung. Mir geht es hier allein ums Prinzip.« Staben stand auf und baute sich vor dem Ölgemälde auf. Wenn er nicht zufällig zum Präsidium gekommen wäre, bevor er nochmals den Juwelenhändler verhören wollte, dann hätte Rauch ihn wohl noch länger im Unklaren gelassen. »Es ist eine Schande!«

Karoline entspannte sich ein wenig. »Sie haben gar nicht davon gewusst?«

»Natürlich nicht!«, schrie Staben. »Das ist doch die Höhe! Dieser Mann sitzt ein Zimmer schräg gegenüber und ich hatte nicht die blasseste Ahnung von dem ganzen Täuschungsmanöver. Dabei hat er noch jeden meiner Schritte beobachtet.«

»Und wenn ich überlege, was ich alles getan habe, um den Rader aus dem Gefängnis freizubekommen – das hätte ich mir sparen können. Die hätten ihn doch nicht lange darin sitzen lassen?«

»Ganz im Gegenteil«, erklärte Staben. »Sie haben ihn sogar absichtlich da reingesetzt.« Auf dem Arbeitsmarkt war Rader, so hatte Rauch erklärt, ihm vor ein paar Monaten aufgefallen und nach wenigen Gesprächen hatte er ihn für hervorragend geeignet befunden, in der politisch so umtriebigen Gemeinschaft der

Frankfurter Schneider ein wenig die Ohren offenzuhalten. Also hatte er den Mann seinem Vorgänger Meyer empfohlen. Dass dieser Mord passieren würde, hatte damals noch niemand ahnen können, aber naheliegenderweise hatte Rauch sofort am Dienstagmorgen Rader befragt, ob er etwas beobachtet habe, was mit dem Mord in Zusammenhang stehen könne. Und bei der Gelegenheit sei auch die Idee entstanden, den ursprünglichen Plan etwas auszuweiten und Rader als Verdächtigen in Szene zu setzen.

Staben hatte Rauch vollkommen verständnislos angestarrt und um Aufklärung gebeten, wozu dieser Plan gut gewesen sein sollte.

»Wegen seiner Genossen«, hatte Rauch geduldig erklärt. »Sie waren noch nicht ganz von ihm überzeugt. Zwar hat er sich nach Kräften eingesetzt bei all diesen Sitzungen und geheimen Aktiönchen« – an dieser Stelle hatte Rader stolz das Kinn vorgereckt –, »aber er war eben noch neu in der Stadt.« Ein paar Tage im Gefängnis würde die ganze Sache erleichtern. – Und wie er Rader dann wieder aus dem Gefängnis habe herausholen wollen, wollte Staben wissen. Nun, hatte Kommissar Rauch süffisant bemerkt, im Grunde habe er Staben wohl zugetraut, er werde den wahren Mörder finden, dann hätte sich alles von allein erledigt. Wenn nicht – zum Staatsanwalt habe er gute Kontakte.

Das wollte Staben Karoline nun nicht alles im Detail erzählen, aber er schauderte bei der Erinnerung, wie er sich von seinem Kollegen hatte in die Irre führen lassen. »*Er* hat mir nahe gelegt, ich soll den Rader verhaften. Ich fand ihn gar nicht unbedingt verdächtig. Aber er und der Polizeipräsident« – Staben fiel ein, dass er mit dem auch noch sprechen musste – »wollten ja unbedingt, dass ich ihn festnehme.«

Sie waren sich darin einig, dass Raders Auftreten die Aufklärung des Mordes ganz unverantwortlich erschwert hatte. Staben hegte insgeheim die Hoffnung, dass der Polizeipräsident seinen Schwiegersohn wenn nicht offiziell, dann zumindest unter vier Augen aufs Schärfste zurechtweisen würde. Karolines Sorge hingegen galt den Genossen, die Rader hintergangen hatte. »Immerhin haben sie ihm vertraut und dieses Vertrauen hat er missbraucht.«

Staben schaute sie mahnend an. »›Immerhin‹ ist das, was sie tun, ungesetzlich.«

»Aber auch wenn sie Sozialisten sind, darf man sie doch trotzdem nicht nach Strich und Faden belügen. Wie Sie schon sagten: Hier geht's ums Prinzip.« Karoline bemerkte erschrocken, sie klinge ein wenig wie ihr Vater.

»Ich fürchte, das sehe ich etwas anders als Sie«, erklärte Staben förmlich und schien darüber nicht sehr bekümmert zu sein. »Wenn man solchen Leuten auf andere Weise nicht auf die Spur kommt, dann muss man eben einen Spitzel zu Hilfe nehmen.«

»Eben waren Sie noch dagegen!«, rief Karoline aufgebracht. »Wie wechselhaft Sie schon wieder in ihren Meinungen sind!«

»Ich war überhaupt nicht dagegen«, verteidigte sich Staben. »Aber nach wie vor bin ich der Ansicht, Kommissar Rauch hätte mich davon in Kenntnis setzen sollen, welche der Zeugen in *meinem* Mordfall in Wirklichkeit einer von *seinen* Spitzeln ist.«

»Aber dass er überhaupt einen Spitzel benutzt, das stört Sie wohl wenig!«

»Das stört mich in der Tat überhaupt nicht.« Staben stellte sich wieder vor sein Fenster und Karoline studierte ihre Fingerspitzen. »Ich glaube, wir stehen auf verschiedenen Seiten«, begann sie unsicher. Das wiederum würde ihr Vater sicherlich nicht so ausdrücken.

»Jetzt werden Sie nicht gleich dramatisch«, meinte Staben, starrte verärgert auf die Spatzen im Hof und wurde erst wieder auf Karoline aufmerksam, als diese sich erhob und zur Tür ging. »Sie dürfen es niemandem erzählen – versprechen Sie das!«

»Wieso darf ich es niemandem erzählen? *Mir* hat der Polizeipräsident schließlich nichts zu befehlen«, rief sie jetzt ganz entschieden und rannte hinaus.

Mit einer wütenden Geste fegte Staben den Hirschkopf vom Schreibtisch und brüllte nach Geringer, er solle sich um die Stifte und um die Scherben kümmern.

»Aber«, begann Geringer.

»Sofort!«, befahl Staben. Dann lief er hinunter in den ersten Stock und platzte unangemeldet beim Polizeipräsidenten ins Büro.

Der Polizeipräsident hatte seinen Pfeifenstiel zwischen den Lippen und lächelte versonnen. Von Stabens Mitteilungen ließ er sich keinen Moment aus der Ruhe bringen.

»Aber Sie sind kaum eine Woche hier in Frankfurt. Da dürfen Sie nicht erwarten, gleich in alle geheimen Vorgänge eingeweiht zu werden. Gerade bei der politischen Polizei.«

Als er dies hörte, sank Staben der Mut. »Sie hatten von vornherein geplant, dass ich Rader festnehme, obwohl Sie wussten, dass er nicht der Mörder war?«

»Nun, sehr lang vorher hatten wir es nicht geplant«, erklärte der Mann behaglich. »Wir konnten ja nicht wissen, dass der Lübbe ermordet werden würde. Aber als es geschehen war – ich glaube, es war sogar Rader selbst, der am Dienstagmorgen sogleich diesen Plan ausgeheckt hat.« Ein guter Plan, fand der Polizeipräsident immer noch. »Wenn einer mal im Gefängnis war, dann wird er zum Helden. Macht ihn glaubwürdiger.«

Staben atmete tief durch. Ob dieser Plan, den er so weit verstanden habe, nicht aber auch das Risiko bedeutet hätte, dass die Verhaftung von Rader die Suche nach dem wahren Mörder verhindert hätte?

»War nur ein geringes Risiko, die Sicherheit war dadurch keineswegs gefährdet. Sie haben ohnehin nicht geglaubt, dass es der Rader war, und Kommissar Rauch hat stets ein Auge auf Sie gehabt.«

Darauf wusste Staben beim besten Willen nichts zu entgegnen und sagte das auch.

»Dann reden Sie nicht, sondern gehen Sie rauf in ihr Büro und machen Sie weiter. Finden Sie endlich den Mörder und diesen Dieb, der den Juwelenhändler drangsaliert hat.« Ein inniger Zug an der Pfeife, eine gnädige Handbewegung – damit war das Gespräch beendet.

»Übrigens«, Staben steckte nochmals den Kopf durch die Tür, »hat die Tochter des Advokaten Stern den Rader beobachtet, wie er ins Polizeipräsidium gekommen ist …«

»Das sagt noch gar nichts«, meinte der Polizeipräsident unsicher.

»… und hat zufällig auf dem Flur mit angehört, was Rauch, Rader und ich besprochen haben. Vermutlich wird sie es ihrem Vater erzählen, der ist immerhin ein Abgeordneter der Demokratischen Partei.« Staben überließ es seinem Vorgesetzten, sich die Konsequenzen auszumalen, falls Stern und seine Parteigenossen die ganze Angelegenheit öffentlich machten.

Aber Karoline hatte bereits beschlossen, ihrem Vater nichts davon zu sagen. Zum einen, um weiteren Strafreden wegen ihrer Besuche im Präsidium vorzubeugen. Zum anderen – vermutlich würde er ihr von vornherein verbieten, die Zellers von Raders Täuschungen in Kenntnis zu setzen. Und ob sie dies tun würde, wollte sich Karoline in Ruhe selbst überlegen.

Die Zellers, also waren sie tatsächlich Sozialisten. Vielleicht hielt sie sich besser fern von solchen Leuten. Man sagte, sie seien Eiferer, ihre Ansichten seien umstürzlerisch und noch dazu verboten. Andererseits hatte die Frau ja gar keinen Hehl gemacht aus ihren Ansichten. Und schließlich Recht behalten, was Lübbe und seine Armen anging.

Karoline überließ die Entscheidung ihren Füßen und die liefen in Richtung Roter Eber. Fassungslos vernahmen die Wirtsleute die Neuigkeit – der Otto ein Spitzel! Zuerst mochten sie es kaum glauben, dann beschlossen sie, auf Raders nächsten Besuch zu warten, dann fielen ihnen dessen merkwürdige Eigenarten ein: sein ständiges Mittunwollen, als ging's um ein Abenteuer, seine übertriebene Begeisterung für ›die Sache‹. Der Stolz und die Unbekümmertheit, mit der er über seine Tage im Gefängnis gesprochen hatte. Manch einer komme ganz eingeschüchtert aus dem Gefängnis, erklärte der Zeller, manch anderer werde davon angespornt. Aber so laut und unbedacht, wie Rader immerzu das Wort ›Revolution‹ im Munde geführt habe, das hätte ihm schon früher auffallen können.

Der Wirt machte sich auf, ein paar Genossen zur Beratung zusammenzurufen, und seine Frau nahm Karoline mit in die Küche. »Der Arme ist völlig durcheinander«, sagte sie bekümmert. »Und was haben wir uns in den letzten Tagen gestritten wegen dieser Sache. Ich hab nämlich gemeint, der August soll sich mehr darum bemühen, dass der Otto freikommt. Der Rader, meine ich, wenn er überhaupt wirklich so heißt.«

»Bei uns zu Hause haben wir uns auch deswegen gestritten. Mein Vater hat sich ganz schön aufgeregt, weil ich so viel unternommen habe.«

»Und weil Sie hierher gekommen sind, vermutlich.« Frau Zeller kannte Herrn Stern nur aus dem Bericht ihres Mannes und aus den Zeitungen. »Erzählen Sie doch ein wenig von Ihrem Vater.«

»Ich denke, er wird sich schon wieder beruhigen«, antwortete Karoline zuversichtlich. »Aber schön war es trotzdem nicht!« Als sie ein Kind gewesen war, hatte ihr Vater immer davon gesprochen, dass sie Anwältin werden sollte, wenn sie größer war. »Sie wissen ja, wie Eltern das immer sagen: wenn du einmal größer bist. Aber als ich erwachsen war, war es natürlich immer noch nicht erlaubt, dass Frauen Anwälte werden. Bloß in der Schweiz. Und dann ist meinem Vater aufgefallen, dass er lieber nicht will, dass ich allein in die Schweiz gehe, und ich wollte es auch nicht.«

Frau Zeller wies Karoline darauf hin, dass sie selbst auch dann keine Anwältin hätte werden können, wenn Frauen an den Universitäten zugelassen wären. »Ihre Privilegien sollten die bürgerlichen Frauen nicht vergessen. – Sind Sie also eine Anhängerin von Hedwig Dohm?«

»Wie?«

»Hedwig Dohm: ›Der Frauen Natur und Recht‹«, rezitierte Frau Zeller und hielt verwundert inne. »Soll das heißen, Sie kennen sie nicht? Ich dachte, Frauen wie Sie lesen den ganzen Tag.«

»Pah!« Karoline machte eine verzweifelte Grimasse. »Ich lese bloß Bücher über die alten Ägypter und über die Ausgrabungen von Pompeji. Über die Erforschung des Nordpolarmeers oder die Durchquerung Zentralafrikas.«

»Das ist ja alles ganz schön weit weg«, murmelte Frau Zeller.

»Und dann sitz ich doch immer nur zu Hause.«

Frau Zeller klopfte ihrer Besucherin aufmunternd die Hand. »Sie sollten wirklich einmal Hedwig Dohm lesen, das ist im Grunde so eine Frau wie Sie. Und bei ihr hat auch alles mit einem Toten begonnen.«

»Mit einem Toten?«

»Nun, es war achtzehnachtundvierzig«, räumte Frau Zeller ein. »Da sind natürlich viele umgekommen, aber die Dohm wurde sozusagen über Nacht zur Revolutionärin. Dabei war sie vorher sehr behütet und sehr unglücklich. Der Vater war ein Fabrikant in Berlin ...«

»Mein Vater ist kein Fabrikant«, erinnerte Karoline. Und sie selber war keine Revolutionärin. Höchstens vielleicht unglücklich. Halbherzig versprach sie, das Buch bei Gelegenheit einmal zu lesen. »Sie haben mir doch geraten, ich solle die Armen besuchen, die Lübbe betreut hat. Also, das hab ich gemacht. Haben Sie schon gewusst, dass der Lübbe tot ist?, habe ich gefragt. Ja, sagt der eine, denn als ich im Lager aushelfen wollte, war er nicht mehr da. Nein, hat der andere gesagt, aber das heißt ja wohl, dass ich ihm nicht mehr die Kohlen austragen kann. Beschäftigt hat der Lübbe die Leute, nichts weiter! Und wissen Sie, was der Lübbe dazu gesagt hat? Eine Hand wäscht die andere, so hat er das genannt.«

»Ich würde sagen, er hat sie ausgenutzt«, fand Frau Zeller.

»Das denke ich auch«, erklärte Karoline. »Ein Dienstmädchen hat er auch angestellt aus einer der Familien.

Kaum war er tot, hat die Witwe sie rausgeworfen. Weil sie eine schamlose Person war. Aber in Wirklichkeit – in Wirklichkeit hat er sie …« In Ermangelung anderer Wörter bemühte Karoline den Storch. »Dann hat sie sich nicht mehr getraut, nach Hause zu gehen, oder vermutlich haben die da auch nicht genug Platz, und jetzt ist sie irgendwo auf den Straßen unterwegs.«

»Über die Dienstmädchenfrage hat die Dohm auch etwas geschrieben. ›Der Jesuitismus im Hausstande‹«, begann Anna Zeller schon wieder. »Und Bebel auch.«

»Ich will überhaupt nichts lesen!«, rief Karoline empört und stutzte. Bebel. Diese Frau meinte wohl *August* Bebel.

»Die Frau und der Sozialismus«, ergänzte Frau Zeller ungefragt.

»Ist so etwas nicht verboten?«

»Das stimmt«, gab Frau Zeller zu. »Allerdings ist zur Zeit eine Menge verboten.«

»Mein Vater ist schon wütend genug, weil ich überhaupt hier bin«, sagte Karoline. »Der wird sich freuen, wenn er dann noch solche Bücher bei mir findet. Bebel!«

»Bebel ist immerhin einer der ersten Männer, die über Prostitution geschrieben haben«, erklärte Frau Zeller ungerührt. »Nicht aus medizinischer Sicht natürlich. Auch nicht aus moralischer Sicht.«

»Pro-sti-?«, rief Karoline entsetzt. »Also, wie soll man darüber denn sonst schreiben als aus medizinischer Sicht? Oder aus moralischer Sicht?«

»Aus ökonomischer Sicht«, behauptete Frau Zeller.

»Aha«, sagte Karoline. »Das interessiert mich aber nicht. Mich interessiert weder die ökonomische Sicht auf … diese Dinge noch auf irgendetwas anderes. Und auch wenn der Bebel ein Dutzend Bücher drüber geschrieben hat und die Dohm noch mehr – diese Dinge sind ekelhaft!« Sie zeterte lauthals und schließlich kam der Wirt herein und stellte ungefragt ein Gläschen hin. »Das kann man ja nicht länger mit anhören. Wie wär's mit einem Schnaps?«

»Ich trinke keinen Schnaps«, antwortete Karoline. Außerdem war ihr speiübel.

»Vielleicht ein Bier?«

»Auch kein Bier.«

»Was anderes haben wir nicht«, meinte ihr Mann entschuldigend und trollte sich. Frau Zeller trank den Schnaps selber. Karoline konnte schon den Anblick schwer ertragen und schnellte nach vorn, würgte zwei-, dreimal und spuckte dann doch nicht. Seit dem Frühstück hatte sie nichts gegessen. »Ich geh jetzt nach Hause.«

Frau Zeller reichte ihr die Hand. »Die Hedwig Dohm …«

»Keine weiteren Bücher«, bat Karoline.

»Keine Bücher«, versprach Frau Zeller, »bloß ein Vortrag. Die Dohm hat eine Bekannte und diese Bekannte hält heute Abend einen Vortrag. Im Meriansaal. Vielleicht wollen Sie kommen?«

Vorträge, erklärte Karoline, interessierten sie im Moment mindestens ebenso wenig wie Bücher. Außerdem würde es bei ihrer Großmutter ein Geschrei geben und ihr Vater würde es auch nicht erlauben. »Das kommt eben davon, wenn man sich Gedanken macht um Sachen, die einen nichts angehen. Wär ich bloß schön zu Hause geblieben, dann würde mich dieser ganze Lübbe-und-Armen-und-Dienstmädchen-Schlamassel gar nichts angehen.«

»Sie hätten es nicht erfahren«, erinnerte Frau Zeller. »Aber es wäre trotzdem so gewesen.«

»Für mich nicht«, erklärte Karoline und erhob sich. In der Tür drehte sie sich wieder um. Eines würde sie zum Abschluss doch noch gern wissen: »Was hat der Rader denn nun gemacht am Montagabend?«

Zeitungen habe er ausgetragen, antwortete Frau Zeller.

»Zeitungen!« Karoline war überrascht. »Aber was ist da denn groß dabei?«

»Genauer gesagt, den *Sozialdemokrat*«, ergänzte Frau Zeller.

»Na ja.« Karoline hatte sich bereits auf viel Schlimmeres gefasst gemacht. Das konnte sie nun nicht mehr erschüttern. Und ihre allerletzte Frage: »Wovon handelt übrigens der Vortrag?«

Frau Zeller lächelte. »Von ›diesen Dingen‹, die Sie nicht beim Namen nennen wollen, und von weiteren Härten im Leben der Arbeiterin, die Sie angeblich sämtlich nicht interessieren.«

»Richtig. Wieso sollte ich dann also hingehen?«

Auf der Straße hatte sich eine Schlange gebildet, der Vorgarten quoll über vor Menschen. Von wildfremden Männern wurden sie in einen Saal geschoben, der bereits brechend voll war.

So hatten sie sich einen Vortrag zur ›Lage der Frauenbewegung‹ nicht vorgestellt. »Sollen wir wieder gehen?«, fragte Karoline beunruhigt. Immerhin war sie es gewesen, die den Vorschlag gemacht hatte.

»Wieso denn, jetzt haben wir doch endlich einen Platz gefunden«, erklärte Friederike und duckte sich ergeben, um dem Ellbogen eines Neuankömmlings auszuweichen. »Erkennst du hier jemanden?«

Karoline schüttelte den Kopf. »Sollen wir nicht doch wieder gehen?«

»Nein«, wiederholte Friederike. »Und wo ist diese Frau, die dich hierher eingeladen hat?«

Die Menge verstummte, weil jemand auf die Bühne getreten war und versuchte, sich mit Fuchteln Gehör zu schaffen. »Das ist sie«, sagte Karoline erstaunt. »Da vorne am Podium, das ist Frau Zeller.«

Im Namen des Vereins zur Vertretung der Interessen der Arbeiterinnen, erklärte Frau Zeller, freue sie sich sehr, Frau Martha Kellermann zu begrüßen, die extra aus Berlin angereist sei …

»Aus London«, stellte Frau Kellermann lächelnd richtig und schob die Gastgeberin kurzerhand beiseite. »Es tut mir leid, dass ich mich ein wenig verspätet habe, aber die Eisenbahn …« Kurz schilderte sie die Unbilden der Reise und das Auditorium lachte höflich über einen verlorenen Koffer sowie über einen Schaffner, der nicht hatte glauben wollen, dass Frau Kellermann allein gereist sei. »*Fräulein* Kellermann, hat er mich dann genannt, aber *Frau* Kellermann habe ich gesagt und dann hat er es noch weniger verstanden. Und damit bin ich auch schon beim Thema. Der Platz einer jeden Frau ist an der Seite ihres Mannes, einen anderen Platz hat die bürgerliche Gesellschaft für sie nicht vorgesehen.« Zwar könnten viele Frauen schon rein rechnerisch nicht heiraten, meinte Frau Kellermann und erzählte von den statistischen Größen des Frauenüberschusses, der so viele zum ewigen Ledigenstatus verdamme. Aber dennoch würde von jeder Frau, ob bürgerlich oder proletarisch, erwartet, eine Ehe einzugehen.

»Die Ehe ist eine Zwangsgemeinschaft in doppelter Hinsicht«, erklärte Frau Kellermann. »Zum einen muss jede Frau heiraten. Und dann untersteht sie ihrem Mann, wie vormals ihrem Vater, in ökonomischer wie in sonstiger Hinsicht. Selbst wenn sie alle Freiheiten der Welt hat, so ist sie doch immer nur eines: Gattin. Eine getreue Gattin tut keinen Schritt ohne das Einverständnis des Mannes. Kein Wunder, wenn der Schaffner sich fragte: Was hat diese verheiratete Frau allein in England gemacht?«

Die Rednerin nahm einen Schluck Wasser. »Nun, in den letzten Jahren geschehen in England erstaunliche Dinge. Das Wahlrecht haben sich die Engländerinnen in den Kopf gesetzt und tun alles dafür, um es zu erringen. Bereits vor fünfzehn Jahren ist ein solcher Antrag bis zur zweiten Lesung ins Unterhaus gelangt, im nächsten Jahr soll der zweite Anlauf unternommen werden. Und im vergangenen hat die liberale Partei mehrheitlich beschlossen, Frauen in ihre Reihen aufzunehmen. Hier hingegen, wie ist es hier? Wir leben in einem Staat, dessen Gesetze es den politischen Vereinen verbieten, Frauen aufzunehmen, und den Frauen, politische Vereine zu gründen. Hierzulande dürfen wir nicht nur nicht wählen, wir dürfen uns nicht einmal für das Wahlrecht einsetzen!«

Aus den Reihen zeigten Knurren und Murmeln an, dass diese Haltung des preußischen Staates allseits abgelehnt wurde. Die Rednerin ließ ihren Blick über das Auditorium schweifen und dann ein, zwei Momente auf einem Sitz in den hinteren Reihen ruhen. Alles drehte sich um, Karoline und Friederike eingeschlossen. Da saß ein Mann in Uniform, mit gezücktem Bleistift war er über das Heft auf seinen Knien gebeugt, um Protokoll zu führen. »Das ist der Kommissar Staben«, flüsterte Karoline mit Unbehagen, »der überwacht anscheinend das Ganze.«

»Soll er doch«, entgegnete Friederike entschlossen und drehte sich wieder nach vorn. »Mir macht es nichts. Da ist schließlich nichts dabei, wenn man einen Vortrag anhört.«

»Ruhe!«, zischte jemand hinter ihnen, denn Frau Kellermann war mit ihrer Rede fortgefahren. »Vielleicht müssen wir es machen wie Miss Charlotte Bobb. Sagen Sie bloß, Sie kennen sie nicht! Miss Charlotte Bobb hat sich dreizehn Jahre geweigert, Steuern zu zahlen, weil sie kein Stimmrecht hatte. Gut, werden Sie sagen, aber es dürfen ja nicht einmal alle Männer wählen in diesem Land, weil sie über das nötige Einkommen nicht verfügen. Und was hilft uns das Wählen überhaupt, was hat das Stimmrecht den Arbeitern denn überhaupt gebracht? Der bürgerliche Staat wird allen Veränderungen entgegenwirken, die sich der Aufhebung der kapitalistischen Produktionsweise in den Weg stellen. Erst in einer anderen, besseren Gesellschaft werden die Arbeiter Emanzipation erlangen. Weil wir den Staat mit den Wahlen nicht ändern können, brauchen wir auch kein Wahlrecht.«

Sie wartete einen Moment, um dem Auditorium Gelegenheit zu geben, diesen Gedanken zu prüfen. »Andererseits: Solange wir in dieser Gesellschaft leben, können wir nicht dulden, dass der Staat in unserem Namen Gesetze macht, zu denen wir nicht befragt werden. Ebenso wenig können wir dulden, dass der Staat uns Pflichten abverlangt, ohne uns Rechte zuzugestehen. Und aus ebendiesem Grund hat die erwähnte Miss Charlotte Bobb dreizehn Jahre lang keine Steuern gezahlt.« – Sie lachte und machte eine kurze Pause. – »Allerdings hat sich das Problem in diesem Jahr erübrigt, denn sie hat geheiratet.«

Frau Kellermann war eine Meisterin der fließenden Übergänge. Von Miss Charlotte Bobb kam sie wieder auf das Thema der Ehe als einer Zwangsgemeinschaft und von da schnurstracks und ohne Vorwarnung auf die Prostitution zu sprechen. »Die Prostitution ist natürlich aufs Engste mit der bürgerlichen Gesellschaft verbunden, denn sie entstammt der Korrumpierung der Ehe, die Mann und Frau voneinander entfremdet. In den besitzenden Klassen ist es die Geldehe, die die Ehe korrumpiert: Die Frau verkommt zum Gebärapparat der Erben, während der Mann sich mit Mätressen vergnügt. In den arbeitenden Klassen hingegen zerrütten die Arbeitszeiten die Familie und treiben den Mann außer Haus. Und die Frau, die am Tag ihre Arbeitskraft verkauft hat, muss des Abends noch ihren Körper verkaufen. Mancher Arbeiter verzichtet gar ganz auf die Ehe, weil er sich eine Familie nicht leisten kann. Und wo geht er dann hin? Dann geht er zur Tochter oder Frau eines anderen Arbeiters, eines Genossen. Das ist hierzulande nicht besser als im Orient.« Weitgereiste Damen wüssten zu berichten, die osmanischen Paschas schenkten ihre Schwestern dem Harem eines anderen.

Im Saal machte sich Aufregung breit über diesen Vergleich sowie die allgemeine Unterstellung, dass es unter Genossen so etwas gäbe wie sozusagen den wechselseitigen Verkauf ihrer weiblichen Angehörigen. Einer sprang sogar auf und rief dazwischen: »All dies Gerede von der Ehe und der Prostitution, das sind ja nur *moralische* Fragen. Was die Arbeiter am meisten bedrängt, sind nicht die moralischen, sondern die ökonomischen. Ja, meine Damen, ich spreche nur von den Arbeitern, nicht von den Arbeiterfrauen – denn die Frauen sind es immer noch, die als billige Arbeitskräfte auf den Markt strömen und damit der kapitalistischen Produktionsweise den Rücken stützen.«

»Ach, hören Sie doch auf mit dem Käse vom Genossen Lassalle«, erhob jetzt ein anderer zu Kellermanns Verteidigung die Stimme. »Die Geschlechtssklaverei ist mit unseren Eigentums- und Erwerbsbedingungen aufs Innigste verknüpft, so sagt der Genosse Bebel, und deswegen bringt es uns nicht weiter, wenn …« In den hinteren Reihen verschaffte sich Kommissar Staben Gehör und erklärte, diese Veranstaltung dürfe nicht genutzt werden, um Propaganda für sozialistisches Gedankengut zu machen.

Die Debatte über Lassalle und Bebel wurde abgebrochen und unbeirrt fuhr Frau Kellermann mit ihrem Thema fort: »Wir wissen doch alle, worin sich der unverheiratete Mann von der unverheirateten Frau unterscheidet. Die Frau kann gut auf ein Geschlechtsleben verzichten, sagen uns die Mediziner, aber die Männer können es nicht. Wenn wir von den Männern die voreheliche Enthaltsamkeit verlangen würden, sagen sie, dann passierte … – aber das wissen sie nicht. Sie wissen nicht, was dann passiert, denn wir *verlangen* den Männern keine voreheliche Enthaltsamkeit ab. Der Staat erlaubt den Prostituierten nicht, ihren Körper zu verkaufen, aber er erlaubt den Männern, sich ins Bordell zu begeben. Damit sich die Männer nicht anstecken, überwacht der Staat die Gesundheit der Prostituierten und der Familienvater übergibt seinen Sohn höchstpersönlich ihren Händen, damit er ein Mann wird, wie sie es nennen.«

»Und wie wird derweil das junge Mädchen zur Frau? Wir wissen, was mit diesen Mädchen passiert. Hysterie oder Unfruchtbarkeit, stumpfsinniges Herumsitzen und endlose Träumereien …« Karoline runzelte die Stirn, als sie all dies hörte, was ihr für die nächsten Jahre prophezeit wurde, aber Frau Kellermann fuhr unbarmherzig fort. »Ich sehe sie vor mir, diese geschlechtslosen Wesen, die jahrein, jahraus über den Stickrahmen gebeugt sind und bestenfalls die Kinder ihrer Verwandten betreuen und darin ein wenig Ersatz haben für die Liebe, die ihnen versagt wird. Vergeudete Leben«, sagte Frau Kellermann bedauernd und Karoline fand es äußert taktlos, so als hätte man es direkt zu ihr gesagt: »Fräulein Stern, Sie führen ein vergeudetes Leben.«

»Aber ich bin doch noch nicht hysterisch, oder?«, flüsterte sie ihrer Schwester zu und wurde getröstet, nein, davon sei sie glücklicherweise noch recht weit entfernt.

»Vergeudete Leben«, wiederholte Frau Kellermann trotzdem. »Aber wie viel könnte eine Frau hervorbringen, die nicht heiratet und auf sich allein gestellt ist! Ist es etwa die weibliche Natur, die nichts anderes für sie vorsieht als die Ehe und die Kinder? Wohl kaum. Denn da, wo die menschliche Natur am unverfälschtesten hervortritt ...« Frau Kellermann erzählte von Indianerstämmen, in denen Frauen nicht heirateten und diplomatische Verhandlungen führten. Von Urwaldgemeinschaften, in denen die Jagd von der ältesten Frau angeführt wurde und die Verteilung der Beute und der gesammelten Früchte in der Hand der Frauen lag. »Aber die unverheirateten Frauen, die hier unter uns sitzen – ich befürchte fast, es sind überhaupt keine da –, aber die unverheirateten deutschen Frauen denken: Schön und gut, wenn am anderen Ende der Welt, in Amazonien vielleicht, eine Frau dem Stamm vorsitzt – was hilft es uns? Was für Möglichkeiten hat denn die unverheiratete Frau hier in unseren Breiten?«

Genau, dachte Karoline, wir haben nämlich keine.

»Also, was hilft es ihnen?«, fuhr Frau Kellermann fort. »Die Frauenbewegung fordert die absolute Gleichheit der Frau. Alles, was ein Mann tun darf, sollte eine Frau auch tun dürfen – von einigen Arbeiten natürlich abgesehen, wo die Frau an ihre natürliche physische Grenze stößt. Aber die geistigen Grenzen der Frau sind nicht enger gezogen als die des Mannes. Geben wir ihnen eine gute Erziehung, richten wir ihnen ordentliche Schulen ein und lassen sie aufs Gymnasium und auf die Universität. In der Schweiz, den nordischen Ländern, in Amerika – längst dürfen Frauen dort studieren. Philosophie, Jura, Medizin ...«

»Also, ich will nicht von einem weiblichen Arzt untersucht werden!«, rief einer in die Pause und ein paar Genossen lachten.

»Sie nicht, aber vielleicht Ihre Frau?«, schlug Frau Kellermann vor. »Vielleicht haben Sie aber auch nur Vorbehalte, weil Sie denken: Was interessiert es mich, wenn ein paar höhere Töchter aufs Gymnasium und auf die Universität gehen dürfen, wenn ich doch meine Töchter schon in die Fabrik schicken muss zum Mitverdienen, sobald sie nur aufrecht stehen können? Aber wir müssen für zweierlei kämpfen und das bedeutet die gewaltige Anstrengung: Wir müssen dafür kämpfen, dass die Arbeiterin und der Arbeiter von der Fron der Lohnarbeit befreit werden. Und wir müssen dafür kämpfen, dass alle Frauen – denn dann wird es keine Unterschiede mehr geben zwischen den bürgerlichen und den proletarischen Frauen – sich frei entscheiden können, wo sie ihre Arbeitskraft einsetzen wollen. Ob sie heiraten oder nicht und ob sie Kinder gebären oder nicht und ob sie studieren oder Häuser bauen oder ... – ja, ich habe schon gesehen.«

Frau Kellermann nickte abbittend zu Frau Zeller hinüber, die ihr vom Rand des Podiums her Zeichen machte, es sei Zeit, den Vortrag zu beenden. »Denn die Befreiung der Frau ist nicht nur ein Anliegen der bürgerlichen Frau, die vom Müßiggang gelangweilt ist. Die proletarische Frau verlangt sogar noch dringender nach der Befreiung. Sie steht ökonomisch noch unsicherer da und ist deswegen ihrem Mann noch hilfloser unterworfen als die bürgerliche Frau. Wenn er abends von der Arbeit nach Hause kommt, dann darf er sie nach Belieben prügeln und geht sich im Wirtshaus betrinken. Oder in umgekehrter Reihenfolge.«

Das Thema schien nicht allzu viel Anklang zu finden, ein unzufriedenes Raunen wanderte durch den Saal. »Ich weiß, davon wollen viele nichts hören, aber es ist nun einmal so! Wenn der Mann gar keine Arbeit hat, darf er seine Frau ebenfalls nach Belieben prügeln und sich im Wirtshaus betrinken. Sie aber hat den ganzen Tag hinter einer Maschine gestanden und muss abends den Haushalt führen und kann nicht ins Wirtshaus, eben weil die Kinder noch da sind, die sie den ganzen Tag nicht zu Gesicht bekommen hat. Es ist also nicht nur die bürgerliche Frau, die unter der Ehe leidet, es ist auch die proletarische Frau, es ist gerade die proletarische Frau. Sie ist der Lohnsklaverei unterworfen wie der Arbeiter und zusätzlich ist sie der Geschlechtssklaverei unterworfen wie ihre bürgerlichen Schwestern. Mag sein, dass die Lohnsklaverei nicht alle Frauen, aber die Mehrzahl unterdrückt. Aber die Geschlechtssklaverei, meine Damen, die Geschlechtssklaverei trifft uns alle. Und diese Geschlechtssklaverei, meine Herren, darf man nicht vergessen, wenn man von der Lohnsklaverei spricht.«

Frau Kellermann deutete eine dankende Verbeugung an und räumte das Podium. Ein stürmischer Beifall brach los, bei dem allerdings unklar war, welchen der Thesen zugestimmt wurde und welchen nicht, denn Zwischenrufe schienen einige Behauptungen dem allgemeinen Klatschen entreißen und andere betonen zu wollen. Dann machte sich der eine Teil der Zuhörer geschlossen aus dem Saal und war froh, endlich wieder die Beine bewegen zu dürfen. Der andere wollte der Rednerin noch Fragen und wichtige persönliche Eindrücke kundtun und eilte zum Podium, um die Dame dort abzufangen.

Karoline und Friederike waren unter den letzteren. Es war gar nicht Karolines Idee gewesen, sondern Friederike hatte sie nach vorn gezogen. Aber jetzt hatte sich das Grüppchen gelichtet und Karoline stand plötzlich direkt vor Frau Kellermann. »Stumpfsinn und Hysterie!«, rief sie ohne jede Einleitung. »Wie Sie über die unverheirateten Frauen sprechen, das ist kein Deut besser als bei den Leuten, die in den Straßen auf jemanden deuten und tuscheln: ›Schau mal, diese vertrocknete alte Jungfer.‹ Wenn sie nicht hysterisch werden will, dann muss also doch jede Frau heiraten?«

»Aber das habe ich doch gar nicht gesagt«, verteidigte sich Frau Kellermann. »Im Gegenteil, ich habe gesagt, dass jeder Frau viele Möglichkeiten offenstehen, auch wenn sie keine Ehe eingehen will.«

»Ja, in den Urwäldern!«, rief Karoline. »Hier führen sie ein vergeudetes Leben, haben Sie gesagt.«

»Soll man ein Übel nicht klar benennen, wenn man es sieht?«, fragte Frau Kellermann und verschränkte die Arme vor der Brust.

»Soll man über diejenigen, die unter einem solchen Übel leiden, nicht mit Achtung und ohne Häme sprechen?«, fragte Karoline zurück und verschränkte ihre Arme noch energischer.

Frau Kellermann überlegte. »Also gut«, meinte sie lächelnd, »das nächste Mal werde ich mich vorsehen, dass dieser Eindruck von Missachtung und Häme nicht entsteht.«

Karoline wusste angesichts so raschen Einlenkens nichts zu erwidern. »Aber«, versuchte sie zögernd.

»Aber«, drängte sich jetzt Friederike dazwischen, »eine andere Sache hätte mich auch noch interessiert: Ständig sprechen Sie von der bürgerlichen Ehe in der bürgerlichen Gesellschaft – was für eine Gesellschaft gibt es denn sonst noch?«

»Eine sozialistische Gesellschaft«, erwiderte Frau Kellermann bestimmt.

»Wie sieht dann eine Ehe *aus* in so einer sozialistischen Gesellschaft?«, bohrte Friederike nach und erinnerte Karoline plötzlich sehr an ihre beiden Neffen. »Und *wie sieht sie denn aus,* wenn sie *keine* Zwangsgemeinschaft ist?«

»Nun«, Frau Kellermann wähnte sich auf festem Boden, »die Ehe wird dann keine Zwangsgemeinschaft mehr sein, weil die Frauen ökonomisch unabhängig sind von den Männern und nicht mehr heiraten *müssen,* um …«

»Aber ansonsten«, schnitt Friederike ihr das Wort ab, »wie wird eine solche Ehe dann beschaffen sein und was ist mit der, nun, mit der Sexualität?«

Mein Gott, dachte Karoline.

»Um Himmels willen!«, lachte Frau Kellermann. »Das ist aber eine schwierige Frage. Ist es eine bürgerliche Einschränkung, wenn die Sexualität sich auf die Gattenliebe beschränkt, und wird diese Einschränkung in einer sozialistischen Gesellschaft fallen?«

»Wird sie?«, drängte Friedrike.

»Wie hängt das mit der Hysterie zusammen?«, fragte Karoline.

»Was ist denn hier los?«, schrie Frau Zeller dazwischen und zog die drei auseinander. »Fräulein Stern, das ist aber schön, dass Sie gekommen sind.« Karoline nickte knapp. »Martha, hast du schon etwas gegessen?« Frau Kellermann schüttelte den Kopf und öffnete den Mund für: »Die freie Liebe …« – »Jetzt gedulden Sie sich doch bitte!« Dieser Satz galt Friederike, aber Frau Zeller stutzte, weil sie eine Ähnlichkeit bemerkte. »Sind Sie mit dem Fräulein Stern verwandt?«

»Meine Schwester«, erklärte Friederike und die beiden beäugten einander.

Frau Kellermann nutzte die Pause, um erneut anzusetzen. »Die freie Liebe …«

»Jetzt ist aber Schluss«, mahnte Frau Zeller. Mit der einen Hand wies sie ihren Mann an, Frau Kellermann nach draußen zu geleiten, mit der anderen packte sie Karoline am Ärmel. »Wir müssen den Saal frei machen. Martha, du kriegst etwas zu essen – und Sie kommen mit.«

»Wohin sollen wir mitkommen?«, fragte Karoline.

»Auch etwas essen«, wiederholte Frau Zeller und schob sie vorwärts.

»Das geht doch nicht«, erwiderte Karoline, die fand, dass sie sich schon weit genug vorgewagt hatten.

»Natürlich kommen wir mit«, meinte hingegen Friederike.

»Sehr schön«, seufzte Frau Zeller und wimmelte noch ein paar Genossen ab, die die Rednerin mit erhellenden Kommentaren zur Aktualität von Ferdinand Lassalles Schriften erfreuen wollten. Sie schnaufte vor Erleichterung, als sie alle aus dem Saal hinausgetrieben hatte. Das nächste Mal sollte jemand anders die Organisation übernehmen, das war ja schlimmer als einen Sack Flöhe hüten. »Fräulein Stern, müssen Sie sich ausgerechnet jetzt mit der Polizei unterhalten? Unser Gast hat noch nichts gegessen, nicht einen Happen mehr seit London!«

»Ich bin schon zurück.« Vor dem Saal war Karoline ohne eigenes Zutun mit Staben zusammengestoßen. »Herr Kommissar, ich fand den Vortrag höchst interessant. Hätten Sie wohl die Güte, mir bei Gelegenheit eine Abschrift Ihres Protokolls zuzusenden?«, hatte sie nur kurz gesäuselt und sich dann abrupt abgewandt und ihn stehengelassen, den preußischen Ordnungshüter. »Eine kleine Gruppe verdächtiger Sozialdemokraten, darunter zwei Töchter eines Frankfurter Anwalts und Stadtverordneten, begaben sich anschließend mit der observierten Person in ein Gasthaus, um den Umsturz der bürgerlichen Gesellschaft vorzubereiten.« Ob er solche Sätze wohl auch in sein Protokoll mit aufnahm?

Die wortgewandte, beeindruckende Rednerin, die vom Podium aus den ganzen Saal dirigiert hatte, verwandelte sich beim Essen in eine unauffällige Frau mittleren Alters. Sie schwang keine großen Reden mehr, sie kommentierte weder Bebel noch die Prostitution, sondern löffelte ihren Eintopf wie alle anderen – Karoline ärgerte sich selbst darüber, aber sie musste ständig zu Frau Kellermann hinüberstarren. Sie sah wirklich ganz gewöhnlich aus, wenn man einmal von den Haaren absah, die sie offen trug. Nur von zwei Spangen gehalten, fielen sie ihr zu beiden Seiten auf die Schultern.

Frau Kellermann blickte von ihrem Teller hoch und lächelte. »Karoline? Ich darf doch Karoline sagen?« In einem Rutsch setzte Frau Kellermann das ›Du‹ durch, das sei unter Genossinnen so üblich. »Denkst du immer noch über dein Schicksal als alte Jungfer nach?«

Karoline schüttelte etwas gekränkt den Kopf, aber Frau Kellermann blieb beim Thema. »Es gibt wohl so einige Jüdinnen in der Frauenbewegung. Aber mir ist keine bekannt, die nicht verheiratet ist.«

»Woher wissen Sie denn, dass ich Jüdin bin?«, fragte Karoline scharf.

»Sei nicht gleich so misstrauisch«, entgegnete Frau Kellermann und erinnerte daran, ab jetzt wolle sie geduzt und mit Martha angeredet werden. »Wenn du dich nicht so sehr auf meine Haare konzentriert hättest, hättest du gehört, dass deine Schwester von eurer Familie erzählt hat. Euer Großvater einer der ersten jüdischen Anwälte, der Vater mit einer eigenen Kanzlei, die Mutter Malerin. Ich muss sagen, das mit eurer Mutter finde ich besonders beeindruckend.«

»Na ja«, wiegelte Karoline ab. »Eine richtige Malerin ist sie nun wieder auch nicht. Meistens zeichnet sie einfach nur die Hände von unserem Dienstmädchen.«

»Die Zeiten ändern sich und die Kunst muss sich auch ändern. Ihr solltet stolz sein auf eure Mutter«, versetzte Martha streng. »Ich bin nämlich sehr dafür, dass die Frauen sich auch die schönen Künste erobern. Ich weiß, ich weiß« – dies sagte sie beschwichtigend in Richtung Anna Zeller –, »andere Dinge sind dringender. Aber die Vorstellung von Malerinnen und Bildhauerinnen – das geht mir nicht aus dem Kopf. Oder sie werden Ärztinnen und Anwältinnen. – Welcher Weg hat überhaupt zwei jüdische Anwaltstöchter in eine Arbeiterkneipe geführt?«

Das sei eine sehr komplizierte Geschichte, seufzte Karoline. »Mit der Frau von dem Rader fing es an.«

»Du musst nämlich wissen«, ergänzte Anna Zeller, »dass der Genosse Rader Karoline seine Freiheit verdankt.«

»Tut er nicht!«, rief ihr Mann böse dazwischen.

»Das hatte ich schon wieder vergessen«, sagte Anna Zeller zerknirscht. »Aber die Karoline kann nichts dafür!«

»Wer ist die Karoline?«

»Das Fräulein Stern.«

Zeller runzelte die Stirn. »Nein, die kann nichts dafür.«

»Außerdem bist du es gewesen, der den Rader am Montagabend …«

»Ich will diesen Namen nicht mehr hören!«

»Ich weiß immer noch nicht«, schaltete sich jetzt Frau Kellermann lautstark ein, »wer dieser Mann ist, dessen Namen wir unerwähnt lassen sollen!«

Die anderen zwangen sich zur Ruhe und Besinnung. »Die Polizei hatte ihn inhaftiert, obwohl sie gar nicht genug gegen ihn in der Hand hatte«, erklärte Karoline schließlich. »Und ich dachte, das machen sie nur, weil er ein kleiner Schneidergeselle und ein Sozialist ist …«

Zeller knurrte böse dazwischen.

»… das dachte ich *damals,* und das fand ich ungerecht«, führte Karoline noch schnell ihren Satz zu Ende.

»Vielleicht werden Frauen auch Kommissare«, überlegte Martha Kellermann laut und korrigierte sich dann: »Nein, zur Polizei sollten die Frauen lieber nicht gehen. Erst in einer sozialistischen Gesellschaft, wenn die Gesetze auch gerecht sind.«

»In einer sozialistischen Gesellschaft wird es vielleicht keine Polizei geben«, meinte Anna Zeller sanft.

»Ach, und wieso nicht?«, fragte Frau Kellermann belustigt. »Ich befürchte fast, ich höre da einen anarchistischen Ton heraus. Der Anarchismus soll in Frankfurt ja stark verbreitet sein.«

»Alles Verleumdung der Polizei«, brummte Herr Zeller, und: »Das hat mit Anarchismus gar nichts zu tun«, verteidigte sich seine Frau. »Ich denke mir bloß: kein Eigentum, kein Diebstahl. Keine Prostitution, keine Notzucht. Kein Krieg ...«

»Kein Mord?« Martha Kellermann stutzte. »Es war aber hoffentlich kein Mord, der die Karoline in euren Eber geführt hat?« – »Doch.« – »Und dieser Rader ...?«

» ...ist ein Spitzel.« Kurz gab Anna Zeller die leidige Geschichte wieder.

»Wer war dann der Mörder?«

»Das weiß noch keiner außer dem Mörder selbst.«

Martha Kellermann fand, es werde ihr als Auswärtiger einigermaßen schwer gemacht, sich bei diesem Gespräch zurechtzufinden. »Und wer ist ermordet worden – doch wohl niemand, den ich kenne?« Ein Karl Lübbe von der Demokratischen Partei, wurde ihr erklärt und erschrocken hielt sie inne. »Der Maßschneider? Aber den kenne ich tatsächlich!«

»Martha kennt jeden«, erklärte Anna Zeller und zwinkerte den anderen zu. »Das behauptet sie zumindest.«

»Ich kannte ihn wirklich!«, verteidigte sich Martha Kellermann. »Ich hatte ihm sogar eine Einladung zu meinem Vortrag geschickt, persönlich, aber er hat nicht einmal geantwortet. Ich muss zugeben, ich war ein wenig enttäuscht, aber wenn er tot ist ...« Das war ja eine traurige Nachricht. Nicht, dass er ein so guter Bekannter gewesen sei, aber trotzdem. In Berlin habe sie ihn vor ein paar Jahren kennengelernt und dann regelmäßig mit ihm über die Entwicklung des Schneiderwesens korrespondiert. »Da hat er sich richtig für unsere Sache eingesetzt. Zuletzt hat er eine Studie geplant über die Bedingungen der Schneider auf dem Land – das ist auch schon zwei Jahre her – und dann hab ich plötzlich nichts mehr von ihm gehört. Hab ihn angeschrieben, keine Antwort. Dabei wollte ich so gern, dass er einen Artikel darüber schreibt für meine Zeitung.«

»Ich kann mir gar nicht vorstellen, dass der Lübbe sich für die Schneider auf dem Lande interessiert hat«, überlegte Karoline.

»Von der Not dieser Schneider lebt aber die Konkurrenz, weil sie die Leute als billige Heimarbeiter beschäftigen kann. Und es gibt solche Leute«, belehrte sie Martha, »denen gelingt es ganz gut, die eigenen Interessen mit der Politik zu verbinden. Verstehst du, was ich meine?«

»Allerdings. Eine Hand wäscht die andere, das hat der Lübbe immer gesagt.«

»Eine Hand wäscht die andere?« Frau Kellermann lachte. »Das ist genau dieser Typ. Vor zwei Jahren hat er sich noch über das Konfektionärswesen aufgeregt, aber dann ging es seinem Geschäft vielleicht wieder besser. Und da wollte er seine Hände lieber mit anderen waschen.«

Stabens Bericht hatte nicht so geklungen, als wäre es aufwärts gegangen mit Lübbe & Sohn. »Eher im Gegenteil …«, begann Karoline laut zu überlegen.

»Müssen wir jetzt den ganzen Abend über Lübbe reden?«, ging Friederike ungeduldig dazwischen. »Die ganze Stadt tratscht schon seit Tagen darüber. Also,

Martha, erzähl lieber, was das für eine Zeitung ist, von der du gesprochen hast.«

»Eine ganz famose Zeitung!« Früher habe sie für andere sozialdemokratische Zeitungen geschrieben und dann gefunden, die Not der Arbeiterinnen erfordere ein eigenes Blatt. »›Die Frau im Staate‹«, deklamierte Martha mit Inbrunst.

»›Die Frau im Staate‹!« Friederike schüttelte in Unglauben und Bewunderung den Kopf und ließ sich ausführlich die Geschichte dieser Zeitung erzählen, die leider nur in drei Nummern hatte erscheinen dürfen, bis sie wieder verboten wurde. »Schade, dass es sie nicht mehr gibt!«

Frau Kellermann war sichtlich geschmeichelt. »Man darf den Kopf nicht hängen lassen, demnächst machen wir eine neue. ›Die Staatsbürgerin‹ will ich sie nennen, das klingt ohnehin viel besser. Die Staatsbürgerin werden sie dann zwar auch schnell verbieten, aber wir probieren es wieder und wieder und irgendwann … – irgendwann ist Schluss mit den Sozialistengesetzen und irgendwann dürfen wir auch Vereine gründen und dann müssen wir nicht mehr immer ja und amen sagen zu all dem, was unsere Herren Genossen in ihren Vereinen so bestimmen.« Sie nickte Anna zu und die nickte wissend zurück und daraus war wohl zu schließen, dass Marthas Ehemann ebenfalls ein ›Genosse‹ war.

Herr Zeller hatte die Sache auch mitbekommen und fand, ihm und Herrn Kellermann sei da Unrecht getan worden. »Ich vertrete meine Frau schon ganz gut auf den Sitzungen, da kannst du beruhigt sein. Die Anna und ich, wir sind sowieso immer einer Meinung.«

»Dann wirst du ja nichts dagegen haben, wenn sie eure Meinung selbst sagt«, fand Martha. »Das ist übrigens der Vorteil, liebe Karoline, wenn man gar nicht erst … Karoline?«

Die Angesprochene gestand, sie habe die letzten Sätze nicht mehr mit angehört, weil sie noch über den Lübbe habe nachdenken müssen.

»Jetzt lass die Toten ruhn und wende dich lieber den Lebenden zu. Sag, Karoline, was hältst du von diesem George-Sandismus?«

»Was ist der George-Sandismus?«

»Frankfurt …«, intonierte Martha Kellermann mitleidig. »An eurer verschlafenen Heimat gehen ja sämtliche großstädtischen Moden spurlos vorbei.« George-Sandismus sei ein Phänomen, das seinen Ursprung in Paris habe. Und auch in Berlin seien in den letzten Jahren immer mehr Damen zu sehen gewesen, die sich Herrenanzüge schneidern ließen und dann in Hosen und Sakkos öffentlich auf den Straßen promenierten.

»In Hosen?!«, fragte Anna Zeller überrascht nach.

»Sogar mit Zylinder!«, bestätigte Martha.

Bei der Erwähnung des Zylinders musste Karoline wieder an Lübbe denken: Auch der hatte immer einen getragen, so hatte ihr Vater ihr erzählt.

»Also, meine Sache wär das nicht«, erklärte Anna Zeller. »Am End weiß man nicht mehr, was Männlein und was Weiblein ist!«

»Wofür braucht ihr Weiber Hosen?«, fragte nun auch ihr Mann verständnislos.

»Ich würd es sofort machen«, widersprach Friederike voller Begeisterung. »Es wäre so praktisch. Zum Beispiel könnte ich endlich richtig hinter Jakob und Georg herlaufen.«

»So sind die Frauen«, murmelte Martha, »sie denken immer zuerst an die Kinder.«

»Verzeihung«, sagte Friederike kleinlaut. Aber ihre größte Sorge *waren* nun einmal ihre Kinder.

»Also, mir wär's viel lieber, ich könnte mir die Haare abschneiden!«, rief Karoline und griff in das mühsam geordnete Gestrüpp auf ihrem Kopf. »Wie viel Arbeit ich jeden Tag damit habe: das endlose Bürsten und das Lockenlegen und das Hochstecken und der Kampf mit den Nadeln ...«

»So genau wollte ich das gar nicht wissen«, erklärte Martha etwas brüsk, »was du mit deinen Haaren so alles anstellst.«

Karoline errötete und Anna kam ihr zu Hilfe. *»Du* hast ja auch schon offene Haare.«

»Und niemand weiß das besser als unsere unverheiratete junge Genossin da drüben«, spöttelte Martha.

Karoline errötete noch stärker. Martha mochte sich mit Zeitungen und Schneidern noch so gut auskennen – Takt war nicht gerade ihre Stärke.

Friederike nutzte die Pause für eine Richtigstellung: Es stimme nämlich gar nicht, dass an Frankfurt alle Moden vorbeigingen. Auch sie habe neulich auf der Bockenheimer Landstraße eine junge Dame in Hosen entlangspazieren sehen. »Und mit Sakko und Zylinder?«

Friederike nickte. »Auf den ersten Blick hab ich gar nicht gemerkt, dass es eine Frau war.«

Sogar das schien mit Lübbe zu tun zu haben! Karoline schalt sich besessen und beschloss, nicht weiter über ihn nachzudenken.

»Also gut, dann nehm ich das mit dem verschlafenen Frankfurt wieder zurück«, seufzte Martha ergeben. »Trotzdem, Paris ...« Und damit verließen sie endgültig die Frage der Verheiratung, der Geschlechtssklaverei und die nach dem Mord an Lübbe. Sie lehnten sich zurück und ließen sich von Martha Kellermann ausführlich darlegen, welche Vorzüge Paris hatte und welche London und welche die anderen großen und berühmten Städte dieses Kontinents, die sie auf ihren Reisen im Dienst der Arbeiter- und der Frauenbewegung besucht hatte.

Karoline fand diese Schilderungen ein wenig bedrückend, aber ihre Schwester war überglücklich. »Ich bin dir so dankbar, dass du mich überredet hast«, schwärmte sie auf der Heimfahrt. »So eine Frau hab ich ja noch nie gesehen! Überhaupt habe ich noch nie gesehn, dass eine Frau eine Rede hält vor so vielen Leuten. Und dann diese Themen! Also, manche Sachen, Papa würde schaudern, wenn er davon wüsste.« Friederike kicherte. »*Prostitution!* Aber sie wird schon wissen, wovon sie redet.«

»Bestimmt.« Karoline hoffte im Stillen, der Fahrer der Droschke könne sie nicht hören.

»Wo die schon alles gewesen ist – und sie hatte mal eine eigene Zeitung! Hast du so etwas schon gehört?«

Hatte Karoline nicht.

»Hast du jemals daran gedacht, auch nur in einer Zeitung zu schreiben?«

»Nein.« Karoline lachte kurz auf. »Worüber auch?«

Friederike schien gänzlich unbekümmert. »Eben. Wir wüssten nicht mal, worüber.«

Unentschlossen drehte der junge Lübbe die Fotografie in den Händen. Im Grunde hatte er nur den Schreibtisch seines Vaters aufräumen wollen, aber nachdem er alle Schubladen herausgenommen hatte, war ihm dieser kleine Kasten an der Seite aufgefallen. Und nach einigem Suchen und Tasten hatte er hineinfassen können und dieses Bild war zum Vorschein gekommen: sein Vater links, ein englischer Tuchhändler rechts, im Hintergrund der große Ballen von Tuch.

»Guten Morgen!« Der Buchhalter kam in das Büro gelaufen, begann seinen Bericht über das gestrige Gespräch mit den neuen Zwischenmeistern und stockte nach einem Halbsatz. »Das ist ja Ihr Herr Vater – Gott hab ihn selig. Und all diese schönen Stoffe und dieser Herr mit dem englischen Hut!« Er griff nach der Fotografie, drehte sie um: Eine Londoner Adresse war auf der Rückseite notiert.

»Kennen Sie den Mann etwa?«

»Nie von dem gehört.« Der Buchhalter schüttelte den Kopf. »Ich hab fast vergessen, wie würdevoll Ihr Herr Vater immer ausgesehen hat, eine beeindruckende Erscheinung bis zuletzt – aber er war ja auch noch viel zu jung – wann war er denn das letzte Mal in London? Ach, vor zwei Jahren. – Haben Sie das jetzt erst gefunden?«

»Eben grad.« Lübbe wies auf die Schubladen. »Haben Sie gewusst, dass dieser Schreibtisch ein Geheimfach besitzt?«

Der Buchhalter schüttelte den Kopf und überlegte ganz praktisch: »Dann wäre es aber auch nicht mehr geheim gewesen.«

»Sicher«, räumte Lübbe verärgert ein und wollte die Fotografie in eine der Schubladen zurücklegen.

»Nicht! Die sollten wir am besten zur Polizei bringen!«, rief der andere aufgeregt.

Aber das sei doch eine ganz gewöhnliche Fotografie, widersprach Lübbe. Von einer ganz gewöhnlichen geschäftlichen Reise nach England.

»Warum hat er dann eine Fotografie davon machen lassen?«, beharrte der Buchhalter. »Und warum hat er sie versteckt, wenn sie so gewöhnlich ist?« Entschieden nahm er seinem Arbeitgeber, den er schon kannte, seit der noch in der Wiege gelegen hatte, die Fotografie aus den Händen. Noch am selben Vormittag wolle er damit zum Polizeipräsidium gehen, denn: »Wenn es um die Aufklärung dieses ungeheuren Verbrechens an ihrem Herrn Vater geht, da dürfen wir nichts unversucht lassen!«

»Karoline? Karoline!« Frau Stern steckte den Kopf durch die Tür. »Da ist ein Herr, der möchte dich sprechen. Jemand von der Polizei.«

»Herr Kommissar, einen guten Morgen!«, rief Karoline freudig und blieb dann unschlüssig im Flur stehen. Stabens Auftritt während des Vortrags fiel ihr ein. »Haben Sie gut aufgepasst, was die Rednerin gestern gesagt hat? Haben Sie alles schön ordentlich aufgeschrieben?«

Staben beschloss bei sich, den Tonfall zu ignorieren. »Deswegen bin ich hier. Sie sagten doch, Sie wollten gern eine Abschrift haben.« Er überreichte ihr ein Päckchen Papiere.

Es war ein gewaltiges Päckchen. »Das haben Sie alles allein geschrieben?« Daran musste er ja die ganze Nacht gearbeitet haben. Sie wurde misstrauisch. »Oder waren noch andere Polizisten dabei? Spitzel, um genau zu sein?«

Staben wand sich ein wenig und Karoline presste die Abschrift fest an sich. »Wie ich schon sagte: Ich habe das Gefühl, wir stehen auf verschiedenen Seiten.«

»Das hat mit Seiten überhaupt nichts zu tun«, erklärte Staben, der Sorgfältige, der Unvoreingenommene. Er schwitzte, aber das mochte an der Hitze liegen. »Ich habe über die Ansichten einer Frau Kellermann gar nicht zu urteilen. Ich habe nur darüber zu berichten, das ist mein Beruf!« Er stand immer noch im Türrahmen, hätte so gern wenigstens den Helm abgelegt, aber das Fräulein Stern schien ein entsprechendes Angebot nicht einmal in Erwägung zu ziehen. Er holte ein Taschentuch hervor und tupfte sich die Stirn ab. »Würden Sie denn der Lübbeschen Sache weiterhin Ihre Zeit widmen«, fragte er höflich, »Obwohl wir jetzt auf ›verschiedenen Seiten‹ stehen?«

»Im Grunde«, begann Karoline unsicher. Sie war hin- und hergerissen. »Im Grunde sollte ich mich in Ihre polizeilichen Angelegenheiten nicht mehr einmischen.« Andererseits … Er hatte ihr das Protokoll vorbeigebracht. Es war heiß und er schwitzte. Sie wollte so gern mit jemandem darüber reden – sie erzählte es ihm. Vergangene Nacht hatte sie nicht schlafen können, sie hatte über den Vortrag nachgedacht, dann über den Lübbe und schließlich hatte sich eins zum anderen gefügt, kurz: Sie glaubte verstanden zu haben, wer den Mord begangen hatte.

Staben wartete, dass sie weitersprach. Sie tat es nicht. »Wer ist es denn nun?«, bohrte er also nach.

Karoline lächelte. »Ich habe wenig Lust, es Ihnen zu sagen.«

»Wieso nicht?« Staben steckte einen Finger zwischen Kragen und Hals und versuchte sich dadurch Erleichterung zu verschaffen, vergeblich.

»Schließlich ist es Ihr Beruf, da müssen Sie es doch selbst herausfinden.«

Wenn die Dinge so lagen, dachte Staben trotzig, brauchte er seine Zeit auch nicht mit ihr zu verschwenden. Er war schon drauf und dran, wieder zu gehen –

aber an der Wohnungstür rief sie ihn zurück. »Eine Bemerkung von Frau Kellermann hat mich darauf gebracht. Genauer gesagt: zwei Bemerkungen.«

»Der Vortrag?«, fragte Staben überrascht nach und griff unwillkürlich nach dem Protokoll.

»Das ist mein Exemplar«, entgegnete Karoline und zog es wieder an sich. »Nein, nicht auf dem Vortrag, sondern danach. Ich sehe, in das Wirtshaus haben Sie keine Spitzel hingeschickt. Frau Kellermann kannte den Ermordeten aus Berlin und war sehr betroffen, als sie hörte, er sei erschossen worden.«

»Aha«, sagte Staben und hatte den Eindruck, jetzt habe Karoline ihrer Phantasie ein wenig zu freien Lauf gelassen. »Sie wollen doch wohl nicht andeuten, dass die beiden ... äh ... zarte Bande oder was weiß ich, wie das in den Romanen genannt wird, die Sie so lesen.«

»Ich lese keine solchen Romane«, behauptete Karoline. »Aber es wäre ein ganz hübscher Titel. Der neue Roman in der Gartenlaube: ›Das Geheimnis des Maßschneiders‹. Die beiden lernen sich auf einem rauschenden Ball in Berlin kennen. – Waren Sie in Berlin einmal auf einem rauschenden Ball?«

»Ja«, sagte Staben verletzt. Ob sie sich wirklich nicht erinnerte? Es war doch erst vorgestern gewesen, dass sie im Palmengarten darüber geredet hatten wie zwei Vertraute.

Herzlos spann Karoline den Faden weiter. »Er entstammt einem alten, ehrwürdigen Handwerkergeschlecht. Sie einer großbürgerlichen Familie mit konservativen Ansichten. Ihre Herkunft, ihre Temperamente sind zu verschieden – und doch beginnen sie, sich einander langsam anzunähern ... Heimliche Verlobung etcetera.«

»Er war doch schon verheiratet!«, rief Staben empört.

»Es ist schließlich nur eine Geschichte«, erinnerte Karoline amüsiert. »Außerdem sagte ich doch, ich lese keine solchen Romane. Nein, mit zarten Banden hat es nichts zu tun. Sie haben sich bloß politisch miteinander beraten, über die Schneider auf dem Land. Aber ein dunkles Geheimnis trug Lübbe trotzdem mit sich herum.«

Staben war etwas verwirrt, dass die angedeutete Liebesgeschichte zugunsten der Politik wieder fallengelassen worden war. »Was für ein Geheimnis?«

»Ich gebe Ihnen einen kleinen Hinweis: Denken Sie an unseren Spaziergang im Palmengarten.«

Er dachte daran. Ihm fiel ein, wie er sich versehentlich an Fräulein Sterns Schirm festgehalten hatte, wie das Mädchen ins Wasser gefallen war. Wie sie ihm auf den Rücken geklopft und er ihr von seiner Verlobten erzählt hatte …

Fräulein Sterns Gedanken schienen sich mit ganz anderem zu beschäftigen. »Erpressung«, flüsterte sie und beugte sich vor. »Er-pres-sung.«

»Ich weiß, wie man das buchstabiert.« Langsam kam Staben auch diese Erinnerung. »Die ehrenwerte Frau Elbert hat das bereits gesagt. Und da haben Sie erwidert – zu Recht, wie ich finde –, wenn er erpresst wurde, wieso hat man ihn dann umgebracht?«

»Umgekehrt«, unterbrach ihn Karoline ungeduldig, weil er so begriffsstutzig war. »Er hat jemand anderen erpresst.«

»Wen? Warum?«

»Sie kennen doch die größte Sorge dieses Mannes.«

Da fielen Staben gleich mehrere ein. »Womit hat er diesen anderen erpresst?«

»Das müssten nun wieder Sie herausfinden, glaube ich.« Karoline zuckte mit den Schultern. »Haben Sie nichts in seinen persönlichen Unterlagen gefunden, versteckte Briefe, geheime Geschäftsunterlagen? Nun, dann weiß ich es auch nicht.«

»Schön zu hören, dass es irgendetwas gibt, das Sie nicht wissen«, fand Staben, nestelte an seiner Uniformjacke und holte die Fotografie hervor, die der Buchhalter von Lübbe & Sohn gebracht hatte. »Doch, der Sohn hat etwas gefunden: eine Fotografie von einer Textilmesse in England. Auf der Rückseite die Adresse eines Händlers.«

Englisches Tuch. Einfuhrzölle. »Wunderbar! Da haben Sie es doch!«

»Dieser Händler hat Lübbe aber gar nicht beliefert«, informierte Staben sie.

»Dann hat er wohl jemand anderen beliefert.«

»Das ist zu hoffen«, schnaubte Staben, »wenn er mit dem Handel seine Familie ernähren will.« Karoline gab dazu keinen Kommentar ab. Sie studierte die Fotografie, so also hatte er ausgesehen: Lübbe, der Weltverbesserer, Lübbe, der Armenpfleger. Der Mann, der Amt, Schützlinge und Dienstmädchen missbraucht hatte.

Was konnte das heißen: »Da haben Sie es doch«? Staben blickte grübelnd zur Decke. »Also gut, diese Fotografie lässt darauf schließen, dass der Mörder mit dem Schneidergeschäft zu tun hat. Richtig?«

Karoline nickte gnädig.

»Aber die einzigen Schneider, die mit dem Lübbe enger bekannt waren, sind doch Peschmann und Kobisch.«

Karoline räusperte sich unverbindlich.

»Kobisch kann es nicht gewesen sein, weil er nach Lübbes Anruf sofort wieder nach Homburg gefahren und da mit zwei vornehmen Damen diniert hat und Donnerstagfrüh zurückgekommen ist. Das wissen wir, weil …« Staben senkte verlegen den Blick. In seiner Ratlosigkeit hatte er inzwischen den Aufenthalt mindestens eines halben Dutzends Frankfurter Bürger überprüfen lassen. »Das Hotelpersonal hat es mir gesagt.«

Karoline nickte interessiert.

»Aber Peschmann kann es auch nicht gewesen sein, weil er zwar zur gleichen Zeit wie Lübbe sein Geschäft verlassen hat, dann aber in die Oper gegangen ist und zu einem Bekannten, oder ich weiß nicht mehr, wohin.« Staben war verzweifelt. »Und das wissen wir, weil man beide unabhängig voneinander gesehen hat. – Wieso nicken Sie denn schon wieder so zufrieden?«

»Das wusste ich schon. Ich habe überhaupt keinen Grund zu widersprechen.«

Also, dann musste sie einen dritten Schneider meinen oder jemanden, der indirekt mit einem Schneider zu tun hatte? Vielleicht meinte sie gar den Sohn, aber der war erwiesenermaßen doch bei seiner ›Bekannten‹ gewesen? Oder sie wollte ihn nur in die Irre führen wie mit diesem Liebesroman – Staben gestand, er sei ratlos. Sie schlug vor, er solle endlich den Helm abnehmen und sich, wenn er so nicht weiterkomme, einer ganz anderen Frage widmen. »Wo ist Lübbe zwischen acht und elf gewesen?«

»Eine gute Frage, ich danke.« Staben deutete eine Verbeugung an, dann musste er sich nochmals die Stirn abtupfen. Er gab ihr den Helm. »Das ist ja nun genau das, was wir *nicht* wissen. Warum blieb er bis halb zehn im Geschäft? Niemand weiß es. Wo war er zwischen halb zehn und elf? Keine Spur von dem Mann. Er war nicht zu Hause, er war mit niemandem verabredet, er wurde in keinem Gasthaus gesehen. Wenn man so wenig Informationen hat, wie soll man den Mörder finden?«

»Aber das *ist* doch schon eine wichtige Information«, erklärte Karoline und fühlte sich wie die Sphinx höchstpersönlich.

»Hhm?«, fragte der nichtsahnende Fremde.

»Wie unsichtbar er war, das hat mir zu denken gegeben. Wieso ist dieses große Geheimnis geblieben?«

»Wieso? Vielleicht war es …« Staben fiel nichts ein. »Wieso machen *Sie* denn so ein Geheimnis daraus?«

»Ich muss zugeben, dass unser Gespräch mir Vergnügen bereitet«, bekannte Karoline freimütig. »Und ich will mir gern ein Hintertürchen offenlassen.«

»Die Hintertür!«, rief Staben begeistert. »Lübbe hat also doch noch jemanden getroffen. Den er erpresst hat! Aber das hat er selbstverständlich niemanden wissen lassen wollen. Woher wissen Sie denn, dass es bei Lübbe & Sohn eine Hintertür gibt?«

»Wusste ich gar nicht. Hab ich einfach angenommen. Denn die Suppenanstalt hat eine Hintertür und der Kolonialwarenhändler auf der Zeil hat auch eine und …«

»Schon gut!« Für längere Monologe war jetzt nicht die Zeit. »So gegen acht hat Lübbe den Mann in seinem Geschäft erwartet …«

»Mmh.« Karoline legte die Stirn in Falten und beobachtete ihr Gegenüber sorgfältig beim Denken. Vielleicht sollte sie Acht geben, dass er nicht gar so schnell darauf kam.

»… und durch den Hintereingang hereingelassen.« Staben frohlockte. »Dann ist der geheimnisvolle Besucher wieder hintenherum verschwunden, aber um halb zehn ist Lübbe nun doch zu dem Erpressten nach Hause gegangen, da hab ich mich wohl kürzlich geirrt …«

Ach, er war noch so weit von der Lösung entfernt! »Nein«, sagte Karoline bedauernd, »so war es bestimmt nicht. Lübbe ist nicht zu dem Erpressten nach Hause gegangen.«

»Der zu ihm?«, fragte Staben hoffnungsvoll.

»Nein.«

»Jetzt hören Sie aber auf! Wenn er den Erpressten nach halb zehn nicht mehr getroffen hat, wie soll der ihn dann umgebracht haben? Oder meinen Sie etwa, er ist zu ihm *gefahren*?« Gegangen, gefahren – ein blödes Wortspiel!

»Ja, später ist er auch gefahren. Ein gutes Stück nach halb zehn. Nicht aber vorher.«

»Dann ...«, begann Staben und schaute sie hilfesuchend an. »Ist er noch mal zum Geschäft gegangen? Durch den Hintereingang?«

Karoline tat so, als dächte sie nach. »Nein, das glaube ich nicht. Nein, nachdem er sein Geschäft einmal verlassen hatte, ist er vermutlich direkt zu den Anlagen.«

»Und er hat den Erpressten nicht nochmals aufgesucht? Nicht in einem Wirtshaus und nicht bei ihm zu Hause?«

Karoline schüttelte den Kopf. Staben schaute sie kurz verständnislos an, dann wurde er ärgerlich. »Ach, Sie nehmen mich ja auf den Arm!« Er packte die Fotografie wieder ein. »Damit muss ich mich nicht aufhalten! Geben Sie das Protokoll wieder her – nein! Behalten Sie's nur, das ist auch alles reine Phantasie, was diese Frau da erzählt hat. Lesen Sie das versponnene Zeug durch und lernen Sie's auswendig.«

»Was für ein wertvoller Ratschlag«, erwiderte Karoline gekränkt, »danke vielmals.« Sie hielt ihm die Tür auf. Statt eines Abschiedsgrußes murmelte er irgendetwas, das klang wie »kleines Mädchen, großes Geheimnis«. »Herr Kommissar!«, rief sie. Sie reichte ihm den Helm hinterher, dann warf sie die Tür zu.

Staben war höchst aufgebracht. Wusste sie es nun wirklich oder wusste sie es nicht? Hätte er sie etwa beknien sollen? Dann das Gerede von den verschiedenen Seiten – als ob er ihretwegen zu dem Vortrag gegangen wäre, um sie zu bespitzeln. Strenggenommen war es sogar nicht seine, sondern Kommissar Rauchs Angelegenheit gewesen, schließlich war der für die politischen Sachen zuständig. Nur hatte gestern der Rauch senior Geburtstag gehabt, da musste der Sohn natürlich nach Hause und Staben – Staben wurde zum Vortrag geschickt. Überhaupt verstand er nicht, worüber sie sich so aufregte. Wenn diese Leute nichts zu verbergen hatten, war es doch gleich, ob jemand von der Polizei dabei war – und *wenn* sie etwas zu verbergen hatten, war es geradezu notwendig!

Als Staben in seinem Büro ankam, hatte er beschlossen, alle Andeutungen des Fräulein Stern beiseite zu lassen und noch einmal sorgfältig nachzudenken, allein.

Wieder einmal ließ man ihn nicht.

»Dieses Bürschlein habe ich dabei erwischt, wie es eine Börse in den Main werfen wollte«, begann Geringer triumphierend. Mit seiner Linken schaukelte er den Arm eines blassen jungen Geschöpfs, mit der Rechten wedelte er mit der erwähnten Geldbörse. Und zwar hätten sie diesen Fund dem puren Zufall zu verdanken. Er, Geringer, war nämlich in Sachsenhausen gewesen, da hatte seine Frau ihre Schwägerin besucht – »die wo mein Bruder bei den Orangenbäumen kennengelernt hat, über den Hut« – und er hatte seine Frau nach diesem Besuch heute Morgen wieder abgeholt und bei ihrem Heimweg über die alte Brücke …

»Heute Morgen?«, fragte Staben und meinte: während der Dienstzeit?

Heute Morgen, Geringer verstand sogleich, aber das lag eben dadran: »Meine Frau geht nämlich nicht gern allein über die Brücke, zu zweit macht es ihr nix aus, und da hab ich ihn eben gesehen, der hat sich so weit vorgelehnt, zuerst dachte ich natürlich, oje, der wird doch nicht ...« Dann hatte Geringer noch mehr in der Richtung gedacht und den Jungen beim Arm genommen und den wahren Grund des Weit-Vorlehnens erkannt, seine Frau allein nach Hause geschickt und seitdem den Arm des armen Kerls wohl auch nicht mehr losgelassen.

Das könne er nun endlich tun, bedeutete Staben dem Wachtmeister. »Und was hat es nun auf sich mit dieser Börse?«

»Das ist die vom Juwelenhändler!«

Staben gab einen Laut der Überraschung von sich und inspizierte die Börse: Sie trug die Initialen des Bestohlenen, aber natürlich war sie leer.

»Und raten Sie mal, was wir sonst noch bei ihm gefunden haben.«

So sehr Staben sich über den Fund freute, er war nicht in der Laune zu raten. »Was?«

Geringer ließ sich nicht erweichen. »Na, dann raten Sie doch mal!«

»Das Geld des Juwelenhändlers?«, bot Staben an.

»Tss«, machte Geringer.

»Juwelen?«

Geringer zischte nochmals. »Die Börse vom Lübbe.« Wie bei einem Kartenspiel den Trumpf schmetterte er die Lübbesche Börse auf den Schreibtisch.

Staben starrte den Gegenstand offenen Mundes an. *Wenn* in diesem Fall etwas von Anfang an sicher gewesen war, dann die Tatsache, dass diese Börse nie und nimmer wieder auftauchen würde. Nicht in diesem

Jahrhundert. Nicht im nächsten. Nicht, bis sie den Main trockenlegten. Und jetzt lag sie da, auf seinem Schreibtisch. Sah kein bisschen nass aus. »Wo haben Sie die denn her?«, fragte er misstrauisch.

»Von ...« Weiter kam der Befragte nicht, er verschluckte sich förmlich vor Aufregung.

»Lauter, sprechen Sie lauter!«

»Von dem Mann, der in der Anlage ...« Nur stockend kam der junge Dieb mit seiner Aussage vorwärts: Montagnacht, das heißt eher Dienstagmorgen, da war er durch die Anlagen gestreift und da hatte dieser Mann herumgelegen und geschlafen. Und er selbst hatte überhaupt kein Geld mehr gehabt und dann hatte er gedacht, der sieht aber reich aus, und ihm vorsichtig ins Sakko gelangt, das lag ein bisschen zur Seite.

Nein, eine Pistole hatte da bestimmt nicht gelegen, die hätte er wohl gesehen, wie gesagt, es war ja schon fast Morgen und langsam wurde es hell. Ja, doch, die Taschenuhr hatte er wohl bemerkt, aber er hatte gedacht, wenn er an der lange herummachte, davon würde der Mann sicher aufwachen. Nein, da war kein anderer in der Nähe gewesen, er hatte niemanden gesehen, der sich in den Büschen versteckt hatte. Weggelaufen war auch keiner.

Im Grunde war das nicht verwunderlich, überlegte Staben, denn wenn man dem Polizeiarzt auch nur ein bisschen Sachverstand zubilligen mochte, musste der Mord lange vor dem Morgengrauen geschehen sein. Nun war natürlich nicht auszuschließen, dass dieser Junge log und nicht nur ein Dieb, sondern auch der Mörder ... Staben nahm ihn ein wenig ins Kreuzverhör, befragte ihn mal in die eine, mal in die andere Richtung, bis schließlich Geringer zur Verteidigung einsprang. »Aber wieso denn, den Juwelenhändler hat er doch nicht erschossen, den hat er ja nicht mal bedroht, wo soll er überhaupt eine Pistole herhaben – also, ich glaub das nicht, dass der den Lübbe erschossen hat.«

Staben glaubte es auch nicht. Bloß war er verärgert, nun einen gefunden zu haben, der den toten Lübbe noch vor dem Dienstmädchen gesehen, ja sogar berührt hatte – und trotzdem nichts zu sagen wusste. »Und Sie haben kein bisschen gestaunt, dass so ein reicher Mann, wie Sie fanden, in den Anlagen liegt und schläft?«

Nein, merkwürdig hatte er schon ausgesehen, aber vielleicht war's ein Betrunkener oder so. – »Hat er denn stark nach Alkohol gerochen?« – »Eigentlich gar nicht, ich weiß nicht mehr.« Der Dieb geriet ins Stottern. »Eh-eh-ehrlich gesagt, ich hab mir gar nicht so viel gedacht.«

»Ein bisschen Denken hätte aber nichts geschadet!«, rief Staben und befürchtete schon, gleich falle der Junge in Ohnmacht. »Na, na. Ich wollte ja nur, dass Sie mir ein bisschen helfen.« Diese Hoffnung war allerdings vergeblich gewesen. Den Raubüberfall an dem Juwelenhändler hatten sie zwar nun aufgeklärt, aber für den Mordfall Lübbe war dieser Zeuge wertlos. Staben musterte den kleinen Kerl, der ihn aus sicherer Entfernung anblickte und unglücklich auf das nun Folgende wartete, und erklärte seinem Wachtmeister, er dürfe hinausgehen. Der junge Mann hingegen solle sich erst einmal setzen. »Jetzt kommen Sie her und wir machen das Protokoll.«

Er musste es noch einmal sagen, dann kam der Junge zaghaft zum Schreibtisch. »Name?« – »Konrad Schmitt!« – »Wohnhaft?« – Räuspern. »In der Wetterau.«

»Sie sind also nicht aus Frankfurt!«, bemerkte Staben streng. »Wo in der Wetterau?«

»Wickstadt«, piepste der Dieb.

Staben schaute hoch. Ach je! Herr Schmitt aus Wickstadt! »Hat Ihr Vater einen Hof? Ja? Wie viel Pferde?«

»Eineinhalb. Das eine ist lahm.« Bei der Erinnerung an den väterlichen Hof wurden des Jungen Augen feucht. Glaubte jedenfalls Staben zu sehen und schlug die Hände zusammen. »Wieso bist du aber überhaupt von da weggegangen, du hast es doch so gut gehabt zu Hause? Aber du wolltest dich ja unbedingt allein durchschlagen – und was hast du erreicht? Einen Toten überfallen und einen Lebenden. Also, wenn das dein Vater wüsste!«

»Sie kennen meinen Vater?« Stabens Strafrede bewirkte im Gegenteil, dass der Junge endlich Zutrauen zu ihm fasste. Unter vielen Unterbrechungen holte er zu Erklärungen aus. Zuerst hätte er diesem Lübbe die Börse abgenommen, aber das Geld wär gleich aufgebraucht gewesen. Und dann hätte er den Juwelenhändler überfallen, aber eigentlich hätte er ihn gar nicht überfallen. Er wohnte bei so einem jungen Mann und der wäre mit dem Juwelenhändler bekannt. »Wir müssen jetzt ein bisschen was herrichten«, hatte der gesagt und dann hatte er ihm ein großes Zimmer gezeigt, das war nach hintenraus gegangen, und da hatten sie einen Tisch und lauter Stühle aufgebaut. Dann kamen der Juwelenhändler und noch ein paar Männer und dann hatten sie angefangen.

»Womit?«, fragte Staben.

Sie hatten gespielt. Andauernd hatten sie geflucht, wenn sie verloren hatten, und gejubelt, wenn sie gewannen, aber am allermeisten hatte der Juwelenhändler gewonnen. »Das hab ich gesehen, weil ich hab ihnen Bier reingebracht.« Der Junge kicherte verlegen. »Ich hab ein bisschen was verschlabbert und deswegen hat der mir auch kein Trinkgeld gegeben. Die anderen schon, aber das hab ich meinem Freund geben müssen als Miete.«

Jedenfalls hatte er sich gedacht, das Trinkgeld hol ich mir noch, und war auf die Straße gegangen und hatte dort gewartet, bis die Männer wieder gegangen waren, und als er dann rauskam – der Juwelenhändler –, war er ihm ein Stückchen hinterhergegangen. »Der hatte doch sowieso so viel gewonnen, wissen Sie?« Zuerst hatte er gesagt, der Mann solle ihm ein wenig Geld abgeben, aber der hatte nein gesagt, ihn anscheinend nicht mal erkannt. »Dann geben Sie mir halt die ganze Börse!«, hatte er darauf gesagt und der andere war ganz erschrocken gewesen und hatte sie auch sofort herausgerückt. Nein, eigentlich hatte Konrad Schmitt gar nicht vorgehabt, etwas zu stehlen. Aber er hatte doch kein Geld mehr gehabt! So war's gewesen.

»Ja, man muss erst lernen, mit Geld umzugehen«, sagte Staben weise und räusperte sich. »Wir werden jetzt diesen Herrn aufsuchen. Nein, keine Angst, er wird dich schon nicht umbringen. Mitkommen musst du allerdings. Wir haben ja jetzt dein Geständnis, das Protokoll nehmen wir gleich mit, das soll der Juwelenhändler mal unterschreiben.«

Es kam, wie Staben es vorausgesehen hatte. Als er hörte, dass der Dieb gefunden worden sei, zeigte sich der Juwelenhändler überglücklich. Als ihm aufging, dass der Dieb wie auch der junge Mann, dessen Gastfreundschaft er genossen hatte, vor Gericht aussagen würden, schwand das glückliche Lächeln dahin. Das wollte er ja nun nicht, dass da sein ganzes Privatleben vor Gericht ausgebreitet würde, samt seinen im Prinzip harmlosen Freizeitvergnügen, die der Gesetzgeber aber bedauerlicherweise verboten hatte und vor Gericht daher wohl auch keine Billigung finden würden.

Schließlich zog der Bestohlene die Anzeige zurück und bevor er es sich noch einmal anders überlegen konnte, nahm Staben den Schmittschen Sprößling unter den Arm, ignorierte die Flut von dessen Dankbarkeitsbezeugungen und schleifte ihn zu seinem Besten aus des Juwelenhändlers Räumlichkeiten auf die Straße. Von da dirigierte er ihn westwärts.

»Wo gehen wir denn hin?«, fragte Schmitt junior.

»Zum Bahnhof.« Staben spendierte ihm höchstpersönlich eine Fahrkarte, gültig für den heutigen Tag, und achtete darauf, dass er auch tatsächlich einstieg. Als der Zug losfuhr, kam der Schopf noch einmal heraus und winkte zaghaft, Staben winkte zurück. Dann fanden sie beide, dass ihr Kontakt so herzlich und familiär nun doch nicht gewesen war, und wandten sich ab.

Der arme Kerl würde es nicht leicht haben, zurück auf dem väterlichen Hof. Aber was, bitte, hätte Staben noch für ihn tun können? Ein guter Mensch war er, befand Staben, fast schon ein Held. Das hätte diese Anwaltstochter mal sehen sollen. »Auf verschiedenen Seiten!« Sorgfalt und Unvoreingenommenheit, da gab es keine zwei Seiten.

Er lockerte den Kragen, öffnete den obersten Knopf seiner Uniformjacke und hoffte, dass ihm kein Kollege auf dem Weg entgegenkam. Das Mittagessen, entschied er spontan, werde er bei Frau Elbert einnehmen. Nicht, dass sie darauf eingerichtet wäre. Aber er musste unbedingt sein Zimmer aufsuchen, denn in dieser Kleidung hielt er es keine Minute länger mehr aus.

Von oben nach unten, pflegte seine Mutter früher zu mahnen, du musst deine Jacke schön langsam der Reihe nach aufknöpfen, von oben nach unten. Staben, inzwischen zwar erwachsen, zerrte immer noch mit beiden Händen an den nächst greifbaren Knöpfen, wenn er es eilig hatte.

Und er hatte es eilig. Er hoffte ungeduldig auf Erleichterung, riss sich die Uniformjacke vom Leib und die Strafe kam sofort. Ein kleines Geräusch, Staben ging auf die Knie, rutschte halb unter das Bett. Dass aber auch die allerkleinsten Sachen, die einem verloren gingen, sich am weitesten davonbewegen mussten! Zuerst fluchte er, dann fing er an zu jubilieren. Der Knopf, der Knopf!

Er lief die Treppe hinunter, wieder hinauf, zog ein frisches Hemd an und machte sich auf die Suche nach Frau Elbert, die nichtsahnend in der Küche herumschaffte. »Frau Elbert, ich möchte Sie um etwas bitten.«

»Um was denn?«, fragte die verdutzte Hausfrau.

»Dieser Knopf hier …«

»Einen Knopf? Ja, sagen Sie's doch gleich. Wenn Sie wollen, kann ich ihn sofort für Sie annähen. Nein, nein, das macht keine Mühe. – Was?«

»Es geht gar nicht um diesen Knopf, sondern um einen ganz anderen.« Staben brauchte ein Weilchen, bis er Frau Elbert erklärt hatte, um welche Gefälligkeit er sie bitten wollte. Es war ja auch ein wenig verwickelt. Und es war unklar, ob sie einer solchen Unternehmung überhaupt zustimmen würde, weswegen Staben seine Bitte mit vielen Wenns, Vielleichts und ›Ich-hoffte-Sie-Würdens‹ schmückte.

Sie stimmte zu. Sie war nachgerade begeistert! »Ja, meinen Sie denn, dass ich das kann?«, fragte sie bescheiden und reckte sich schon nach der Garderobe. »Also, Sie geben mir einen Knopf und mit dem gehe ich zu ihr nach Hause und dann frag ich, ob sie einen ähnlichen hat?«

»Nicht einen ähnlichen. Genau den gleichen. Nämlich den, den Lübbe verloren hat ...«

»... wo er schon tot war. Der arme Mann.« Sie drückte ihren Hut zurecht. »Wo ist er denn nun, der Bruder von dem Knopf, den ich suchen soll?«

»Die anderen Knöpfe sind noch da, wo sie hingehören«, sagte Staben und nahm Frau Elbert einstweilen den Hut wieder ab, »nämlich am Sakko des Verstorbenen. Das müssen wir erst einmal herholen lassen.« Geringer wurde antelefoniert und beauftragt, das entsprechende Kleidungsstück schnellstmöglich zu den Elberts nach Hause zu bringen. »Schnellstmöglich«, wiederholte Staben, »und damit meine ich: sofort. Gehen Sie bitte jetzt sofort los!«

»Erst noch das Brötchen ...«, probierte Geringer.

»Das essen Sie auf dem Weg!«

Das Lübbesche Sakko war voller Krümel, als der Wachtmeister bei der Elbertschen Villa vorstellig wurde. »Diesmal hab ich es viel besser gefunden, ich bin nämlich nicht zuerst über die Bockenheimer, sondern direkt von den Anlagen beim Goethe-Denkmal in die Guiolett-Straße ...«

»Da steht aber doch das Guiolett-Denkmal«, wunderte sich Frau Elbert.

»Hätten Sie's nicht einpacken können?«, versuchte Staben die Rede wieder auf das Sakko zu bringen und verwirrte damit beide. »Ich spreche von dem Sakko, das ist immerhin ein Beweisstück!«

Schuldbewusst gab sich Geringer alle Mühe, die Krümel herunterzuwedeln, und sah mit Entsetzen, dass

Frau Elbert ganz energisch einen Knopf abriss. »Ich denk, es is ein Beweisstück?«, empörte er sich.

Das gehe schon alles mit rechten Dingen zu, erklärte Staben beruhigend und Frau Elbert rauschte durch die Tür. »Brauchen Sie mich für sonst noch was?« Geringers Blicke zeigten, dass er sich gern, sehr gern etwas umgesehen hätte, jetzt, wo die Hausherrin weg war, aber Staben schickte ihn zurück ins Präsidium.

Was er kurz darauf bereute. Das Dienstmädchen war nicht zu Hause. Herr Elbert war nicht zu Hause. Da war niemand, mit dem er reden konnte. Nichts, das ihn ablenkte. Nur im Ofen stand ein großer Topf mit dem Mittagessen. Staben hätte ihn nicht bemerkt, wenn er nicht von allein auf sich aufmerksam gemacht hätte. »Ja, was riecht denn hier so?«, fragte er und lief nervös im Flur auf und ab. Es roch ein wenig nach Essen, aber vor allem – da war etwas verbrannt! Nicht ganz klar denkend, lief Staben in den Salon, um den Kamin zu überprüfen und festzustellen, dass der zumindest an *diesem* Sommertag nicht in Betrieb genommen worden war.

Mit seiner zweiten Vermutung lag er richtig: die Küche! Staben suchte nach dem Griff des Ofens, zog halbherzig an dem Topf, verbrannte sich, kühlte seine Hand unter fließendem Wasser, machte dann die Klappe auf, damit die Glut schneller verging, kühlte sich noch einmal die Hand. Als seine Rechte wieder einsatzbereit und zwei dicke Tücher gefunden worden waren, der Braten endlich heraus war, auf dem Tisch stand und einen dunklen Ring in das Holz brannte, da war das Mittagessen bereits verdorben. Immerhin konnte sich Staben mit dem Untersuchen der dunklen Kruste auf dem Topfinnenboden eine weitere lange Viertelstunde vertreiben.

Die Tür fiel ins Schloss und der Kommissar schoss in den Flur.

»Da bin ich wieder! Ha, das war nicht leicht. Nein, leicht war es wirklich nicht!« Frau Elbert hob dramatisch die Hände, entledigte sich ihres Hutes und kostete ihren Wissensvorsprung weidlich aus. »Diese Frau ist ja schwer von Begriff! Also, das sag ich nur unter uns, nicht dass ich schlecht von meinen Mitmenschen denke.«

So schwer von Begriff aber auch! Natürlich hatte Frau Elbert ohnehin nicht sofort auf das Knopfproblem zu sprechen kommen können, das wär ja ein wenig unglaubhaft gewesen, schließlich kannte sie diese Leute gar nicht so gut. Also hatte sie sich eine gute Ausrede zurechtgelegt und auf diesem Umweg …

»Was haben Sie ihr denn gesagt?«, wollte Staben wissen.

Sie sei wegen der Straße zu den Kettenhöfen gekommen, der Lübbe-Gott-hab-ihn-selig wollte die doch befestigen lassen und jetzt, wo er gestorben wär, hätte sie gedacht, es wäre eine schöne Geste, wenn man's ihm zuliebe noch diesen Herbst richten ließ. Bei diesem Thema hatten sich die beiden Damen erst einmal eine halbe Stunde lang aufgehalten und dann hatte Frau Elbert wie zufällig über ihren Mann zu klagen begonnen, von Frau zu Frau, dass der so oft seine Knöpfe verlor und wie schwer es sei, anständige Knöpfe für ein gutes Sakko zu bekommen, die bekäme man nur noch einzeln, und so weiter und sofort.

»Mindestens ein halbes Dutzend Mal hab ich's gesagt, bis sie dann endlich gesagt hat, sie könne ja mal nachgucken, ob sie einen von der Sorte hätte. ›Ach, machen Sie sich keine Mühe, es ist ja sowieso recht unwahrscheinlich‹, hab ich gesagt. Ich Depp! Da sagt sie doch, das stimmt, so viele Knöpfe hätte sie nicht und seine Sakkos für tagsüber kaufe ihr Mann auch meistens von der Stange, in Berlin, also, da hätte sie bestimmt keinen passend.«

Zum Glück war Frau Elbert mit schneller Auffassungsgabe gesegnet. »Ja, aber *grad weil* solche Knöpfe so selten wären, hab ich gesagt, gerade deswegen sollte man jede noch so geringe Schangse nutzen. Ich hab völlig verzweifelt getan, als ob es um unser allerletztes Hemd ginge. Die Frau steht also endlich auf, holt ein Glas aus dem Wohnzimmer – ein Weckglas, ich bitte Sie! *Wir* haben dafür eine Schatulle, rotgolden, mit Leder. Aber manche Leute wissen ja nicht, worauf es ankommt. Sie holt also dieses Glas und wühlt darin herum, und was finden wir?«

»Den Knopf!«, schrie Staben.

»Den Knopf.« Sie holte ihn heraus und ehrfürchtig übergab sie das Beweisstück. »Ja, wo haben Sie denn den her, frag ich sie, ganz harmlos, und sie – also, die Frau hat ja kein Gedächtnis. Och, vielleicht schon länger oder noch von ihrer Mutter geerbt. ›Der ist doch ganz neu‹, sag ich. Ach so, sagt sie. Das würde mich wegen dem Nachkaufen interessieren, habe ich behauptet, für den Fall, dass noch mal einer abfällt.« Endlich war es dieser vergesslichen Person eingefallen: Beim Ausbürsten hätte sie ihn in der Hosentasche ihres Mannes gefunden und zu den anderen getan. »Man kann ja nie wissen, wofür man es noch einmal braucht!« – »Man kann nie wissen«, hatte Frau Elbert geantwortet und war davongeeilt.

»Ich hätt 'nen Topf auf dem Feuer, hab ich behauptet, damit ich so schnell wie möglich nach Hause komm.«

Staben zeigte seine rechte Hand vor. »Da war auch ein Topf! Im Ofen, ich hab ihn herausgenommen.«

»Ei, Sie haben ja Blasen, da muss Butter drauf.« Frau Elbert rannte in die Küche. »Was ein Mallör, der ist ganz verkohlt und der Topf ist auch hinüber!«

»Die Polizei stellt Ihnen einen neuen.«

Diese Aussicht beruhigte Frau Elbert. Sie schabte in dem verkohlten Braten herum und kehrte wieder zu ihrem kürzlichen Erlebnis zurück. »Also, wo sie mir den Knopf gibt und sagt, nehmen Sie ihn ruhig, da hab ich mich geschämt. Richtig geschämt. Aber dann hab ich gedacht, dass es für eine gute Sache ist, und bin heim. Die arme Frau. Nein, die *arme* Frau! Was sie mir *Leid* tut! – Ich glaub, man könnte das von oben noch essen, wenn ich's vorsichtig abnehme. Und wenn Sie's bloß nicht meinem Mann sagen! Zum Essen bleiben Sie doch wohl noch?«

Staben versprach, Herrn Elbert gegenüber das kleine Missgeschick nicht zu erwähnen, aber beim Verzehr der vorsichtig abgenommenen Reste des Bratens könne er leider nicht behilflich sein. Er habe noch so viel zu erledigen! Zu Fuß machte er sich auf den Weg zum Clesernhof und ging dabei kurz an der Oper vorbei.

Wie auf Kohlen saß er dann vor dem Polizeipräsidenten. Der war den ganzen Nachmittag außer Haus gewesen, hatte sich erst am Abend für ein Gespräch bereit gefunden – nun zog sich dieses auch noch in die Länge. Ausführlich hatte Staben seine Thesen dargelegt, die Fotografie mit Lübbe in London vorgezeigt, einen Knopf auf den Schreibtisch kullern lassen. Bat um eine Erlaubnis, Geschäfts- und Privaträume des Mörders zu durchsuchen.

»Das ist aber eine merkwürdige Geschichte«, meinte der Polizeipräsident unsicher. »Es klingt alles ein wenig … kompliziert. Da wurde einer erschossen, schön und gut. Aber so viele Umwege?« Er schaute Staben hilfesuchend an.

»Ich kann nichts dafür«, erklärte Staben rasch. »Nicht ich habe mir den Mord so zurechtgelegt, sondern der Mörder.« Er merkte, dass der Polizeipräsident seinen Ausführungen nicht ganz hatte folgen können. »Ich habe eine genaue Tabelle davon angefertigt. Wenn Sie sich die einmal ansehen möchten?« Er reichte den von Fräulein Stern beschriebenen Aktendeckel über den Tisch.

»Ihre Handschrift gefällt mir nicht«, murmelte der Polizeipräsident.

»Das ist nicht meine«, verteidigte sich Staben wahrheitsgetreu und log dann weiter, »sondern die von Geringer.« Dafür würde er Geringer ein Bier ausgeben müssen. Oder auch zwei.

»Irgendwie weibisch.« Sein Gegenüber schüttelte missbilligend den Kopf. »Versteh ich auch nicht. Da steht doch ganz klipp und klar drin, dass unser Mann bis in die Nacht beschäftigt gewesen ist.«

»Aber das ist es doch gerade!«, rief Staben ungeduldig. »Nachdem er dafür gesorgt hat, dass jedermann denken musste, der Mord sei wesentlich später geschehen, hat er sich darum gekümmert, dass er von dieser Zeit an ständig von jemandem gesehen wurde. In Wahrheit ist der Mord aber viel früher geschehen, vielleicht sogar schon kurz nach Geschäftsschluss um acht.«

»Ach so.« Nochmals ging der Polizeipräsident die einzelnen Schritte des Mörders nach. »Kann man ja nicht verstehen, so wie Sie's hier aufgeschrieben haben oder der Wachtmeister Geringer. Na gut. Aber …«, seine Blicke kündigten Staben eine bedeutende Bemerkung an, »… um acht ging die Sonne doch grad erst unter. Lauter Spaziergänger. War das nicht ein bisschen leichtsinnig gewesen, jemanden mitten in den Wallanlagen zu erschießen?«

»Deswegen hat der Mörder sein Opfer eben nicht dort, sondern im Geschäft erschossen. Deswegen und wegen der Geräusche – ein Schuss ist nämlich kaum zu überhören. Um halb zehn hingegen, da war es bereits dunkel.«

»Aber wenn doch so ein Treffen ausgemacht war, wieso hat er ihn dann nicht an einem anderen Abend erschossen?«

»Das Treffen kam ihm doch sehr gelegen. Sonst hätte er nicht beweisen können, dass Lübbe abgesagt hat.«

»Ich denke, das hat er gar nicht!« Da kam der Polizeipräsident nicht mehr mit.

»Hat er auch nicht. Aber indem der Mörder selbst das Treffen absagte, konnte er es so aussehen lassen. Weil dann jemand es bezeugen konnte.«

»Da konnte jemand was bezeugen, was gar nicht so war?« An den Gedanken musste der Polizeipräsident sich erst einmal gewöhnen. Er zwirbelte seinen Schnurrbart, dachte noch ein wenig nach und fand das Ganze jetzt sehr plausibel. Seine anfängliche Skepsis war natürlich allein der ungründlichen Darstellung des Kommissars geschuldet gewesen. »So, wie Sie es *jetzt* schildern«, sagte er zufrieden, »klingt das doch sehr schlüssig. Natürlich, da haben wir es nicht mit einem gemeinen Straßenmörder zu tun. Ein sehr raffinierter Plan, also, wirklich.« Er lehnte sich in seinem Sessel nach hinten und stellte sich genüsslich vor, dass alles so gewesen war, wie Staben behauptete. Aber die Beweislage … Er starrte auf seinen Schreibtisch. »Außer diesem Knöpfchen da haben Sie nichts vorzuweisen?

Und einem Zeugen, der sich erinnert, dass jemand einen Hut aufhatte?«

»Einen Zylinder und dieses Sakko«, korrigierte Staben. Bisher seien das leider in der Tat die einzigen Indizien, denn es werde sicher noch Tage, wenn nicht Wochen dauern, bis der Zoll und die englische Polizei mit Ergebnissen aufwarten konnten. »Aber ich stelle mir das so vor ...« Er bekam wieder Auftrieb. Bei der Konfrontation mit Stabens scharfsinnigen Überlegungen würde der Mörder sich ertappt und daher unsicher fühlen und wenn er ihm dann noch den Knopf vorlegte und ihn auf seine ungewöhnliche äußere Erscheinung ansprach, dann würde er mehr oder weniger zusammenbrechen und der Reihe nach alles gestehen.

»So«, meinte der Polizeipräsident. »Ja, das könnte natürlich sein. Wird trotzdem eine sehr heikle Sache. Möchten Sie den Mann selbst verhaften?«

Selbstverständlich wollte Staben das.

»Dann schlage ich vor, Sie nehmen den Kommissar Rauch mit. Der ist schon etwas vertrauter mit den hiesigen Verhältnissen, die Frankfurter kennen ihn, und der hat dieses Fingerspitzengefühl ...«

»Kommissar Rauch ist krank«, erinnerte Staben.

»Richtig«, meinte der Polizeipräsident und rief etwas unvermittelt: »Zum Glück esse ich keinen Fisch!« Dass Rauch hingegen geradezu üppiger Fischverzehrer war, war der Grund gewesen, weswegen er die gestrige Geburtstagsfeier seines Vaters vorzeitig verlassen und den Rest des Abends auf dem stillen Örtchen verbracht hatte. Der Arzt wurde gerufen und hatte bestätigt, dass der Fisch verdorben sei. Den solle man gleich wegwerfen. Und was sie mit dem Kommissar Rauch tun sollten, hatte Rauchs Gattin gefragt? Wie wolle der Arzt den wieder auf die Beine bekommen? »Nun«, der Arzt war voll Zuversicht gewesen, »der wird schon wieder. Jetzt muss erst mal alles raus.« Also verbrachte Rauch die Nacht damit, alles rauszuschaffen, und war damit immer noch nicht ganz fertig.

»Es ist ein Jammer. Dann müssen Sie wohl ohne Kommissar Rauch gehen«, meinte der Polizeipräsident bedauernd – nicht so sehr wegen der Fischvergiftung, denn Magenverstimmungen hielt er für überflüssige Sperenzchen verweichlichter Männer, sondern mehr deswegen, weil es doch schön gewesen wäre, wenn sein Schwiegersohn in dem Protokoll der Verhaftung erwähnt würde. Aber Zügigkeit, so hieß des Polizeipräsidenten erstes Prinzip und da hatte sein Schwiegersohn wohl leider Pech gehabt.

»In den Monaten ohne R sollte man ohnehin keinen Fisch essen«, brummte der Polizeipräsident – oder waren es Muscheln? Er ging zum Telefon, um sich mit dem Richter verbinden zu lassen.

Kommissar Staben wurde also angehalten, genügend Verstärkung mitzunehmen und die Sache zügig zu Ende zu bringen. Er versammelte Geringer und einen weiteren Wachtmeister um sich und trieb sie zur Eile an. »Ja, Ihre Uniform sitzt! Wir gehen schließlich nicht zum Fotografen!«

»Ich habe doch noch nie«, japste Geringer und hechtete Kommissar Staben hinterher, »ich hab doch noch nie einen Mörder verhaftet. Mein Gott, wenn ich das meiner Frau erzähle.«

Staben gönnte sich und den beiden Wachtmeistern

eine kleine Verschnaufpause. »Geringer, ab und zu muss ich mich über Sie wundern. Übrigens haben Sie ein Bier bei mir gut. Oder auch zwei.«

»Warum?«, fragte Geringer und erhielt keine Antwort, der Kommissar war schon wieder in den Laufschritt verfallen. Wenn sie den Mann noch in seinem Geschäft antreffen wollten, mussten sie sich beeilen. Und eine Verhaftung in einem Geschäft war für alle Beteiligten angenehmer als eine vor versammelter Familie.

Der Konfektionär war gerade dabei, nach dem Schlüssel zu tasten, und zeigte sich wenig aufgeschlossen, als die drei Unifomierten in seinen Laden einfielen und Kommissar Staben an deren Spitze erklärte, er müsse ihn in dringender Angelegenheit sprechen.

»Ja, wär das denn nicht vor einer halben Stunde gegangen? Jetzt mache ich zu«, knurrte Peschmann, rückte seinen Hut zurecht und drehte das Gas aus. Draußen dämmerte es bereits und nur in Umrissen sah Staben, wie sich eine Figur neben ihm auf den Schatten vor ihm stürzte, sie bildeten ein Knäuel, rangen um wer weiß was. Dann hörte man das Rascheln von Streichhölzern und das Licht ging wieder an.

Geringer lag am Boden. »Der wollte sich davonmachen!«, erklärte er stolz und hielt Peschmann fest umklammert.

»Das glaube ich kaum«, meinte Staben, »aber es war eine gute Idee von Ihnen, eine Lampe anzumachen.«

»*Ich* habe die Lampe angemacht!«, korrigierte Peschmann und schaute böse zu Geringer nach unten. »Ich wollte sehen, welcher Verrückte sich da plötzlich auf mich stürzt. Lassen Sie meine Beine los!«

»Lassen Sie ihn ruhig los«, wiederholte Staben etwas freundlicher und Geringer trennte sich zögernd von seinem Opfer. »Herr Peschmann, ich möchte mir gern Ihren Lagerraum ansehen.« Staben wedelte gewichtig mit einem Blatt Papier. »Ich habe eine richterliche Erlaubnis.«

Peschmann war überrascht. Zwar war er weitsichtig und wollte die Erlaubnis auch gar nicht sehen. »Aber selbst wenn Sie meine Räume durchsuchen dürfen, hätten Sie wohl die Güte, mir zu erklären, warum Sie das wollen?«

»Die Güte werde ich haben, wenn wir da sind«, gab Staben zurück und stolperte fast über eine Handkarre bei dem Versuch, im Vorbeigehen an ein Fenster zu klopfen, das nach hinten hinaus ging. »Bekommen Sie über diesen Hinterhof Ihre Lieferungen?«

»Ja, allerdings werden sie nicht durch das Fenster hereingereicht. Wir haben natürlich eine Hintertür. Wie fast alle Läden hier auf der Zeil.«

»Eine Hintertür«, wiederholte Staben. Schon als er das erste Mal bei Lübbe & Sohn gewesen war, hatte er sich für die dortige Hintertür interessiert. Nächstes Mal würde er derlei unerklärliche Ahnungen gleich in seine sorgfältigen Untersuchungen mit einbeziehen, nahm er sich vor. Denn durch diese Türen konnte man in den Hinterhof treten und von da aus war der Weg zu den angrenzenden Grundstücken unverstellt. Peschmann war also hinten herum zu Lübbe & Sohn hinübergegangen … – Staben wollte Peschmann mit dieser Überlegung konfrontieren, aber der stieg bereits die Treppe hinauf.

»Wo wolln Sie denn jetzt hin?«, fragte Geringer misstrauisch. »Der Herr Kommissar wollte in das Lager!«, knurrte Peschmann, nicht ganz zu Unrecht, und die kleine Prozession setzte sich in Bewegung. »Welches Lager überhaupt? Das mit den fertigen Waren oder das mit den Stoffen?«

Letzteres, erklärte Staben und war wider Willen beeindruckt, als sie in einen großen Raum geführt wurden, in dem sich Stoffe verschiedenster Farben und Materialien in Ballen bis zur Decke stapelten. »Da haben Sie aber kürzlich eine große Lieferung bekommen – was soll das werden?«

»Anzüge.«

»Hatten Sie nicht schon einmal Herrenanzüge produziert, aber niemand wollte sie kaufen?«

»Jetzt probiere ich es eben noch mal.«

»Ist das hier englisches Tuch?«

»Nein«, erklärte Peschmann. Es komme aus Berlin. Englisches Tuch verwende er nicht.

Staben kam sich ein wenig kindisch vor, als er darauf beharrte, es sei doch aus England. Er zog eine Fotografie hervor und hielt sie dem Konfektionär unter die Nase. »Von diesem Händler aus London vermutlich, der neben dem Lübbe. Kennen Sie ihn?« Peschmann verneinte und Staben packte die Fotografie wieder weg. »Das müssten Sie aber. Denn vor zwei Jahren bereits, als Sie Ihre Herrenanzüge anfertigen wollten, haben Sie sich von ihm beliefern lassen. Allerdings haben Sie den Stoff nicht direkt aus London kommen lassen, sondern zusammen mit anderen über Berlin. Deswegen glaube ich, auch diese Ballen stammen ursprünglich aus England. Als Sie damals mit der Herrenkonfektion …«

»Lassen Sie die Pfoten von den Maschinen!«, rief Peschmann erbost in Geringers Richtung. »Das ist gefährlich!«

»Geringer, die Maschinen interessieren uns nicht. – Herr Peschmann! Als Sie damals mit der Herrenkonfektion angefangen haben«, begann Staben von neuem, »haben die Kunden schnell festgestellt, dass Ihre Anzüge mit denen von Lübbe mithalten können – von der Verarbeitung her und auch vom Stoff. Der, wie Sie schon damals jedem, der es wissen wollte, sagten, aus Berlin kam.« Das Geschäft mit den Anzügen war hervorragend gelaufen, ein halbes Jahr lang, und für Lübbe & Sohn wäre es der Untergang gewesen. Aber da fuhr Lübbe nach London auf die Messe, und per Zufall: Er traf einen Händler, der ahnungslos behauptete, Peschmann zu kennen und zu beliefern. Das kam Lübbe verständlicherweise nur allzu recht, er notierte sich die Adresse des Mannes, ließ sich mit ihm fotografieren. Vielleicht hatte er Peschmann sogar eine solche Fotografie mitgebracht, mit Sicherheit hatte er ihn jedenfalls von seiner Entdeckung unterrichtet. Peschmann ließ daraufhin davon ab, seine Anzüge herzustellen, und erzählte unter allen Kollegen herum, es wäre nicht gut gelaufen. Im Gegenzug sah Lübbe von einer Anzeige ab.

Bedeutungsvolle Pause. »Anzeige wegen was, wollen Sie wissen?«, fuhr Staben fort. Peschmann hatte keinen Laut von sich gegeben. »Wegen Umgehung der Einfuhrzölle. Das ist ein Verbrechen, aber es ist nicht das Verbrechen, weswegen wir hier sind. Wir sind hier wegen Mordes.«

Geringer hörte den letzten Satz mit großer Befriedigung.

Peschmann war in die Hocke gegangen, untersuchte die Webkante eines Stoffes und enthielt sich jeder Äußerung.

Staben sah sich gezwungen weiterzureden. Als Metzler nämlich begann, sich für die Grundstücke auf der gegenüberliegenden Seite zu interessieren, musste nicht nur Lübbe & Sohn um seine Kundschaft fürchten, sondern auch Peschmanns Konfektionshaus. Lübbe wollte zwar vorschlagen, die beiden sollten sich zusammentun, und hatte als Vermittler sogar noch Kobisch dazugeladen für den Montagabend. »Bloß lag es gar nicht in Ihrer Absicht, sich mit irgendjemandem zusammenzutun. Wenn Sie rasch genug in die Herrenkonfektion einstiegen, haben Sie gedacht, dann könnten Sie es mit dem Metzler schon allein aufnehmen. Wäre da bloß die Sache mit dem englischen Tuchhändler nicht gewesen …«

Peschmann unterbrach. »Ich dachte, ich hätte es Ihnen bereits gesagt: Lübbe hat mich am Nachmittag angerufen und das Treffen abgesagt. Ein Glück für mich, denn diese neue Lieferung …«

»*Sie* haben angerufen!«

»*Ich* habe mich angerufen?«, wiederholte Peschmann.

»Sie haben bei Kobisch angerufen, sich als Lübbe ausgegeben und das Treffen abgesagt.«

»Wieso?«, wollte Geringer in aller Unschuld wissen.

»Damit er mit ihm allein war«, erklärte Staben verärgert, »und damit er ihn erschießen konnte. Während Kobisch in aller Unschuld nur bestätigen konnte, das Treffen habe nicht stattgefunden.«

»Mein Gott!«, entfuhr es Geringer. »Wenn ich das meiner Frau erzähle …«

Staben gab sich Mühe, seine Aufmerksamkeit wieder auf den Konfektionär zu lenken. Durch die Hintertür hatte Lübbe Peschmann eingelassen. Entweder ließ er sich nicht umstimmen und Peschmann hatte ihn im Streit erschossen. Oder dessen Entschluss stand schon längst fest – eine Pistole hatte er jedenfalls schon dabei. Staben persönlich glaubte ja, das ganze Verbrechen sei schon genau geplant gewesen. Denn so kaltblütig hatte Peschmann das Geschehen zu vertuschen gewusst.

»Vorausschauend haben Sie Lübbe am Hinterkopf

erschossen, wo es nur zu geringeren Blutungen kommen würde ...« Denn dann hatte Peschmann selbst das Sakko des Toten übergezogen – an dieser Stelle weiteten sich Geringers Augen vor Entsetzen – und sein eigenes bei Lübbe & Sohn gelassen. Als es ganz dunkel war, war er an Lübbes Stelle aus dem Laden getreten, hatte abgeschlossen und hinübergewunken zum Tabakladen, wo die zweite Schicht Arbeiter die Tabakwicklerinnen schon längst abgelöst hatte. Die Männer sahen die etwas altmodische Kleidung und den großen Zylinder und nahmen an, jetzt endlich ginge Lübbe nach Hause. »Aber stattdessen waren Sie es, der die Zeil entlangschlenderte bis zur Oper und dann sind Sie weiter zu den Haasens gefahren – möglicherweise wohl wissend, dass der Mann gar nicht zu Hause war. An diesem Abend waren Sie sehr rührig, Sie haben sich unübersehbar gemacht. Das ist ein ganz ausgeklügelter Plan gewesen.«

»Das Kompliment fällt auf Sie zurück«, entgegnete Peschmann. »Denn schließlich haben Sie es sich ausgedacht.«

Staben flehte zu Gott, dass dies nicht stimmte. »Reine Phantasie, meinen Sie? Nun, reine Phantasie hinterlässt keine sichtbaren Spuren in der wirklichen Welt. Sie haben aber eine Spur hinterlassen.« Staben streckte triumphierend die Hand aus und Peschmann rückte wieder von ihm ab, um das Beweisstück in all seiner Winzigkeit überhaupt zu erkennen. »Ein Knopf? Das ist richtig, in meinem Geschäft nähen wir Knöpfe an. Knöpfe und Anzüge, das sind die sichtbaren Spuren, die ich in der Welt hinterlasse, wenn ich einst sterbe. Darf ich nun nach Hause? Meine Frau erwartet mich.«

Das sei aber kein Knopf aus dem Geschäft, das sei der Knopf, der an dem Sakko des Toten fehle. Und den habe Staben bei Peschmann zu Hause gefunden, im Knopfglas von dessen Frau. Die wiederum hätte ihn vor wenigen Tagen in einer Hosentasche gefunden, habe Frau Peschmann gesagt.

»Meine Frau?«, rief Peschmann entsetzt. Jetzt verrät er sich, frohlockte Staben ein wenig verfrüht. »Sie haben meine Frau mit diesem Unsinn belästigt? Ein Grund mehr, dass ich sofort nach Hause gehe. Wenn Sie erlauben?«

Staben erlaubte es nicht. »Ich habe mich gleich gewundert, warum der Knopf fehlt. Aber es ist nicht leicht, einem Toten das Sakko ordentlich auszuziehen. Er liegt am Boden, man muss rollen und drehen, ein Leichnam ist schwer.« Staben streckte eine Hand aus, um den schwankenden Geringer zu stützen, und lehnte ihn gegen einen Ballen dunkelgrauen Tweeds. »Dabei rollt ein Knopf zu Boden. Sie heben ihn auf, denn sonst könnte er den wahren Tatort verraten.«

»Eine Gewohnheit von mir.« Peschmann drehte den Knopf zwischen den Fingern und lächelte liebenswürdig. »Im Detail kann ich Ihnen natürlich nicht zustimmen. Aber ganz allgemein ist es eine Gewohnheit von mir, Knöpfe aufzuheben, wenn sie am Boden liegen. Schließlich lebe ich unter anderem von Knöpfen! Wo ich den da herhabe – *wenn* meine Frau ihn wirklich in meinem Anzug gefunden hat –, also, das kann ich natürlich nicht mehr sagen.«

Auf die Präsentation seines ersten, zugegebenermaßen recht kleinen Indizes hatte Peschmann sehr souverän reagiert, musste Staben enttäuscht feststellen. Aber er hatte ja noch ein zweites: Der Angestellte der Oper, mit dem er noch am heutigen Nachmittag gesprochen hatte, konnte sich gut an Peschmann erinnern. Als der am Montagabend während des dritten

Aktes der ›Undine‹ noch um Einlass gebeten hatte, hatte er ein auffallendes Sakko und einen ebenso auffälligen Zylinder getragen. »Einen Zylinder, wie ihn Lübbe zu tragen pflegte.«

Das sei richtig, bestätigte Peschmann, geradezu berühmt sei Lübbe wegen dieses Zylinders gewesen. Trotzdem befinde sich Staben im Irrtum. Auch er selbst besitze mehrere Zylinder, einen großen und zwei kleinere. Er trage sie zwar nicht häufig, nicht einmal gern. Aber wenn er in die Oper habe gehen wollen, habe er vielleicht am Morgen einen aufgesetzt. Im Nachhinein könne er sich beim besten Willen nicht mehr an seine damalige Kopfbedeckung erinnern und habe daher keinen Grund, dem Gedächtnisvermögen eines Opernangestellten zu misstrauen.

Geringer und sein Kollege schauten ihrem Vorgesetzten gespannt zu. Da musste doch noch etwas kommen. Sicher hatte ihr Kommissar ein letztes, starkes Indiz in der Hinterhand.

Stattdessen sahen sie, wie Staben begann, nervös seine Hände ineinander zu verhaken. Vielleicht, begann er zu fürchten, fehlte ihm doch das Fingerspitzengefühl eines Kommissar Rauch? Nun war die letzte Gelegenheit, er musste sich schnell etwas zurechtlegen. »Ich habe unten im Flur eine Handkarre stehen gesehen. Die sich von anderen ihrer Art in keinem Detail unterscheidet. Außer darin, dass sie benutzt worden ist, einen Leichnam – Geringer, bitte nehmen Sie sich zusammen! –, Lübbes Leichnam in die Anlagen zu transportieren. Es war noch vor Tagesanbruch, das ist gewiss.« Hier holte er Luft. »Und als ich Ihr Hausmädchen danach fragte, hat sie sich auch tatsächlich erinnert, in den frühen Morgenstunden die Haustür schlagen gehört zu haben …«

»Welches Mädchen?«, wollte Peschmann wissen. »Wir haben zwei, wir haben auch eine Köchin. Wer hat da was gehört?«

Staben errötete. Mit Lügen tat er sich schwer. Eben hatte er ihn noch gewusst, jetzt fiel ihm der Name nicht mehr ein, jenes Dienstmädchens, das Peschmann die Milch warmgemacht und das Geringer verhört hatte. Er beugte den Kopf und tat so, als suchte er in seinem Notizheft. »Die Jüngere jedenfalls, so ein liebenswürdiges Geschöpf«

»Ob Sie vielleicht die Marianne meinen? Ja? Dann würde ich gern einmal wissen, wie die so etwas hören kann. Unsere Dienstboten schlafen unterm Dach und unser Haus hat immerhin zwei Stockwerke. Aber wenn Sie meinen.«

»Ich vertraue Ihrer Marianne.«

»Wir haben gar keine Marianne«, lachte Peschmann.

Staben nahm seine Niederlage seufzend hin. Er gab sich geschlagen. Kein Geständnis also, kein fulminantes Finale. Nicht einmal ein kleiner Versprecher. So wie es war, konnte sich höchstens ein anderer Kommissar seine Lorbeeren verdienen, indem er den Mörder ein zweites Mal verhörte. Oder es blieb dem Richter überlassen, diesen Mann aus seinem Schweigen hervorzulocken. »Trotzdem müssen wir Sie jetzt in Untersuchungshaft nehmen.« Wieder holte er ein entsprechendes Papier hervor.

Peschmann zögerte. Kurz streckte er die Hand aus, dann verzichtete er darauf, den Haftbefehl zu überprüfen. Geringer folgend, stieg er die Treppe hinab, ging an der Handkarre vorbei und langsam in den Verkaufsraum. »Darf ich das Licht wenigstens selbst ausmachen?«, fragte er und das war sein einziges Eingeständnis, dass er sich seiner Lage bewusst war. Am nächsten Abend würde nicht er es sein, der die Lampen wieder anzündete. Und dann packte Geringer seinen Arm und der andere Wachtmeister packte den anderen Arm und sie zerrten ihn hinaus auf die Zeil. In Westphals Geschäft auf der anderen Straßenseite war die Tagesschicht bereits längst zu Ende, ein paar verspätete Tabakwicklerinnen traten heraus und starrten neugierig herüber.

»Lassen Sie ihn wieder los«, ermahnte Staben die beiden übereifrigen Wachtmeister. »Er muss doch den Laden noch abschließen.« Und nachdem das getan war, nahm Staben dem Konfektionär die Schlüssel ab – für die morgige, gründliche Durchsuchung – und schweigend schritten die vier nebeneinander in Richtung Konstablerwache, zum Gefängnis.

Es ist Post für Sie gekommen. Hier ein Brief und dann noch ein Päckchen. Wurde beides persönlich abgegeben, das da von einem kleinen Jungen, und der Brief ...« An den Überbringer des Briefes konnte Lisbeth sich nicht mehr erinnern. Karoline drehte das Päckchen in den Händen. Es war in braunes Papier eingebunden, trug ihren Namen und Adresse, aber keinen Absender. Sie pulte das Papier auf, und darunter: Mehrere Lagen Zeitungspapier waren umeinandergeschlungen. Das war ja ein geheimnisvolles Paket! Das hob sie sich für später auf.

Erst kam der Brief. »Sehr geehrtes Fräulein Stern«, begann er. »Ich möchte mich in aller Form für Ihre wertvollen Hinweise bedanken, deren Bedeutung mir kurz nach Verlassen Ihres Hauses verständlich geworden ist. Noch heute hoffe ich zur Verhaftung zu schreiten.«

»Viel Glück«, murmelte Karoline.

Das einzig handfeste Indiz bestehe derzeit leider nur in einem Knopf, der beim Wechseln der Sakkos heruntergefallen und von dem nachlässigen Täter eingesteckt worden sei – aber das müsse Peschmann erst einmal erklären, wie er an diesen Knopf herangekommen sein wollte. Außerdem könnten Stabens englische Kollegen in den nächsten Wochen gewiss feststellen, wann Peschmann das letzte Mal von dem Londoner Händler beliefert wurde, und natürlich werde nachgeprüft, woher die Stoffballen in Peschmanns Lager stammten, mit Hilfe derer der Konfektionär die Produktion von Herrenanzügen hatte wiederaufnehmen wollen.

Karoline nickte zustimmend.

Im Nachhinein wolle er seine Bewunderung für den Scharfsinn ihrer rätselhaften Bemerkungen zum Ausdruck bringen, fuhr Staben fort, und er bitte vielmals um Verzeihung, wenn seine Abschiedsworte etwas harsch geraten wären und sie möglicherweise gekränkt hätten, was er keineswegs beabsichtigt habe.

»Pah!«, rief Karoline.

Ob Frau Kellermann etwa von Peschmanns Herrenanzügen gewusst habe oder ob sie über eine Scharade gesprochen hätten in diesem Gasthaus? Vielleicht hätten derartige Bemerkungen das Fräulein Stern auf die richtige Spur gebracht.

Karoline schüttelte den Kopf. Martha Kellermann hatte von Lübbes Einsatz gegen das Konfektionärswesen erzählt und von dem plötzlichen Erlahmen dieses Engagements vor zwei Jahren. Von Herrenanzügen war bloß im Zusammenhang mit dem George-Sandismus die Rede gewesen – und der ließ sich kaum als Scharade bezeichnen.

Selbstverständlich sei sie jederzeit eingeladen, schloss Staben höflich, im Präsidium vorbeizukommen. Für den Fall, dass sie um den weiteren Verlauf der Dinge wissen wolle. Vielleicht, dachte Karoline. Vielleicht würde sie es tatsächlich tun. Sie legte den Brief auf ihren Schreibtisch, widmete sich ihrem Päckchen.

Die Zeitungen erwiesen sich als wenig spektakulär, es waren alte Ausgaben von Frankfurter Blättern aus diesem Sommer. Ob jemand wollte, dass sie nochmals die hitzigen Debatten zur Friedhofsschlacht nachvollzog? Nein, die Zeitungen dienten nur als Hülle, dann kam der Inhalt zum Vorschein: alte Nummern der ›Frau im Staate‹. »Die hat mir sicher die Anna geschickt!«, rief Karoline überrascht, legte die Zeitungen dann aber schnell beiseite.

»Karoline, was muss ich wieder hören?«, rief eine verärgerte Stimme schon durch den Flur. »Karoline! Da habe ich meinen Schwiegersohn auf der Zeil getroffen, er wollte grade nach Hause. Du hast die Friederike gestern mit auf einen Vortrag genommen!«

»Das stimmt«, gab Karoline zu.

»Über irgendwelche Frauenrechtlerinnen in England und …«, Stern schaute sich um und schloss Karolines Zimmertür hinter sich, »über jede Menge unanständiger Sachen, hat der Johann gesagt. Was soll ich mir darunter eigentlich vorstellen?« Aber er wollte es gar nicht so genau wissen, fuhr gleich fort: »*Sozialistische Gedanken*. Karoline, ich frage mich, ob du das nötig hast.«

Karoline zog fragend die Augenbrauen hoch.

»Wir sind nun wahrhaft keine Familie, wo es verboten ist, wenn man über die Welt nachdenkt und was an ihr möglicherweise alles nicht in Ordnung ist. Wir schreiben dir nicht vor, was du zu tun und zu denken hast, das kann man nicht sagen!«

»Nein.«

»Wir sind sehr fortschrittlich und wir lassen dir alle möglichen Freiheiten.«

»Ja.«

»Ich habe auch keine Angst vor deiner Großmutter, wirklich. Soll sie sagen, was sie will! Du bist *meine* Tochter und nicht ihre.« Herr Stern drehte ab, dann fiel ihm noch etwas ein und er kam wieder zur Tür herein. »Das mit der Juristerei ist ja nun nichts geworden – oder willst du etwa doch in die Schweiz?«

Karoline schüttelte den Kopf und ihr Vater atmete erleichtert auf. »Willst du dir vielleicht eine Anstellung suchen als Lehrerin? Eine Ausbildung hast du zwar nicht, aber bei deinem Wissen … Soll ich mich erkundigen, ob sie irgendwo eine Stelle für dich haben?«

»Nein.« Wider Willen war sie gerührt.

»Bei deinem Verstand und mit deinem Gefühl – du könntest die jungen Mädchen formen und sie bilden und in ihnen einen moralischen Sinn wecken. Du könntest aus der nächsten Generation eine bessere machen, als die heutige ist.« Er sah sie so deutlich wie auf einer Fotografie, die Abschlussklasse seiner Tochter, mit sauberen Kleidern und edelmütigen Gedanken hinter den hohen Stirnen.

Freudlos sah Karoline dieselbe Schulklasse vor sich, das Jungfrauenbrevier und die ›Kleine Häkelschule‹ unter den Arm geklemmt. »Für all diese langweiligen Sachen, die man in der Schule lernt, interessiere ich mich aber nicht«, erklärte sie bedauernd, »ich will etwas anderes!«

Stern warf verzweifelt die Hände hoch. »Dass du aber auch immer so ungeduldig sein musst! – Aber ich verstehe dich ja. Ist schließlich meine eigene Schuld.« Er lächelte liebevoll. »Da will ich immer nur das Beste für meine kluge Tochter, ich erzähle ihr von Geschichte und Politik und zeige ihr all meine Bücher. Kein Wunder, wenn sie da auf merkwürdige Gedanken kommt.«

»Genau, es ist deine Schuld«, neckte Karoline.

»Und die deiner Mutter. Die hat auch nur Flausen im Kopf.« Er verdrehte theatralisch die Augen, hoffte, seine Unsicherheit durch Humor zu überspielen. »Warst du heute in der Suppenanstalt?«

Sie nickte.

»Und du gehst auch regelmäßig hin?«

»Natürlich.« Karoline lächelte. Als sie in der Suppenanstalt angefangen hatte, war ihr Vater nun wirklich nicht begeistert gewesen. Die anderen waren lauter verheiratete Frauen von dreißig, vierzig Jahren. Ehrenamtliche Arbeit, das kam doch erst nach Heirat und Kindererziehung – hatte er damals gefunden. Inzwischen schien es ihm wohl das kleinere Übel.

»Gut.« Herr Stern war ein wenig besänftigt. Außerdem: Wer einmal auf einen sozialistischen Vortrag ging, war noch kein Sozialist. »Ich verstehe das ja, all diese armen Frauen und Männer und so weiter. Aber man muss langsam machen. Kleine Schritte, verstehst du? Man darf nichts überstürzen.« Er verschwand.

Karoline blätterte in den Zeitungen. Martha Kellermanns Name stand in jedem Inhaltsverzeichnis, aber unter den Titeln konnte sie sich kaum etwas vorstellen: ›Die Bildung der Arbeiterin‹, ›Das Recht der Frau auf Erwerb‹, ›Sexualreform und Mutterschutz‹, ›Das Sklaventum der Dienstmädchen‹. Hatte sie selbst sich jemals Gedanken gemacht über Mutterschutz oder ein

Sklaventum der Dienstmädchen? Sie war viel zu aufgeregt, um auch nur einen Artikel genau zu lesen. Ihr krabbelte es in der Magengrube, es war angenehm, aber es kam nicht von dem Glas Wein, das man ihr nach dem Aufräumen der Suppenanstalt eingeschenkt hatte.

Sie wollte endlich loslegen, wollte losstürmen. Wohin, das wusste sie noch nicht. Aber sie hatte das Gefühl, dass sie bereit war für einen richtig großen Schritt – so einen, bei dem man alles Mögliche überstürzt.

Fay Weldon

Beste Feindinnen

Roman

Alexandra Ludd hat alles erreicht. Ihre Ehe ist harmonisch, ihr Mann Ned ist ein attraktiver Schöngeist und bekannter Kritiker, und auch auf Mutterglück musste sie nicht verzichten. Da erreicht sie eines Tages bei der Arbeit die Nachricht von Neds plötzlichem Tod. Aber statt der Unordnung eines jäh verlassenen Schauplatzes findet sie ein geputztes Haus vor, in dem alle Spuren, einschließlich des Leichnams, beseitigt sind. Und es kommt noch schlimmer – bis Alexandra der Geduldsfaden reißt und sie süße Rache nimmt. *ca. 256 Seiten, gebunden*